TERRARVM
GGENBERG
Riga
Konstantinopel
Aleppo
Jerusalem
Bagdad
Alexandria
Kairo
Hormuz
Goa
Cochin
Chittagong
Malakka
AFRICA.
ASIA
India orien talis
China.
Mongol.
Arabia.
MAR DI INDI
Vastissimas hic esse regiones ex M. Pauli Ven: et Lud: Vartomanni scriptis peregrinationibus constat.
Psitacorum regio, sic a Lusitanis appellata ob incredibile earum avium ibidem magnitudinem.
S NONDVM COGNITA.
S HVMANIS, CVI AETERNITAS
SIT MAGNITVDO. CICERO:

Martina Lehner

Georg Christoph Fernbergers Fahrt auf den Sinai, ins Heilige Land, nach Babylon, Persien und Indien (1588–1593)

Der Verlag und das OK Offenes Kulturhaus Oberösterreich danken der
Kulturabteilung in der Oberösterreichischen Landesregierung
und Dr. Karl Stöhr von der Brauerei Schloß Eggenberg in Vorchdorf.

1. Auflage 2008

Graphische Gestaltung: Dall'O & Freunde
Bildbearbeitung: Typoplus, Frangart
Druckvorbereitung: Graphic Line, Bozen
Printed in Austria

ISBN 978-3-85256-458-6

www.folioverlag.com

Martina Lehner

Georg Christoph Fernbergers Fahrt auf den Sinai, ins Heilige Land, nach Babylon, Persien und Indien (1588–1593)

Eine Kulturgeschichte des Reisens in der Frühen Neuzeit

Herausgegeben gemeinsam mit dem
OK Offenes Kulturhaus Oberösterreich

Band I

FolioVerlag

Inhalt

1. Kapitel
Aufbruch in Konstantinopel

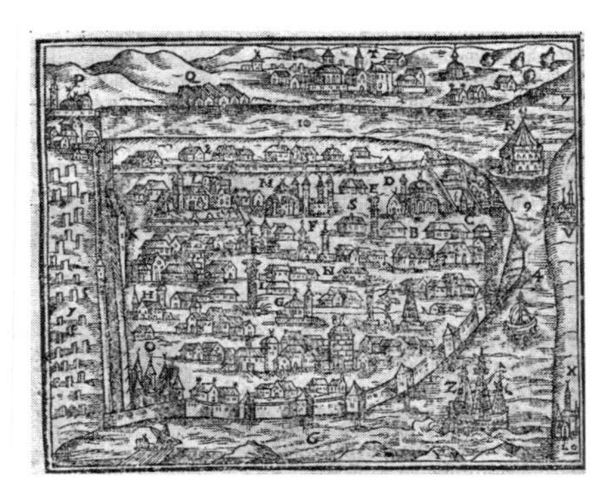

Früh am Morgen des 29. Juli 1588 betrat Georg Christoph Fernberger eine kleine Karawanserei im Zentrum von Konstantinopel. Die Nacht hatte er mit seinen Gefährten am Hafen verbracht: gelagert auf den eigenen Habseligkeiten, nachdem sie ein Fährboot zu später Stunde hier abgesetzt hatte. Dann waren die Stadttore geöffnet worden und die elf müden Männer endlich eingelassen, die nach einer fast vierwöchigen Reise durch das unmittelbar angrenzende Kleinasien wieder nach Konstantinopel, dem Ausgangspunkt ihrer Fahrt, zurückgekehrt waren. Anschließend hatten Georg Christoph Fernberger und seine Begleiter sogleich ihr früheres Quartier in der Residenzstadt des türkischen Sultans aufgesucht: den *Nemçi Han* oder, wie der ummauerte Komplex von seinen Bewohnern genannt wurde, das „Deutsche Haus".

Bis fast zur Mitte des 17. Jahrhunderts war dieser *Han* den Gesandtschaften des deutschen Kaisers als Quartier in Konstantinopel zugewiesen, während die Botschafter anderer europäischer Nationen in der Vorstadt jenseits des Goldenen Hornes viel ungezwungener wohnten und größere Freiheit genossen. Da die Osmanen den christlichen Botschaftern vorsichtshalber nicht allzu viel Vertrauen schenkten, versuchten sie stets, den Verkehr der Gesandten untereinander zu unterbinden und deren Bewegungsfreiheit zu beschränken. Zeitweilig saßen die christlichen Gesandten deshalb wie hinter Schloß und Riegel, getröstet allein von der Vorstellung, hinter den dicken Mauern ihrer Botschaften zumindest sicher zu sein.

Nun bot das Deutsche Haus aber auch ganz unbestritten Vorteile: Es lag mitten im Stadtzentrum in der Nähe des Hippodroms, direkt beim Hühnermarkt am Konstantinsforum und etwas erhöht auf einem Hügel, was die Aussicht bereicherte: Aus den südlich gelegenen Zimmern sah man auf den Hafen, konnte die ein- und auslaufenden Schiffe beobachten und zusehen, wie sich Delphine im Wasser tummelten. In der Ferne blinkte der schneebedeckte Gipfel des sogenannten bithynischen Olymps. Mochten andere weiterhin sehnsuchtsvolle Blicke aus diesen Fenstern werfen – Georg Christoph Fernberger hatte den Traum einer Kleinasienreise samt Abstecher zu diesem Olymp kurzerhand in die Tat umgesetzt. Trotzdem nahm sein Leben danach nicht mehr den gewohnten Gang. Oder vielleicht gerade deshalb, denn inzwischen schienen die langen Jahre im *Nemçi Han*, die auf jeden Fall bedeutet hatten, ein recht abgeschiedenes Dasein zu fristen, verstärkt ihren Tribut zu fordern.

Aller Wahrscheinlichkeit nach hielt sich Fernberger nun bereits seit mehr als dreieinhalb Jahren in der Hauptstadt des Osmanischen Reiches auf: Er dürfte im Herbst des Jahres 1584 in Österreich aufgebrochen zu sein, um den Erblandhofmeister der Steiermark samt dem fälligen Ehrengeschenk für den Sultan nach Konstantinopel zu begleiten. Anstatt im Frühjahr nach Hause zurückzukehren, war er aber geblieben und zu einem Mitglied der ständig vor Ort residierenden diplomatischen Vertretung des Kaisers geworden. Zuletzt im übrigen in der Funktion eines Sekretärs, also als rechte Hand des eigentlichen Orators.

Den Kaiserlichen Gesandtschaften in Konstantinopel verdankte Europa viel: Nicht nur Land, Leute und Lebensverhältnisse im Osmanischen Reich lernte man mit der Zeit besser kennen, die Auftragsbücher der Kunsthandwerkszentren wie Augsburg und Nürnberg (die die Ehrengeschenke in Form von Zierat aus Gold, Silbergeschirr, Standuhren und Automaten herstellten) füllten sich dadurch ebenso wie die Gartenanlagen der Höfe, brachten doch botanisch interessierte Gesandte von ihren Aufenthalten auch Kostbarkeiten wie Roßkastanien, Flieder (den „türkischen Holler"), Tulpen, Hyazinthen, Levkojen und Jasmin mit nach Hause.

Im Jahr 1587 zog der Jurist Dr. Bartholomäus Pezzen als Kaiserlicher Gesandter in Konstantinopel ein. Nun herrschte insbesondere in religiösen Fragen frischer Wind, denn Pezzen war (im Gegensatz zu den protestantischen Residenten bisher) eifriger Katholik, was – neben dem Umstand, daß Pezzen, zuvor Sekretär dreier Oratoren, über eine zehnjährige Erfahrung am Bosporus verfügte – nicht zuletzt den Ausschlag für seine Bestellung gegeben hatte. Kein Wunder, daß sich das Klima innerhalb der Gesandtschaft rapide verschlechterte: Pezzen präsentierte sich nicht nur als feuriger „Papist", sondern setzte seine Macht gegenüber dem Gesandtschaftspersonal auch skrupellos ein. Reibereien zwischen dem Tiroler Dickschädel Pezzen, seinem jesuitischen Beichtvater und den überwiegend protestantischen Gesandtschaftsangehörigen waren nun an der Tagesordnung.

Die gereizte Stimmung im *Nemçi Han* dürfte dazu beigetragen haben, daß sich Georg Christoph Fernberger, kaum von seiner Bithynienfahrt zurück, erneut zu einer Reise entschloß, verließen doch etliche Mitglieder der bisherigen Gesandtschaft in diesen Monaten fluchtartig das Deutsche Haus. Fernberger, der zuletzt in einen Disput verwickelt war, in dessen Verlauf sich die Kontrahenten gegenseitig mit Dolchen an die Gurgel gingen, machte der Sache jetzt ebenfalls ein Ende: Gemeinsam mit Hans Christoph Teufel, einem niederösterreichischen Adligen, der sich als Besucher im Deutschen Haus aufhielt und in jenem Streit sein Stilett an Fernbergers Seite gebraucht hatte, packte er seine Sachen, um zu einer Pilgerfahrt ins Heilige Land aufzubrechen.

Damit hatte Georg Christoph Fernberger schon vor der Abfahrt einen gleichgesinnten Reisegefährten von Stand gefunden. Die Familie Teufel war in Niederösterreich alteingesessen und in den 60er Jahren des 16. Jahrhunderts überdies mit dem Titel „Freiherrn von Guntersdorf" bedacht worden. Hans Christoph Teufel wurde 1567 geboren und gehörte dem Familienzweig Pitten-Froschdorf an. Nun, im Jahr 1588, als sich Teufel gemeinsam mit Fernberger anschickte, von Konstantinopel aus auf Pilgerfahrt zu gehen, stellte er – ohne es zu wissen – auch die Weichen für seine spätere Karriere. Nach seiner Rückkehr sollte er zuerst Kämmerer Kaiser Rudolfs II. und Oberst eines Regimentes werden, um danach in den diplomatischen Dienst überzuwechseln: Ausgestattet mit den Erfahrungen, die er nun in der Folge sammeln sollte, gehörte er im Jahr 1604 auch der kaiserlichen Delegation an, die in Ofen – erfolglose – Friedensverhandlungen mit den Osmanen führte, und kehrte im Jahr 1607 schließlich selbst als kaiserlicher Botschafter nach Konstantinopel zurück. Allerdings war der Preis für dieses Amt – den Gesetzen der Zeit entsprechend – die Konversion zum Katholizismus, denn ebenso wie Fernberger war auch er Protestant.

Was Herkunft, Heimat, Religion, Bildung und Interessen betraf, harmonierten die beiden Männer also bestens. Ideale Voraussetzungen auch in finanziellen wie privaten Belangen: frei und unverheiratet beide. Übrigens sollte sich am Familienstand der zwei auch nie etwas ändern. Die solcherart passionierten Junggesellen teilten selbst das Faible, über die Erlebnisse ihrer Reise detailliert Buch zu führen. Doch während Teufel die folgenden Abenteuer in seiner Muttersprache Deutsch festhielt, wählte Fernberger für sein Reisetagebuch Latein. Auch ließ Teufel seinen Bericht schließlich in italienischer Sprache in Druck gehen, Fernbergers Text dagegen blieb immer ein „Manuskript".

Die erste Bewährungsprobe als Reisegefährten hatten die beiden Österreicher schon bestanden, denn Teufel war bei der Bithynienfahrt ebenfalls mit von der Partie gewesen. Kennengelernt hatte man sich vermutlich im Herbst des Jahres 1587 direkt an Fernbergers Aufenthaltsort am Bosporus: Im *Nemçi Han*, der auch für Pilger und Reisende aus dem Deutschen Reich naheliegende Anlaufstelle war. So hatte die Aussicht auf Quartier, Ansprache und die neuesten Nachrichten aus der Heimat wohl auch die Schritte Hans Christoph Teufels ursprünglich dorthin gelenkt. Übrigens war Teufel nicht direkt aus Österreich kommend am Goldenen Horn eingetroffen, sondern in Venedig an Bord eines Schiffes mit Zielhafen Konstantinopel gegangen. In Italien hatte er sich zuvor ebenfalls schon längere Zeit aufgehalten: Zwischen 1585 und 1587 dort gemeinsam mit seinem Bruder auf Kavalierstour, hatte er offensichtlich juristische Studien in Padua betrieben, sich zwischendurch aber auch Abstecher nach Bologna und Siena gegönnt.

Eine derartige Bildungsreise als Höhepunkt und Ende der Erziehung war etwa seit der Mitte des 16. Jahrhunderts im europäischen Adel in Mode gekommen. Mit ungefähr 16 Jahren holte sich damit der hoffnungsvolle Nachwuchs den letzten Schliff in höfischem Verhalten, studierte an einer der bekannten europäischen Universitäten und erlernte nebenbei auch noch moderne Sprachen. Während im 16. Jahrhundert der Schwerpunkt noch auf dem Universitätsbesuch lag, galt im 17. Jahrhundert, dem eigentlichen Zeitalter der Kavalierstour, vor allem die Übung im gesellschaftlichen Umgang als wesentlicher Zweck dieser Veranstaltungen und vermittelte und festigte dergestalt – über Konfessionsgrenzen hinweg – allgemein gültige adelige Normen und Werte.

Ob Georg Christoph Fernberger seinen Bildungsweg ebenfalls mit einem Studium und einer traditionellen Kavalierstour abgerundet hatte, läßt sich nicht zweifelsfrei beantworten: Außer den spärlichen Informationen, die sein Reisetagebuch preisgibt, ist kaum etwas zu seiner Person bekannt, und in den erhalten gebliebenen Matrikeln der italienischen Universitäten von Padua, Siena, Bologna, Ferrara und Perugia scheint der Name Georg Christoph Fernberger (im Gegensatz zu mehreren anderen Mitgliedern der Familie) nicht auf. Ein Blick auf sein persönliches Umfeld und seinen familiären Hintergrund rückt allerdings beides in den Rahmen des Möglichen: Georg Christoph Fernberger kam 1557 als Sohn des Vicedomes im Herzogtum Österreich ob der Enns, Ulrich Fernberger, zur Welt. Auch Johann, sein Großvater, war schon lange bevor er schließlich die Verwaltung der oberösterreichischen Kammergüter als Erbamt übernahm, in kaiserlichen Diensten gestanden: als Geheimer Sekretär und Kaiserlicher Rat. Als Stammsitz der Familie, die vermutlich ursprünglich aus dem Reich stammte und sich zunächst in Tirol angesiedelt hatte, fungierte inzwischen die Herrschaft Eggenberg im Salzkammergut, mit der König Ferdinand Johann Fernberger im Jahr 1527 belehnt hatte. Deren ausgestorbene Besitzer hinterließen den neuen Herrn im übrigen auch gleich das Familienwappen, das auf blauem Grund von einer goldenen Egge und Löwenköpfen geziert wurde.

Inzwischen aber rückte für Fernberger und Teufel der Tag der Abreise näher, und die beiden Männer bereiteten sich auf die kommende Fahrt übers Mittelmeer vor. Während der Streit im Deutschen Haus eskalierte, war im Hafen von Konstantinopel gerade ein Frachtschiffkonvoi mit dem blumigen Namen „Karawane von Alexandria" für die Abfahrt klariert worden. Da die Gelegenheit willkommen und ein längerer Aufenthalt im *Nemçi Han* vermutlich unerwünscht war, hatten Fernberger und Teufel eine Fahrt nach Alexandria ins Auge gefaßt und waren schnell übereingekommen, vor der Besichtigung des Heiligen Landes noch den Manifesten der biblischen Überlieferung in Ägypten sowie dem Katharinenkloster auf dem Sinai einen Besuch abzustatten – ganz in der Tradition mittelalterlicher Pilgerfahrten übrigens, gehörte doch die nun geplante Tour schon immer zum erweiterten Programm eines Aufenthaltes im Heiligen Land.

Ähnlich den üblichen Verträgen auf Pilgerschiffen dürfte zunächst irgendeine Form von Kontrakt zwischen den Passagieren und dem Schiffspatron zustande gekommen sein, und da zumeist jeder Reisende seine Verpflegung auf dem Schiff eigenverantwortlich sicherstellen mußte, waren nun ausreichend Lebensmittel und das erforderliche Küchengerät zu erstehen. Außerdem tat man gut daran, seine Habe rechtzeitig um zweckdienliche Ausrüstungsgegenstände zu erweitern: passende Kleidung und Schuhwerk etwa, aber auch Schreibzeug und Reiseführer sowie Arzneien für den Notfall. Daneben würden sich Wechsel und Empfehlungsschreiben als überaus nützlich erweisen (entweder bereits aus der Heimat mitgebracht, in Venedig erworben oder, ebenso wie die Paßbriefe des Sultans, im letzten Moment in Konstantinopel beschafft).

Wer am Schiff auf erhöhten Komfort Wert legte, mußte tief in die Tasche greifen, stöhnte doch Teufel über den Preis für jene zwei Kajüten, die er für sich und seinen Reisegefährten im Bug des Schiffs reserviert hatte. Hans Christoph Teufel hatte außerdem einen Begleiter für seine persönliche Bequemlichkeit angeworben, der als Einkäufer und Koch ebenso gute Figur machen wie als Dolmetscher unentbehrliche Dienste leisten sollte.

Regelmäßig zweimal im Jahr trat die „Karawane von Alexandria" die Fahrt nach Ägypten an, und gewöhnlich schifften sich auch reiselustige Privatleute aller Nationen auf dem probaten Transportmittel ein. Am 2. September 1588 lief der aus sieben Schiffen bestehende Konvoi schließlich aus, mit an Bord auf einer ihrer Galeonen Georg Christoph Fernberger und Hans Christoph Teufel zusammen mit mehr als 800 anderen bunt zusammengewürfelten Passagieren: Christen, Juden und insbesondere moslemischen Pilgern auf dem Weg nach Mekka. Die Flotte steuerte durch das Marmarameer, machte bei den Dardanellen planmäßigen Halt in Gallipoli, wo Schiffspapiere und Ladung überprüft wurden, ankerte dann erneut am letzten Kontrollpunkt zwischen den beiden gegenüberliegenden Kastellen Sestos auf der europäischen und Abydos auf der asiatischen Seite des Hellespont und segelte anschließend ins Mittelmeer hinaus.

Elf Tage und gut vierhundert Seemeilen später erreichte man Rhodos, wo gewöhnlich eine kurze Zwischenstation eingelegt wurde. Auch diese Insel befand sich seit sechsundsechzig Jahren fest in der Hand der Osmanen: Im Jahr 1522 hatten die Johanniter in Rhodos nach einer fast halbjährigen Belagerung der Stadt kapitulieren müssen und sie den Türken übergeben, waren als „Malteserritter" von ihrem neuen Stützpunkt Malta aus aber bald wieder zu einem bedeutenden Machtfaktor im Mittelmeer geworden. Nach den eintönigen Tagen auf See fanden die Reisenden nun Gelegenheit, ihr Reisetagebuch um einen weiteren Eintrag zu ergänzen. Allerdings bleiben die Beschreibungen von

Rhodos bei den meisten „Reiseautoren" dieser Zeit recht oberflächlich, wohl auch deshalb, weil oft nur ein, zwei Tage zur Verfügung standen, um sich umzusehen, währenddessen das Schiff frisch versorgt wurde. Ein Überblick mit einem etwas ausführlicheren historischen Teil mußte hier also in der Regel genügen.

In Rhodos faszinierte neben den immer noch gewaltigen Befestigungsanlagen der Johanniter und deren ehemaligen Unterkünften naturgemäß das Weltwunder, das die Insel zu bieten hatte. Und obwohl nichts mehr zu sehen war, befaßte sich hier kaum jemand nicht mit dem berühmten „Koloß". Georg Christoph Fernberger setzte in seiner Schilderung des einstigen Monumentes den Akzent auf den Brief des Apostels Paulus an die „Kolosser" – einer langen Pilgertradition folgend, die eine Verbindung zwischen jenem monumentalen Bauwerk und der als Adressaten des Briefes ausgewiesenen christlichen Bevölkerung von „Colossae" hergestellt hatte. Nach dem obligaten historischen Abriß wandte sich Fernberger zum Abschluß noch einer fabelhaft anmutenden Geschichte zu: *„Wir gingen dort vorbei und betrachteten mit Bewunderung ... einen am Kreuz hängenden Christus, der an die Wand gemalt war, dessen Kopf und Körper – die Insel war ja schon von den Türken besetzt – von einigen Geschossen getroffen war, die allerdings herausgefallen waren. Aus einer dieser Wunden soll Blut geflossen sein, von dem heute noch Spuren zu sehen sind."*

Mehr als die Hälfte des Weges hatte man bereits geschafft, wieder eingeschifft galt es, nur noch schnell das zweite Teilstück der Reise hinter sich zu bringen: *„Am 15. September* [1588] *fuhren wir bei Sonnenuntergang von Rhodos ab, legten in 6 Tagen 500 welsche Meilen über das Mittelmeer zurück und erblickten freudig am 20. desselben Monats Afrika, den dritten Erdteil, und fuhren in der ersten Nachtstunde in den neuen, ziemlich gefährlichen Hafen von Alexandria ein, der rechts und links von einem Kastell begrenzt wird."*

2. Kapitel

In Ägypten

Alexandria, die erste und erfolgreichste der nach Alexander dem Großen benannten Städte, bildete für alle, die übers Meer kamen, das Tor zu Ägypten. Gleichzeitig war es der Ausfuhrhafen für die in West-, Mittel- und Südeuropa begehrten orientalischen Waren. Wer nicht als Kaufmann kam, richtete seine Aufmerksamkeit allerdings zunächst auf die kleine vor der Stadt liegende Insel Pharos. Alexander der Große hatte sie durch einen Damm mit dem Festland verbinden lassen, sodaß zwei geschützte Häfen entstanden waren. Pharos selbst sollte vor allem den Seeleuten und der Schiffahrt dienen: Für Isis, die Seefahrergöttin, errichtete man einen Tempel, und ein Turm, der um die 120 Meter hoch gewesen sein dürfte, diente als weithin sichtbares Seezeichen. Zu sehen war von diesem Wunderwerk freilich nichts mehr, denn bei zwei schweren Erdbeben in den Jahren 1303 und 1326 war der Leuchtturm eingestürzt. Doch das Wissen und die Geschichten darüber zeigten selbst bei Reisenden späterer Zeit – oft in fabelhafter Verbrämung – ihre Wirkung. So widmet auch Georg Christoph Fernberger seinen ersten Satz nach der Ankunft bereits diesem Objekt: *„Das Land, auf dem das rechte Kastell liegt, war einst eine Insel mit Namen Pharos, auf der der äußerst hohe, mit unglaublicher Technik erbaute Turm stand, auf dessen Spitze der einst von Alexander angebrachte Spiegel gewesen sein soll, mit dem alle Schiffe, auch solche, die weiter*

als 500 Meilen entfernt waren, erspäht werden konnten, was auch unter die sieben Weltwunder gerechnet wurde.“
Inzwischen hatte man jedoch Ersatz für den Pharos geschaffen und auf einem Hügel der Stadt neuerlich einen Leuchtturm in Betrieb genommen, von dem aus Tag und Nacht der Schiffsverkehr beobachtet wurde.
Für Georg Christoph Fernberger bildeten die Ruinen des alten Pharos ein Fenster in die Welt der Antike. Mehr noch: Für ihn war das verfallene Seezeichen eines jener klassischen Bauwerke, die im Altertum zu den sehenswerten Weltwundern gezählt wurden. Doch während man sich heute über diese auserwählten Monumente zweifelsfrei verständigt hat (und der Pharos von Alexandria zählt nicht dazu), kursierten in der Antike unterschiedliche Fassungen dieser Liste. Neben dem Pharos finden sich dort u.a. der Hörner-Altar von Delos oder das Labyrinth von Ägypten, die hunderttorige Stadt Theben in Ägypten oder auch die gesamte Stadt Rom. Daneben wurden stets noch weitere (heute in diesem Zusammenhang gewöhnlich nie genannte) Tempel, Denkmäler, Paläste u.ä. in die verschiedenen Zusammenstellungen miteinbezogen, immer um den Preis, ein anderes Bauwerk daraus zu eliminieren, denn das einzige, was tatsächlich festzustehen schien, war die Zahl Sieben selbst. Im europäischen Mittelalter übte man diese Selbstbeschränkung nicht mehr: Listen mit acht, neun, zehn und mehr Weltwundern waren in Umlauf, die längste Aufstellung zählte sogar runde dreißig. Zu den alten „heidnischen“ Wundern, die zum Teil von den Kirchenvätern christlich umgedeutet wurden, traten zum einen neue, wie die Statue der Athene in Athen, das Kapitol in Rom oder der „Hain des Rufinus“ in Pergamon, und zum anderen „biblische Wunder“: die Arche Noah zum Beispiel und der Tempel Salomons. In der Renaissance wurde dieser Wildwuchs wieder beschnitten, man kehrte zu den Listen der antiken Autoren zurück.
Doch Alexandria hatte immer noch Einzigartiges zu bieten – kein Weltwunder zwar, aber doch eine für das Osmanische Reich außergewöhnliche Atmosphäre: Da hier seit langem die Waren aus dem Orient und Indien Richtung Europa umgeschlagen wurden und die Stadt ein aufgrund alter Privilegien verbrieftes Recht auf freien Handel besaß, stand der Hafen allen Nationalitäten offen. Ein Umstand, der jedem Besucher sofort ins Auge fallen mußte: *„Alexandria hat auch als einzige unter den am Meer gelegenen Städten der Türken einen freien Hafen und Zugang zum Meer, wo Schiffe jeglicher Nation und Herkunft, sei es, daß sie mit dem Sultan verbündet sind oder nicht, frei und ohne Einschränkung landen und Handel treiben können. So sah ich selbst einige sizilianische Schiffe. Es befindet sich hier aber fast eine größere Anzahl von fremdländischen Händlern, Christen wie Heiden, die in der Stadt wohnen, als von einheimischen, die die fünf Haupthandelshäuser … innehaben.“*
So fand sich im Hafen von Alexandria also Ost und West zu einträglichen Geschäften ein – allen voran aus Venedig, aber auch aus Sizilien, Genua, Livorno, Neapel, Ragusa und Marseille liefen regelmäßig Frachtschiffe in Alexandria ein. Sich ein gutes Quartier zu besorgen, war in Alexandria ein Leichtes, setzte sich

doch das bunte Treiben in der Stadt fort: Von den fünf Handelshäusern, die Fernberger erwähnte, gehörten zwei den Venezianern, je eines hatten die Franzosen, Genuesen und Ragusaner inne – und alle verfügten nicht nur über Lagerräume, sondern waren im ersten Stock auch großzügig mit Wohnmöglichkeiten ausgestattet. Insbesondere bei den italienischen Konsuln hatten christliche Pilger daher schon seit Jahrhunderten für gewöhnlich Unterschlupf gesucht und gefunden. Fernberger und Teufel wählten die Venezianer als Gastgeber und kamen ohne Schwierigkeiten im sogenannten „Fondaco di Venetia" unter.

In Alexandria hatten Fernberger und Teufel eine knappe Woche Zeit, sich umzusehen. Allerdings galt es, bei der Stadtbesichtigung methodisch vorzugehen und die Unternehmungen an bestimmte Fixzeiten zu knüpfen, da die Bewegungsfreiheit der Europäer hier beschränkt wurde: Nachts und während des Freitagsgebetes blieben sowohl die Stadttore als auch die Türen aller Handelshäuser fest verschlossen. Brachte man seinen Bildungshunger mit dieser Strategie der Konfliktverhütung in Einklang, stand einem vollständig absolvierten Besuchsprogramm nichts mehr im Wege. Reisende wandelten hier nicht nur auf den Spuren Alexanders des Großen, sondern besichtigten vor allem die berühmten heiligen Stätten, tauchten aber auch in die altägyptische Kultur ein, deren Überreste man in Alexandria in natura bestaunen konnte. Georg Christoph Fernberger fühlte keinen Zwang, den Niederschlag dieser Eindrücke in seinem Reisetagebuch chronologisch zu ordnen und zwischen ägyptischer, griechischer bzw. römischer Geschichte und biblischer Überlieferung zu trennen – alles galt als Sehenswürdigkeit, also wurden die Attraktionen auch alle in einem Atemzug genannt: ein einträchtiger Reigen, in dem Kleopatra und die Heilige Katharina ebenso Hand in Hand gingen wie Aristoteles, Pompeius und Markus der Evangelist und heidnische Tempel neben griechischen Klöstern die Kulisse stellten. Hundert Jahre zuvor hatte sich eine Stadtführung für christliche Pilger dagegen noch ausschließlich auf die Stätten religiöser Erbauung beschränkt. Besonderes Interesse weckte eine Sehenswürdigkeit am Stadtrand von Alexandria: *„... in der Nähe der Küste sind zwei weitere viereckige Säulen oder Obelisken, von denen einer aufrecht steht, der andere aber umgestürzt ist. In beide sind verschiedenartige, alte figürliche Darstellungen von Tieren und Vögeln, die heute niemand mehr lesen und verstehen kann, eingemeißelt."*

Die Enträtselung der Hieroglyphen beziehungsweise die Beschäftigung damit war schon zu Beginn des 16. Jahrhunderts im Humanistenkreis um Kaiser Maximilian in Deutschland in Mode gekommen, und die daraus entstandene Bewegung versuchte, die Hieroglyphen als Symbole zu deuten. Mittelalterliche Pilgerberichte hatten ihren Schwerpunkt dagegen noch auf Form und Funktion der Obelisken gesetzt, die weit mehr Interesse erregten, als die sonderbaren Zeichen, mit denen sie geschmückt waren. Das Mittelalter vermutete in den Obelisken Grabdenkmäler. Jener in Rom galt zum Beispiel als das Grabmal Caesars, jener in Alexandria, so wurde vermutet, sei für Alexander den Großen errichtet worden. Diese

Tradition klingt auch noch bei Georg Christoph Fernberger an, nur hatte sich inzwischen der Bezugspunkt in weite Ferne verschoben: *„Manche meinen, daß ein König aus der Zeit vor der Sintflut hier begraben sei."*

Die Frühe Neuzeit neigte zur Symbolik und hatte einen starken Hang zur Magie – von der stets nur die schwarze als Teufelswerk und dementsprechend als verwerflich angesehen wurde. Weiße Magie und Kabbala dagegen betrieb der christliche Adel selbst mit Hingabe. Der Gedanke, die Hieroglyphen als Zeichen zu verstehen, lag den Menschen näher als die Vorstellung, sie einfach als Schrift zu deuten und zu entziffern. Also versuchte man, jedem Bild ein Symbol zuzuordnen und diese dann wie einen Satz zu lesen.

Lüften ließ sich das Geheimnis der Hieroglyphenschrift ohnehin erst sehr viel später: Zunächst wurde im Jahr 1799 gar nicht weit von Alexandria der Stein von Rosette aus schwarzem Basalt entdeckt. Seine Inschrift bestand nicht nur aus Hieroglyphen und demotischer Schrift sondern auch aus einer griechischen Übersetzung – und damit hielten die Gelehrten nun den Schlüssel zur Entzifferung der mysteriösen Bilderschrift in Händen. Dennoch sollte es noch dreiundzwanzig Jahre Arbeit bedürfen, bis es Jean François Champollion 1822 schließlich gelang, den Aufbau der Hieroglyphenschrift auf einem herkömmlichen Alphabet sowie ihre phonetische Struktur zu erkennen.

Ende des 16. Jahrhunderts lag diese Erkenntnis noch in weiter Ferne. Man schrieb den 26. September 1588, als Fernberger und Teufel zu neuen Abenteuern aufbrachen. Gewöhnlich zogen Ägyptenreisende von Alexandria aus weiter zum Nil, um dann mit einem Schiff stromaufwärts die rund 20 Kilometer nach Kairo zurückzulegen. Segelnd übrigens, ließ sich doch mit den beständigen Nordwinden die im Delta ohnehin schwache Strömung meist überwinden – ansonsten wich man auf bereitgestellte Treidelpferde aus. Eben diesen Weg schlugen nun auch Georg Christoph Fernberger und Hans Christoph Teufel ein. An dem Kanal, der Alexandria mit dem großen Strom verband, bestiegen sie eines der hier üblichen Boote und machten sich so auf die mehrtägige Weiterreise. Die beschauliche Flußfahrt vermochte Georg Christoph Fernberger nun allerdings nicht recht zu genießen. Es war ihm zu Ohren gekommen, daß eine derartige Reise beträchtliche Gefahren barg: *„Die Schiffahrt auf dem Nil ist wegen der häufigen Raubüberfälle der Araber nicht besonders sicher, und daher sollte, wer Gefahren vermeiden will, diese Reise nicht ohne Gewehre und andere Waffen antreten. Obendrein sind bei Nacht Wachen und schärfste Aufmerksamkeit nötig, da diesen Räubern ja nichts leichter ist, als unter Wasser bei Nacht an die Schiffe heranzuschwimmen und die schlafenden Menschen zu überwältigen oder, wenn jemand sich ihnen entgegenstellt, sofort zu töten."*

Die getroffenen Vorsichtsmaßnahmen, die darin gipfelten, das Nachtlager nicht an Land aufzuschlagen, sondern statt dessen nur in Ufernähe festzumachen, schienen höchst angeraten, war doch Gerüchten zufolge erst wenige Monate zuvor, im Frühjahr 1588, ein venezianischer Kaufmann trotz Begleitschutz auf dem Nil durch einen derartigen Handstreich der Araber umgekommen, wie man mutmaßte, fehlte doch von dieser Reisegruppe seitdem jede Spur.

Georg Christoph Fernberger hingegen sollte das Ziel seiner Fahrt unbehelligt erreichen: In Bulakum, einem Vorort von Kairo, setzte das Segelschiff seine Passagiere fünf Tage später wieder an Land. Wer als Christ nach Ägypten kam, hatte hier zunächst die Einreiseformalitäten zu erledigen (was bedeutete, eine Silbermünze zu bezahlen), wer mit Handelsware ankam, den fälligen Zoll zu entrichten. Danach stand jedem der Weg nach Kairo frei. Fernberger und Teufel legten die kurze Strecke auf Eselsrücken zurück und bezogen daraufhin in der Stadt Quartier. Ein vom venezianischen Gesandten in Konstantinopel ausgestelltes Empfehlungsschreiben öffnete ihnen mühelos die Tür zum Haus des venezianischen Konsuls, der sich, wie sein französischer Amtskollege, in Alexandria von einem Vizekonsul vertreten ließ und lieber in der Hauptstadt wohnte.

Kairo beeindruckte Georg Christoph Fernberger nicht nur durch seine Größe. Im Vergleich zu Konstantinopel, das schließlich Hauptstadt des Osmanischen Reiches war, erschien diese Stadt auch auffallend prächtiger: *„Diese sehr bevölkerungsreiche Stadt hat keine unversehrten Stadtmauern mehr, besteht aber, mehr noch als Konstantinopel, aus hohen Gebäuden und sehr vielen Moscheen, nämlich an die 12.000, wie behauptet wird ...“*

Das dichte Gedränge in den Straßen und das weitläufige Stadtgebiet machten es nicht gerade einfach, sich hier umzusehen und von A nach B zu gelangen. Die Lösung – konzipiert eigentlich für die Bewohner der Stadt, die tagtäglich mit demselben Problem konfrontiert waren – war klein, grau und fand sich überall in den breiteren Straßen der Stadt: Taxis. Ende des 16. Jahrhunderts verfügten die Kairoer Taxis allerdings nicht einmal über eine Pferdestärke, sondern bestanden aus Hundertschaften von Eseln, die sich wendig und trittsicher ihren Weg durch die Menge bahnten und ihre Passagiere im wiegenden Paßgang überaus bequem beförderten. Solchermaßen befähigt, eine Stadtbesichtigung in Angriff zu nehmen, stürzten sich Reisende kopfüber ins Vergnügen. Während der lebhafte Handel der Stadt Kairo, die Sklavenmärkte und die Basare mit den begehrten indischen Waren im Reisetagebuch von Georg Christoph Fernberger nicht aufscheinen, gehörten sie dennoch zu jenen Themen, die Reiseberichte hier üblicherweise aufgriffen. Bei den restlichen Sehenswürdigkeiten war Fernberger mit seinen Zeitgenossen allerdings wieder einer Meinung: Neben den dreitägigen Feierlichkeiten anläßlich der Nilüberschwemmung war ein Besuch der Altstadt mit ihren Kornspeichern, der Wasserleitung und der Zitadelle aus dem 12. Jahrhundert obligat.

Kuriosa erregten überall besonderes Interesse, und Kairos Beitrag zu derartigen touristischen Leckerbissen bildeten die außergewöhnlichen Brutöfen: *„Nicht ohne Staunen betrachteten wir auch in der Stadt einige Öfen, in die in den Monaten Mai, Juni und Juli Hühnereier in großer Zahl, an die 10.000 und 15.000 zugleich, in Reihen gelegt werden. Nachdem darunter eine Glut aus Kameldung oder ein kleines Feuer gemacht worden ist, schlüpfen in 20 Tagen die lebenden Küken aus, die nach Scheffeln, wie bei* *uns Getreide, gewogen und verkauft werden. Dies erwähnt auch Aristoteles* [Historia animalium IV, 2]."

Nicht nur die seltsame Einrichtung, deren Funktionsweise gern aufs Genaueste beschrieben wurde, sondern auch die einzigartige Verkaufsmethode haben die Reisenden immer wieder verblüfft, widersprach es doch ihrem Verständnis, Hühner nicht stückweise abzuzählen, sondern zwanglos zu „scheffeln". Frühkapitalistische Geister mochten sich auch für die Gewinnausschüttung der Einrichtung begeistern, denn die Brutöfen warfen für den Eigner mehr als 100 Prozent Ertrag ab.

Naturgemäß geriet man auf Reisen auch mit der exotischen Tierwelt fremder Landstriche auf Tuchfühlung, und Ägypten vermochte den Horizont der Mitteleuropäer auf diesem Sektor zumeist beträchtlich zu erweitern. Immerhin war die orientalische Fauna in der Frühen Neuzeit noch weitgehend unbekannt, obwohl es an europäischen Fürstenhöfen bereits vereinzelt Tiergärten gab, in denen man derartige Raritäten in voller Lebensgröße bestaunen konnte. Kein Wunder also, daß die fremdartige Tierwelt besonderes Interesse hervorrief. Bei der Beschreibung bislang unbekannter Spezies verwendete auch Georg Christoph Fernberger ein Schema, das vom Mittelalter bis ins 16. Jahrhundert vorherrschend war: Zunächst wurden einige auffallende Merkmale des fremden Lebewesens angegeben, worauf in einem zweiten Schritt dann eine oder mehrere – zumeist fabelhafte – Eigenschaften und Besonderheiten der Gattung zur Diskussion standen. Schon der erste Punkt (die Beschreibung einer fremden Spezies) verursachte Schwierigkeiten: dem Reisenden, der versuchte, das Besondere im Erscheinungsbild herauszuarbeiten – aber auch dem neuzeitlichen Leser, der sich gewöhnlich nicht auf Anhieb in der Lage sieht, das Tier anhand der gebotenen Beschreibung wiederzuerkennen. Ein Beipiel: Hier in Ägypten entdeckte Georg Christoph Fernberger eine ihm bis dato unbekannte Tierart, der er sich ausgiebig widmete, bemüht, ein aussagekräftiges Bild zu vermitteln. Es handelte sich dabei um *„ein wirklich sehenswertes Tier mit einem Pferdekopf und -rücken, aufgewölbter Schnauze, zwiegespaltenen Hufen, ziegenartigen Zähnen, gewundenem Schwanz, zwetschkenfarben und ein wenig kleiner als der Elefant. Wenn der Fluß ruhig ist, sucht es sich manchmal bei Tag, häufiger jedoch in der Nacht am Land Nahrung, tagsüber ist es im Wasser verborgen. Ich konnte allerdings eines ungefähr zu Mittag am Land lange Zeit weiden sehen, was sehr selten vorkommt*". Wie zumeist bringt auch in diesem Fall erst die Nennung des Namens zuguterletzt Licht ins Dunkel: Hippopotamus oder Nilpferd hieß dieses Tier.

Mit einigen der gewöhnlich so interessiert bestaunten realen Spielarten exotischer Fauna hatte Georg Christoph Fernberger sicherlich schon in Konstantinopel Bekanntschaft gemacht. Schließlich glich der *Nemçi Han* einer regelrechten Menagerie, wo sich zur Unterhaltung der Gesandtschaftsmitglieder exotische Tiere aller Art, wie Papageien, Kraniche, bunte Enten, Meerkatzen und Paviane tummelten. Überdies verfügte die Stadt am Bosporus noch über eine bemerkenswerte Attraktion: Einen öffentlich zugänglichen Zoo, in dem sich die Mitglieder europäischer Gesandtschaften gern die Zeit vertrieben, die ihnen ohnehin zumeist recht lang wurde. Untergebracht in einer ehemaligen christlichen Kirche nahe dem Hippodrom, bot dieses „Tierhaus" neben Vertrautem auch Spektakuläres, beherbergte es doch zu der Zeit, als sich Georg Christoph Fernberger in Konstantinopel aufhielt, neben einem ganzen Löwenrudel und etlichen verschiedenen Affen unter anderem auch Tiger, Panther, Leoparden, Wölfe, eine Hyäne, Zibetkatzen und Pharaonenratten. Und um die zwei Elephanten Konstantinopels sowie die hier gehaltene Giraffe zu sehen, bedurfte es nur eines weiteren Besuches im „Konstantinspalast".

Waren einem Mann wie Georg Christoph Fernberger Löwen, Leoparden und Giraffen somit schon recht gewöhnlich, entflammte sein Interesse in Ägypten jedoch aufs Neue: Während seines Aufenthalts in Kairo wurde ein Rhinozeros in die Stadt gebracht, lebend gefangen und nun den neugierigen Blicken des Publikums preisgegeben. Obwohl noch ziemlich klein, trug es bereits alle wesentlichen Merkmale seiner Art: *„Dieses Tier hat eine bleichgelbe Färbung, auf der Nase zwei Hörner, deren vorderes länger als das hintere und zurückgebogen ist. Mit diesem kämpft es gegen Elefanten, ansonsten hat es Augen, Ohren und einen Schwanz ähnlich einem Eber, die Haut ist ganz hart wie bei einem Elefanten. Ebenso sahen wir ein Krokodil, das keine Zunge hat und den oberen Teil des Mauls bewegt ..."*.

Zwar waren Nashörner (samt spezifischer Eigenschaften, wie etwa der „Todfeindschaft" mit dem Elephanten) dem gebildeten Mitteleuropäer der Frühen Neuzeit bereits aus der antiken Literatur bekannt, doch seitdem römische Kaiser einige dieser Tiere nach Italien geholt hatten, bekam Europa bis zum Jahr 1514 wahrscheinlich kein lebendes Exemplar dieser Gattung mehr zu Gesicht. Dieses Nashorn nun kam damals als Geschenk des Sultans von Gujarat an den portugiesischen König Manuel nach Lissabon und ging 1517 als Geschenk an Papst Leo X. auf Seereise nach Rom. Die Gabe aus dem Morgenland erreichte den Vatikan jedoch nur als ausgestopfter Kadaver, da das Tier bei der Havarie seines Schiffes ertrunken und anschließend an Land gespült worden war. In Lissabon hatte das exotische Präsent ungeheures Aufsehen erregt: Valentin Ferdinand, ein Buchdrucker aus Mähren, der sich in Lissabon niedergelassen hatte, berichtete davon an seine Freunde in Nürnberg und legte eine Zeichnung des Tieres bei. Als Albrecht Dürer davon erfuhr, besorgte er sich eine Kopie des Bildes, die die Vorlage für seine berühmt gewordene Federzeichnung abgab. In Dürers Version war das Rhinozeros mit einem sonderbaren, fast metallenen Panzer und einem imaginären Horn auf dem Rücken ausgestattet – Irrtümer, die dann in fast allen folgenden Nashorndarstellungen beibehalten werden sollten und bis weit ins 18. Jahrhundert hinein ihr Unwesen trieben.

Das Krokodil wiederum, das Fernberger in Ägypten bestaunte, faszinierte beim persönlichen Augenschein zunächst durch seine Optik. Eine als beispiellos empfundene Häßlichkeit vermittelte nachhaltige Eindrücke furchterregender Natur. Was lag also näher, als die

Panzer der Echsen im mittelalterlichen Europa als Häute erlegter Lindwürmer auf den Markt zu bringen? Im Gegensatz dazu vermochten sich die kolportierten anatomischen Anomalien der Tiere auch in die Neuzeit hinüberzuretten: Georg Christoph Fernberger hatte zwar deren abnorme Verdauung unterschlagen (Krokodile würden sich der Beutereste durch das Maul entledigen, hieß es), konzentrierte sich aber ansonsten ebenfalls auf den Rachenraum: Krokodile entbehrten einer Zunge (waren folglich stumm) und bewegten anstelle des Unterkiefers ihren Oberkiefer.

Georg Christoph Fernbergers Vorstellungen über die Fauna des Orients wurde nach diesen ersten Höhepunkten noch um eine weitere Spezies ergänzt, diesmal bereitwillig mit Wundersamem ausgeschmückt: *„So sahen wir auch einige Strauße, die als Küken von den Arabern aus der Wüste nach Kairo gebracht werden. Die Menschen aber, die diese Küken jagen, müssen sehr vorsichtig ans Werk gehen. Denn sobald jener Vogel merkt, daß seine Eier verloren und von einem Menschen entdeckt sind, zerbricht und vernichtet er sie selbst. Man sagt außerdem, daß dieser Vogel nicht, wie es die anderen zu tun pflegen, seine Eier ausbrütet, sondern in einer Entfernung von ungefähr einem Schritt gegenüber sitzt und die Eier mit dem heißen Atem aus seinem Schnabel anbläst und durch diesen Lufthauch reifen läßt.“*

Als Kairo ausgiebig besichtigt war – Georg Christoph Fernberger und Hans Christoph Teufel reichten dafür knappe drei Tage – zog man zu den Sehenswürdigkeiten außerhalb der Stadt weiter: zuerst nach „Matarea“ (Matharia), dem als „Balsamgarten“ bekannten Schauplatz biblischer Wunder nordöstlich von Kairo. Für die christlichen Pilger wurde die Geschichte um die heilige Familie, die auf der Flucht vor Herodes hierher gekommen war, dingfest gemacht an einem alten Feigenbaum mit geborstenem Stamm und einer ausnehmend reinen Quelle: Ersterer hatte sich aufgetan, um Maria und ihrem Kind Schutz zu bieten, letztere war dem Boden entsprungen, um die Durstleidenden zu erquicken oder (hier gingen die Meinungen auseinander) um die Windeln Jesu' waschen zu können. Überdies verströmte der hier wachsende wertvolle Balsam einen Wohlgeruch, der die Pilger regelmäßig an das Paradies gemahnte.

Nach dem Ausflug auf biblisches Terrain setzte man über den Nil und machte sich daran, der Kultur des alten Ägypten ein wenig näher zu kommen. Die Totenstadt von Memphis im Wüstenzug oberhalb des Ortes „Sakara“ (Saqqara) bot die Chance, sich in der letzten Ruhestätte der vor etwa 4000 Jahren verstorbenen Ägypter des Alten Reiches umzusehen. Bewaffnete Janitscharen begleiteten die neugierigen Besucher (neben Fernberger und Teufel auch einige Italiener) zunächst bis zum palmenbestandenen Gräberfeld: Hier *„wandten wir uns an einen alten Araber, dem die Bewachung oblag, und zahlten ihm einige Münzen. Er öffnete darauf ein unterirdisches Grab, das voll Sand war, und ließ uns eintreten, worauf wir mit Hilfe eines Seils und brennenden Kerzen hinabstiegen und einige Körper von Mumien teils unversehrt, teils verstümmelt zusammen mit vielen steinernen, ehernen und tönernen Götzen, die auf die Körper gelegt waren, vorfanden“.*

Längst hatte der Sand die glühende Hitze des Tages wieder abgegeben, als sich Fernberger und Teufel spät nachts und bis aufs Hemd entkleidet ins Reich der Toten abseilten. Bäuchlings robbten die neugierigen Eindringlinge nun durch die niedrige Grabkammer, bis sich nach Ablauf einer Stunde schließlich auch die Hartgesottensten beeilten, wieder dem Ausgang zuzustreben. Erleichtert hakte Hans Christoph Teufel diesen Programmpunkt ab: Wären die Kerzen erloschen, hätten sie wohl nicht so schnell wieder zum Ausgang zurückgefunden ... Wäre versehentlich eine Mumie in Brand geraten, hätten sie unten vermutlich ersticken oder auch verbrennen müssen. Kurz: Er hielt das Unternehmen für ausgesprochen gefährlich und wäre nicht noch einmal hinuntergestiegen.

Nach der Nekropole von Saqqara folgte für Georg Christoph Fernberger und Hans Christoph Teufel endlich der touristische Höhepunkt Ägyptens: Noch in der Nacht ritt man weiter nach Gizeh, zum „Ort der Pyramiden", schon im 16. Jahrhundert eine Attraktion sondergleichen. Man besuchte die Grabkammern oder kletterte auf die Spitze, durchaus üblich war es auch, seinen Namen an passender Stelle in den Stein zu ritzen. Von den mittelalterlichen Pilgerschriften an hielt sich unter Reisenden hartnäckig das Gerücht, die Pyramiden seien Kornspeicher der ägyptischen Könige gewesen: Josef habe einst dem Pharao geraten, dort Getreide für die angekündigten „sieben mageren Jahre" aufzubewahren. So verschmolzen auch bei Georg Christoph Fernberger in diesem Punkt noch immer alte und neue Elemente: Denn zum einen führte er an, daß die *„Pyramiden ... einst von den Söhnen Israels gebaut worden sein* [sollen]", zum anderen erwähnte er aber, nach einer landläufigen Meinung sei der Sarkophag im Inneren der Pyramide *„für den im Roten Meer ertrunkenen Pharao bestimmt gewesen"*.

Für die wackeren Besucher begann das eigentliche Abenteuer am erhöht gelegenen Einstieg ins Innere der Cheops-Pyramide. Der einzige Zugang lag an der exakt nach Norden ausgerichteten Front des Gebäudes, etwas östlich der Mitte. Mit brennenden Kerzen gegen die Dunkelheit gewappnet, tappten Fernberger und Teufel daher bereits hinter ihrem Fremdenführer den zunächst abschüssigen Gang entlang, folgten ihm anschließend in einen aufwärts führenden Korridor, besichtigten die damals (wie auch heute noch) fälschlich so bezeichnete „Königinnenkammer", kehrten zum Hauptschacht zurück, erstiegen die sogenannte „Große Galerie" und fanden sich danach am Ziel ihrer Wünsche, in der Grabkammer des Pharaos. Ein Spaziergang. Zumindest in den Berichten von Fernberger und Teufel, die mannhaft jedem Anflug von Unbehagen begegnet waren: den flakkernden Schatten an den Wänden und den Fledermäusen in den Gängen, der abgestandenen Luft und auch der gräßlichen Hitze. Der Gedanke, sich zu verirren und im leeren Grab des Pharaos sein eigenes zu finden, entbehrte jeder Grundlage – solange der Führer durch das Reich der Dunkelheit entsprechend qualifiziert war.

So verließen, nachdem alles besichtigt und dem leeren Steinsarkophag in der Grabkammer durch Schläge einige lang nachhallende Töne entlockt worden waren, Fernberger und Teufel die Pyramide auf dem ihnen schon bekannten Weg. Ein Stoßseufzer begleitete vermutlich den ersten Schritt nach draußen. Nachdem sich die Augen wieder ans gleißende Tageslicht gewöhnt hatten, schritt man zur Besteigung des monumentalen Baues.

Wieder zurück auf Bodenniveau, wartete gleich neben den Pyramiden eine weitere Sehenswürdigkeit auf die forschen Entdecker: *„In der Nähe erblickt man einen auf einem Hals ruhenden weiblichen Marmorkopf von acht ... Umfang und drei ... Höhe. Man behauptet, es sei ein Bildnis der alten Isis, die ... Tochter des Cham, Schwester und Gattin des ägyptischen Königs Osiris war und als ägyptische Juno mit dem Beinamen ‚Isis maxima' bezeichnet wurde."*

Während schon mittelalterliche Pilgerberichte in der Sphinx die ägyptische Göttin Isis portraitiert sahen, wußte Georg Christoph Fernberger überdies von einem unterirdischen Geheimgang und dem begehbaren Innenraum der Figur – Konstruktionen für ihre ehemalige Bestimmung als Orakel.

Trotzdem blieb noch so manches Geheimnis dieser Mischung aus Löwenkörper und Menschenkopf ungelüftet, auf deren Spur selbst der Nachtrag ihrer Maße (57 Meter Länge und 20 Meter Höhe) nicht führen konnte. In der Zeichnung, die Hans Christoph Teufel seinem Reisebericht beigab, ruht nicht unbedingt eine ehrfurchtgebietende Sphinx neben den Pharaonengräbern. Statt dessen ragt, frei am Hals balancierend, ein Kopf aus dem Sand, der mit Engelslokken und jünglingshaften Gesichtszügen aufwartet. Der wahre Gehalt der Figur blieb den damaligen europäischen Besuchern stets verborgen: Auf sie war der Funke der symbolträchtigen Vereinigung von physischer Kraft und Intellekt nie übergesprungen. Im alten Ägypten dagegen hatte man in den beiden Qualitäten, hier in ihrer Vollendung verschmolzen, das Wesen der Könige darzustellen gesucht (und in der Sphinx von Gizeh Pharao Chefren erkannt, als den in Stein gehauenen Wächter seines eigenen Grabes).

Auch dessen ungeachtet in höchstem Maß beeindruckt, schlug die Reisegruppe, als alles ausgiebig besichtigt war, den Rückweg nach Kairo ein. Ein Unterfangen, das mehrere Stunden in Anspruch genommen haben dürfte, denn die Distanz zwischen Gizeh und Kairo betrug damals mehr als zwanzig Kilometer. Wieder zurück im Quartier beim venezianischen Konsul, machten sich Teufel und Fernberger nun daran, die Planung der ersehnten Pilgerschaft in Angriff zu nehmen. Ganz im Stil einer mittelalterlichen Pilgerreise beabsichtigten die beiden, von hier zum Katharinenkloster am Sinai aufzubrechen, das schon seit langem ein beliebter Auftakt für die weitere Fahrt nach Jerusalem gewesen war. Der Zeitpunkt war überdies günstig, denn der Frühherbst galt als „Hochsaison" für Reisen auf den Sinai, und insbesondere in den Monaten September und Oktober fand man daher leicht Anschluß an eine gleichgesinnte Gruppe.

Das Empfehlungschreiben des Erzbischofs, das allein den Zutritt ins Katharinenkloster gewährleistete, war schon besorgt – das begehrte Papier hatte im Austausch gegen ein „Geschenk" von acht Dukaten den Besitzer gewechselt – und so stand dem Zug durch die Wüste nichts mehr entgegen. Das erzbischöfliche Palais stellte noch einen des Weges kundigen Araber zur Verfügung, dann brach man am 9. Oktober 1588 zum ersehnten Ziel auf. Georg Christoph Fernberger war von seinem Führer allerdings nicht sonderlich angetan und auch generell nicht gerade erfreut, *„mit dieser Sorte Menschen“* Umgang zu pflegen, allein es war in dieser Gegend *„dennoch nötig, mit ihnen immer in gutem Einvernehmen zu stehen“*.

Nach drei Tagen erreichte die Gruppe das Rote Meer. Das ganze Mittelalter hindurch war man in Europa überzeugt gewesen, daß das Wasser dieses Meeres rot und nicht blau wie jenes aller anderen sei. Demgemäß pflegten die Kartographen das Rote Meer auch rot zu kolorieren. In Pilgerschriften fanden sich hingegen schon bald anderslautende Meldungen, die mit der irrigen Ansicht aufräumten, und es war – wenn überhaupt der Versuch gemacht wurde, den Umstand zu erklären – dort nachzulesen, daß sich ein rötlicher Effekt rein optisch durch den entsprechend gefärbten Sand bzw. ebensolche Felsen ergeben würde. Ende des 16. Jahrhunderts fesselte Georg Christoph Fernberger hier jedoch einzig und allein die türkische Flotte, die von Suez aus die südliche Flanke des Osmanischen Reiches sicherte.

Die Stadt Suez selbst war weder eine Beschreibung noch einen längeren Aufenthalt wert, so zog man schon gegen Abend wieder weiter und nächtigte unter freiem Himmel, just „bei den sieben Quellen des Moses“, die zwar süßes Wasser versprachen, aber nichtsdestotrotz ziemlich salzhaltig waren. Sechs Tagesreisen später erhoben sich vor der Pilgerschar schließlich die biblischen Berge Horeb und Sinai, zu deren Füßen eingebettet das Kloster der Heiligen Katharina lag. Schließlich betrat die Gruppe durch den mit drei massiven Türen gesicherten Eingang das Katharinenkloster: Inmitten der Wüste bot es für die geplagten christlichen Wallfahrer Labsal und Tröstung – Leib und Seele wurden hier gleichermaßen bedient, waren ja auch beide durch die Pilgerfahrt im fremden Land in Mitleidenschaft gezogen worden. So verrichtete nach dem Abendessen jeder der Neuankömmlinge seine Gebete und bezog daraufhin sein vorbereitetes Nachtlager.

Ausgeruht und erholt gingen Fernberger und seine Reisegefährten am nächsten Morgen daran, den Klosterkomplex zu erforschen. Gleich einer kleinen Stadt mit wehrhaften, 27 Meter hohen Außenmauern liegt das Katharinenkloster, dessen Horizont von mehreren Zweitausendern beherrscht wird, inmitten des Gebirgsmassivs auf dem Sinai. Der byzantinische Kaiser Justinian I. hatte das Kloster im 6. Jahrhundert n. Chr. erbauen lassen und gleichzeitig christliche Sklaven auf den Sinai verschleppt, die den Mönchen dienen und das Kloster schützen sollten. Für deren islamisierte Nachkommen war schließlich auch eine eigene kleine Moschee innerhalb des Klosterkomplexes errichtet worden.

Nach zwei Tagen im Kloster folgte der erste große Ausflug in die Umgebung: Georg Christoph Fernberger bestieg den Berg Sinai. Während wissenschaftliche Forschungen die biblischen Berge Sinai und Horeb viel weiter nördlich plazieren, identifizierte die christliche Überlieferung von alters her den Djebel Musa (2285 m), den „Mosesberg“, mit dem Berg Sinai. Die Mönche, die über den *mons Dei* wachten, betätigten sich nun nicht mehr nur als Reiseleiter – die unerfahrenen Pilger in ihrer Obhut bedurften hier vielmehr eines kundigen „Bergführers“: Der Aufstieg war beschwerlich und konnte, wie mancher überrascht festzustellen schien, nicht auf dem Rücken eines Reittieres absolviert werden; vielmehr war sogar ein Stock von Nöten, und weiter oben mußte man selbst die Hände zu Hilfe nehmen, um sich an den nackten Fels zu klammern. Der begleitende Mönch wies den Weg, hielt in regelmäßigen Abständen Pausen ein und ließ zum Bergsteigen ungeeignete Kleidungsstücke ablegen.

Die Gruppe um Georg Christoph Fernberger war schon bei Sonnenaufgang aufgebrochen und entdeckte – sanft gelenkt von ihren drei Führern – bei diesem Ausflug vor allem jene Plätze, die ihnen aus der Bibel und den Apokryphen vertraut waren: die Höhlen des Propheten Elias und des Heiligen Onuphrios und jene Stelle, an der Mose die Zehn Gebote in Empfang genommen hatte. Tausende von Stufen verzeichneten die Pilger gewöhnlich beim Anstieg auf diesen Berg – doch während man sich über deren Urheberschaft (Moses und seine Vertrauten) noch einig war, schien ihre Anzahl nicht eindeutig faßbar zu sein: Daß divergierend von drei-, sieben- oder gar vierzehntausend die Rede sein konnte, erklärt sich allerdings grundsätzlich durch die Existenz von zwei verschiedenen Wegen zum Gipfel. Teufel und Fernberger, die mit der Information, es handle sich um 4.000 Schritt an die Bergtour herangegangen waren, konnten nach dem Gipfelsieg und den penibel notierten Distanzen auf einzelnen Etappen Vorhersage und Wirklichkeit nicht in Einklang bringen und stellten fest, daß es sich tatsächlich nur um 3960 (Teufel) beziehungsweise 3980 (Fernberger) Fußstapfen handelte.

Wieder einig war man sich dann bei der nächsten Wegstrecke: Nach einem Gebet auf dem Gipfel des Sinai stieg die Gruppe *„Gott preisend“* den Berg auf einem anderen Weg wieder hinunter und erreichte nach gezählten 4450 Tritten die Talsohle zwischen den beiden biblischen Bergen. Hier lag inmitten gepflegter Gärten das kleine Kloster der 40 Märtyrer. Im Gedenken an jene 40 Mönche, die einst von Arabern zu Tode gemartert worden waren und angesichts der ihnen geweihten Kirche, schlugen Pilger und Mönche nach der anstrengenden Bergtour nun ihr Nachtlager auf.

Auch der folgende Tag, an dem der Katharinenberg erklommen wurde, sollte mit ähnlichen Erlebnissen aufwarten. Der Djebel Katharina, wohin der Legende nach die Gebeine der heiligen Katharina von Alexandria nach ihrem Märtyrertod von Engeln überführt worden waren, war mit 2642 Metern ein gutes Stück höher als der Berg Sinai und sein Anstieg noch beschwerlicher, wie die Pilger leidvoll feststellten. Deshalb verzichteten manche auch auf den Plenarablaß, der auf seinem Gipfel gewährt wurde, und gaben sich mit jenem für das Kloster und den Mosesberg sowie den Ablässen von je sieben Jahren und sieben Fastenzeiten an allen gezeigten biblischen Orten zufrieden. Sowohl Fernberger als auch Teufel ließen sich von den in Aussicht gestellten Mühen jedoch nicht abschrecken und wurden am Gipfel mit einer unvergleichlichen Fernsicht belohnt: Gegen Westen erstreckte sich Ägypten, mit dem grünen Band des Niltales, im Norden vermeinte man das Mittelmeer im spiegelnden Dunst über der Wüste zu erkennen, ebenso wie weiter östlich das Heilige Land, und im Süden schweifte der Blick übers Rote Meer, wo nun, gegen Ende der Monsunzeit, etliche schwer beladene Segelschiffe aus Indien kommend auf dem Wasser auszumachen waren. Hans Christoph Teufel fühlte sich am höchsten Punkt der ganzen Halbinsel und kostete den Moment auf dem Gipfel unbeschwert aus. Im Gegensatz dazu verlor Georg Christoph Fernberger kein Wort über das atemberaubende Panorama: Schließlich wurde ein Berg nicht wegen der Aussicht bestiegen, und einem Berg wie diesem näherte man sich ohnedies mit ganz anderen Intentionen.

Generell kletterte im 16. Jahrhundert niemand um des Bergsteigens willen auf einen Gipfel, wirkte auf einen Menschen der Frühen Neuzeit die unwirtliche Bergwelt doch nicht nur wenig anziehend, sondern vielmehr furchteinflößend: Die schroffen Felsen dachte man sich allgemein als Heimstatt böser Geister und der Mächte der Finsternis, und überdies hausten in den Bergen bzw. ihren Höhlen gemeinhin Fabeltiere. So hatte auch hier am Sinai kaum jemand ein Auge für die einzigartigen Felsformationen, man schilderte allenfalls den Weg zum Gipfel und nur selten wurde der Versuch unternommen, den Berg selbst zu beschreiben.

Hinaufgestiegen aber war man stets ausschließlich des frommen Gedenkens wegen. Ebenso wie der Berg Sinai einen Felsen, der den Körper von Moses gleich einem Abdruck offenbarte, übte hier der steinerne Abdruck der Heiligen Katharina Anziehungskraft aus. Georg Christoph Fernberger bemühte sich eifrig, der christlichen Tradition zu folgen, und hielt bezüglich der Gedenkstätte, über der eine kleine Kapelle errichtet worden war, fest: *„Dort erkennt man im sehr harten Fels undeutlich den Abdruck eines weiblichen menschlichen Körpers.“*

Beim Abstieg, der die Gruppe zunächst wieder zum Kloster der 40 Märtyrer zurückführte, kam man dann am „brennenden Dornbusch“ vorbei. Da Justinian einst sein „Dornbusch-Kloster“ just an jener Stelle errichtet sehen wollte, hatte der Busch weichen müssen und war andernorts wieder eingepflanzt und seither liebevoll gehegt worden. Dorthin führte man seitdem die Pilger. Wenn schon die Stelle nicht der Überlieferung entsprach, so galt doch zumindest der Busch unbestritten als das Original, und andächtig verzehrten die Pilger seine Beeren. Neben den Früchten produzierten die Sträucher aber auch noch Reliquien: Hier konnte man sich bequem einzelne Ruten abschneiden, wo doch alle anderen Heilsstätten auf den beiden Bergen nur mit Steinen aufwarten konnten. Besonders attraktiv auf die Pilger wirkten dabei stets jene Felsen, die Abdrücke von Moses, der Heiligen Katharina oder den beiden Engeln aufwiesen – doch gerade dort erwies sich selbst die gute Vorbereitung (die Reliquienjäger hatten sich meist mit entsprechenden Beuteln und Werkzeugen ausgerüstet) als unzureichend, denn das Gestein war von einer unbeschreiblichen Härte. Sehr zum Leidwesen der Pilger, die des öfteren bemerkten, daß man nicht ein-

mal mit einem Hammer etwas davon abschlagen könne ...
Um die berühmten biblischen Stätten auf dem Sinai gab es vermutlich schon sehr früh Lokaltraditionen. Nicht nur, daß im 6. Jahrhundert das Katharinenkloster exakt an der Stätte der Gottesoffenbarung im brennenden Dornbusch plaziert wurde, bereits seit dem 4. Jahrhundert (in dem man auch die biblischen Orte in Palästina für die Pilger zu lokalisieren begonnen hatte) markierten hier Gedenksteine oder Kapellen die einzelnen Wallfahrtsorte. Nachdem am Sinai erst einmal die Schauplätze der Episoden des Alten Testaments als solche identifiziert worden waren, galt die Wüstenfahrt zum Katharinenkloster – zumindest theoretisch – für jeden frommen Pilger als unverzichtbare Erweiterung der Pilgerreise ins Heilige Land. In der Praxis scheiterte die Mehrheit an den Anforderungen, die diese Fahrt stellte, und so behielt der Sinai, trotz seiner Beliebtheit, immer den Status des Besonderen. Es war – anders als die Fahrt nach Jerusalem (und damit ins „Zentrum" der Welt) – stets eine Reise an den Rand der Welt: Mit entsprechenden Vorbereitungen, Strapazen, Kosten und Sicherheitsrisiken verbunden, häuften sich denn im Lauf der Zeit die Berichte von Raubüberfällen durch Beduinen im Niemandsland der Wüste.

Zur Orientierung diente hier stets die Bibel, doch auch, als schließlich Reiseführer in Form von Itinerarien vorlagen, folgte die Reise am Sinai vorbehaltlos dem roten Faden, der sich von einem Heilsgeschehen zum nächsten spannte. Die Bibel vor Augen sahen sich die Pilger zwischen Steinen und Sand um, mit dem erklärten Ziel, dabei möglichst alle von den im Alten Testament geschilderten Örtlichkeiten und Begebenheiten abhaken zu können. 1200 Jahre lagen zwischen den ersten Pilgerberichten und Georg Christoph Fernbergers Fahrt zum Katharinenkloster, doch am Sinai stand die Zeit still: Hier führte der Weg der Pilger stets über die Stätte der wunderbaren Speisung durch Wachteln und Manna (2 Moses 16), jenen Ort, wo Moses Wasser aus dem Felsen schlug (2 Moses 17), die Stelle, an der Moses die Gesetzestafeln mit den 10 Geboten übergeben worden waren (2 Moses 31) und den Hügel des Goldenen Kalbes (2 Moses 32).

Georg Christoph Fernberger, der sich unterdessen noch auf dem Gipfel des Katharinenberges befand und den Rundweg noch nicht vollständig absolviert hatte, nahm nun das letzte Teilstück in Angriff. Allerdings verlor Fernberger trotz des hehren Anspruchs dieser Wanderungen nie den Blick für andere bemerkenswerte Eindrücke: *„Am Abstieg findet man Steine, die aus dem natürlichen Fels herausgeschlagen werden. In Brocken zerkleinert stellen sie verschiedene naturgetreue Formen von Bäumen, Zweigen und Blumen dar, die gleichsam von Künstlern gestaltet erscheinen, aber von der Natur gebildet sind."*

Von den Fossilien gelangte die Gruppe aber ohne weitere Ablenkung direkt von einer biblischen Stätte zur nächsten und dürfte am Abend einigermaßen müde und verstaubt wieder das Kloster erreicht haben.

Nachdem sich die Pilger mit diesen Ausflügen nun der entsprechenden Vorbereitung und Läuterung unterzogen hatten, folgte der Höhepunkt des Aufenthaltes: *„Nach der gewohnten Sitte wer-*

den allen Pilgern in der Nacht, bevor der Körper der heiligen Katharina gezeigt wird, von einem Mönch die Füße gewaschen, so auch uns, und am nächsten Morgen betraten wir mit nackten Füßen die Kapelle der heiligen Maria ... und betrachteten in Demut den heiligen Ort, wo Gott, der Herr, Moses im brennenden Dornbusch erschienen war.“

Eine weiße Marmorplatte mit einer kreisrunden Ausnehmung in der Mitte kennzeichnete inzwischen den Schauplatz des dritten Kapitels aus dem zweiten Buch Moses. Nun trennte die Pilger nur noch ein Gottesdienst davon, die kostbarste Reliquie des Klosters in Augenschein zu nehmen. Im Chor der Kirche rechts vom Hauptaltar, unter einem Bogen, stand an einem Pfeiler ein kleiner Sarg aus schneeweißem Marmor, vor dem sich Mönche und Pilger nun versammelten. Liturgische Gesänge in griechischer Sprache eröffneten die Zeremonie, in deren weiterem Verlauf kleine weiße Wachskerzen auf dem Sargdeckel plaziert und die Schlösser auf beiden Seiten des Schreines entfernt wurden. Dann wurde der Sarg zur Hälfte geöffnet und nacheinander traten der Vikar, die Mönche und schließlich die Pilger einer nach dem anderen näher und küßten das Haupt der Heiligen Katharina. Ehrfurcht und Neugier mischten sich in den Blick, den die Wallfahrer in den Sarkophag warfen, wobei man feststellte, daß der Leib der Märtyrerin zwar nicht mehr ganz vollständig, dafür aber ausnehmend gut erhalten war, ihre beringten Finger wie zum Gebet ineinander gefaltet. Beiseite tretend überantwortete man einem silbernen Becken seine Spende und erhielt im Gegenzug von den Mönchen eine der Wachskerzen auf dem Deckel des Sarkophages sowie Tücher aus seinem Inneren, die durch den Kontakt mit den Gebeinen der Jungfrau zu Berührungsreliquien geworden waren. Wer sich vorsorglich mit einem Glasfläschchen versehen hatte, füllte überdies etwas von dem wundertätigen Öl ab, das in den Lampen über dem Schrein brannte. Waren endlich alle Ansprüche befriedigt, überließ man die heilige Katharina wieder ihrer ewigen Ruhe, verschloß den Sarg und löschte die Lichter.

Damit war der Zweck des Besuches erfüllt. Früh am nächsten Morgen machte sich Georg Christoph Fernberger nach dem üblichen fünftägigen Aufenthalt im Katharinenkloster wieder auf die Rückreise nach Kairo. Beim Abschied erhielt jeder der Besucher überdies ein Dokument in griechischer Sprache, das – durch den Namenszug des Erzbischofs beglaubigt – Visite und Huldigung der Heilsstätten durch die im Text genannte Person bestätigte. Derartige Besuchsbescheinigungen waren allgemein gebräuchlich, hätte doch kein Pilger auf dieses „Patent“ als beweiskräftiges Souvenir verzichten wollen.

Auf dem nun eingeschlagenen Weg durch die Wüste Sinai, in der Fernberger der biblischen Tradition gemäß einzelne Regionen unterschied (konkret die Wüsten Zin, Pharan, Schur, Sin und Sinai, von denen er die drei letzten persönlich durchwanderte), wartete erneut eine erkleckliche Anzahl von Gedenkstätten auf die Pilger. Die Wüstenlandschaft des Sinai selbst, durchaus unterschiedlich in Farbe, Gestalt und Oberfläche, wurde von Fernberger dagegen nicht zur Kenntnis genommen.

Landschaftsbeschreibungen, wie wir sie kennen, sollten zwar erst im 18. Jahrhundert aufkommen, dennoch hatte die Frühe Neuzeit begonnen, sich dem Thema grundsätzlich zuzuneigen. Interesse bestand sowohl für ökonomische und politische als auch für ästhetische Aspekte des Raumes, doch erschöpfen sich dessen Schilderungen gewöhnlich in Typisierungen wie „fruchtbar/unfruchtbar“, „Berg/Tal“ und „schön/häßlich“.

Während Georg Christoph Fernberger vom direkten Erlebnis einer Wüstenlandschaft unbeeindruckt geblieben war und sich erst später zu einer weitgehend praktisch orientierten Beschreibung aufraffte, blieb er dabei doch nicht uninteressiert: Die Tierwelt des Sinai weckte sehr wohl seine Aufmerksamkeit. Neben Adlern, Straußen, Gazellen und Steinböcken, bereits bekannten Spezies also, entdeckte Fernberger in der Wüste auch giftige Schlangen und *„eine unendliche Menge von Heuschrekken, die die Araber im Feuer braten und essen. Manche wieder lassen sie, nachdem sie sie haufenweise gefangen und in Säcken gesammelt haben, sterben und in die Sonne gelegt trocknen, dann zermahlen sie sie, vermischen sie mit Kamelmilch und stellen so einen Aufstrich her, der für ihren Geschmack sehr köstlich ist, und wenn in einem Jahr die Heuschrecken überhand nehmen, so sagen sie, ist auch die Gnade Gottes groß und überreichlich“*.

Für die Mitteleuropäer des 16. Jahrhunderts stellten die in den Wüstengebieten Nordafrikas beheimateten Wanderheuschrecken nicht nur eine eigenwillige Spezies und ihre Verwertung durch arabische Hände eine kulinarische Kuriosität dar, viel sonderbarer, ja regelrecht sinnwidrig mußte erscheinen, daß Heuschrecken hier als Geschenk des Himmels angesehen wurden. In Europa prägten statt dessen über Jahrhunderte Angst und Aberglaube das Verhältnis. Zwar blieb man hier, bedingt durch die als „Kleine Eiszeit“ bezeichnete Klimaveränderung seit der Mitte des 16. Jahrhunderts, von Wanderheuschrecken verschont, aber davor – und auch danach, als im 18. und 19. Jahrhundert wieder Heuschreckenschwärme in Europa auftauchten – richteten sie immer wieder große Schäden an landwirtschaftlichen Kulturen an. Schwerer als der materielle Verlust wog im christlichen Abendland aber stets das panische Entsetzen, sich plötzlich selbst inmitten einer im Alten Testament nicht von ungefähr als „achten Plage“ geschilderten Invasion wiederzufinden, die den Himmel verdunkelte und kahles Land hinterließ. Man fühlte den Zorn Gottes und betrachtete die Heuschreckenschwärme stets als Auftakt eines göttlichen Strafgerichtes für das – eingestandenermaßen – sündhafte Verhalten der Menschen.

Schließlich hatte die Wüstenfahrt wieder ein Ende: Die Pilgerstraße erreichte wieder den Golf von Suez. Fernberger mußte hier, anders als in der Wüste, nicht lange Ausschau nach neuen Eindrücken halten – die Gegend war reich an Kuriosa der Sparte Fauna und Flora. *„Wunderbare Arten von Muscheln“*, Korallen und Schwämmen sowie seltsame Fischarten des Roten Meeres – das schon damals die schönsten Einblicke in die Unterwasserwelt des Meeres gewährte – weckten sein naturwissenschaftliches Interesse. Auch für die heißen Quellen in der Nähe der nächsten Station, bei El Tor, konnte er

sich erwärmen: Schließlich identifizierte die von Mönchen geführte kleine Reisegruppe sie einerseits als das biblische Elim (Ex 15,27; 16,1; Nm 33,9f), den Ort der „12 Quellen und 70 Palmen“, andererseits hatten die Pilger nun Gelegenheit, den Staub der Wüste abzuwaschen.
El Tor selbst war eine belebte Hafenstadt, bewacht von einem kleinen Kastell mit osmanischer Besatzung. Georg Christoph Fernberger, dessen Blick für biblische Stätten durch die Pilgerfahrt zum Katharinenkloster inzwischen erheblich geschärft worden war, erkannte denn auch in El Tor sofort den traditionsreichen Boden: *„Ich glaube, an dieser Stelle war einst das alte Madian.“* Ein Irrtum, allerdings ein verzeihlicher: Denn Madian oder Midian, die Stadt der Midianiter (Gn 25, 1f), wurde von der christlichen Überlieferung nicht hier, am Golf von Suez, plaziert, aber ganz in der Nähe, am anderen Arm des Roten Meeres, am Golf von Aqaba. Seit der 2. Hälfte des 14. Jahrhunderts stellte El Tor den Stapelplatz und die Zollstation für die Handelsgüter aus dem Osten. Da für das nördliche Rote Meer das ganze Jahr über ein beständiger Nordwind charakteristisch ist und nordwärts fahrende Segelschiffe stets nur mit Mühe dagegen ankreuzen konnten, wurden die Waren aus Indien ursprünglich schon in afrikanischen Häfen ausgeladen, auf Kamele gepackt, damit zum Nil gebracht und dann auf Lastkähnen weiter bis Alexandria transportiert. Obwohl vereinzelt Handelsgüter ihren Weg nach Europa immer noch über diese traditionelle Route nahmen, gelangte der Großteil ab 1350 nun direkt nach El Tor – gleich bis Suez zu fahren, vermied man wegen des Gegenwindes aber noch immer. Hier im Umschlaghafen traten dann erneut Kamele ihren Dienst an, ab Kairo nützte man für den Transport dann wieder die Strömung des Nil.
Auch Georg Christoph Fernberger folgte jetzt diesen Karawanen. In Kairo angekommen, zog er eine erste Bilanz. Vorab dankte er Gott: *„Mit einer Danksagung erholten wir uns in dieser Nacht ..., wobei wir Gott lobten und priesen, daß er uns durch seinen Schutzengel heil und unversehrt von den verschiedenen Anschlägen und Bedrohungen der höchst verbrecherischen Araber hin- und zurückführte und milde über uns wachte.“*
Gut zwei Monate war Fernberger nun unterwegs, fast die Hälfte der Zeit hatte er dabei in der Wüste verbracht. Die Pilgerfahrt war von der Idee zum greifbaren Erlebnis geworden. Was auch neue Erkenntnisse zutage förderte: *„Freilich ist diese Pilgerfahrt für einen, der Staub und Sonne nicht verträgt und nicht gewohnt ist, das Leben im Freien zu verbringen, sowohl wegen der allzu großen Sonnenhitze als auch besonders wegen des anstrengenden und sehr beschwerlichen Ganges der Kamele recht unangenehm. Das alles muß man geduldig in Kauf nehmen und ertragen.“*
Ein Rat (wohl nicht ausschließlich an zukünftige Pilgerwillige und bedauernswerte Mitreisende adressiert), der beiläufig auch ans eigene Ich appellierte. Nicht zuletzt wurden körperliche Ertüchtigung, Ausdauer und Gleichmut gegenüber den Unbilden der Natur in Adelskreisen schon bei Zeiten geübt und wiederholt trainiert: Diese Fähigkeiten, die sich die aufstrebende Jugend bei der Jagd spielerisch aneignete, sollten eigentlich bei der späteren Karriere im

Feld wertvolle Dienste leisten – doch kamen sie dem derart Geschulten wohl auch beim Absolvieren einer Pilgerfahrt zugute.

Allen Unbequemlichkeiten zum Trotz war Georg Christoph Fernberger fest entschlossen, seine ursprünglichen Pläne weiterzuverfolgen. Um nun die geplante Pilgerfahrt fortzusetzen, war zunächst die Überfahrt ins Heilige Land notwendig. Fernberger und Teufel brachen ihre Zelte in Kairo ab und richteten sich darauf ein, per Schiff den Mittelmeerhafen Damiette anzusteuern. Jeweils Montags und Freitags bestand dafür eine fahrplanmäßige Verbindung ausgehend von jenem Kairoer Vorort, in dem auch die Schiffe aus Alexandria festmachten. Als der kleine Nilsegler mit der Pilgergruppe und dem zu ihrem Schutz abkommandierten Janitscharen an Bord schließlich ablegte, hatte Georg Christoph Fernberger noch einmal Gelegenheit, sich Ägypten in aller Ruhe von seinem beherrschenden Strom aus anzusehen. Die gemächliche Fahrt eignete sich aber auch dazu, bisherige Eindrücke Revue passieren zu lassen. Mit der Niederschrift seiner Betrachtungen schloß Fernberger in seinem Tagebuch ein Kapitel: Das Land der Pyramiden, Pharaonen und Propheten als erste Station seiner Reise war damit abgehandelt.

Nach viertägiger Fahrt erreichte Georg Christoph Fernberger schließlich Damiette im östlichen Nildelta. Dem Zeitgeist entsprechend hellhörig für das heidnisch-römische Ägypten identifizierte Fernberger den Hafen fälschlicherweise als das antike Pelusium – einst an der östlichsten aller Nilmündungen gelegen, wo nach Strabo auch die Grenze zwischen Ägypten und Asien angesiedelt wurde. In Wahrheit befand sich Fernberger nicht ganz so weit östlich wie er vermutete, doch da er sich in Pelusium wähnte, kam er nicht umhin, diesem vermeintlich geschichtsträchtigen Boden noch einige Zeilen zu widmen und stellte nach seiner intimen Bibelkenntnis auch seine Beschlagenheit in römischer Geschichte unter Beweis: Es war also just hier, „*wo einst* [48 v. Chr.] *der große Triumphator über die drei Weltteile, Pompeius, die letzte Gefahr seines wechselhaften Schicksals erlebte und durch einen Beschluß der Berater des Königs Ptolemäus, der noch ein Kind war und dessen Treue er sich ausgeliefert hatte, hinterlistig getötet wurde*".

In Damiette angekommen, suchten sich Fernberger und Teufel zuallererst eine Bleibe, schließlich bedurfte es einiger Zeit, um die Weiterfahrt zu organisieren. Fündig wurden sie einmal mehr bei einem Vertreter der italienischen Kaufleute: Diesmal war der Gastgeber venezianischer Vizekonsul, der sich hier vor allem um die Abwicklung des Handels mit Kreta bemühte. Für Kost und Logis war damit im Handumdrehen gesorgt – größere Schwierigkeiten sollte Fernberger und Teufel da schon die zweite Etappe ihrer Pilgerfahrt bereiten.

3. Kapitel

Übers Mittelmeer

Von Damiette aus wollte Georg Christoph Fernberger in alter Pilgertradition nach Jaffa übersetzen, *„aber weil die Segelzeit schon vorüber war (...) waren wir gezwungen, unsere Reise in eine andere Richtung fortzusetzen“*. Fernberger und Teufel waren erst in der zweiten Novemberwoche in Damiette angekommen, zu spät, um ihre Pläne ausführen zu können. Da die Schlechtwetterperiode im Mittelmeer ungefähr zur Tag- und Nachtgleiche im Herbst einsetzt, wurde die Schiffahrt schon von alters her im Winter eingestellt und erst nach der Sturmsaison im Frühjahr wieder aufgenommen. Mit den neuen Schiffstypen, die im 15. und 16. Jahrhundert entwickelt wurden, war jedoch trotz der Stürme ein Schiffsverkehr auf dem Mittelmeer zumindest möglich geworden.

In den Jahrhunderten davor hatte sich die Schiffbautechnik in Europa richtiggehend revolutioniert. Durch die Veränderungen und Neuerungen, die die mittelalterlichen Konstrukteure ersannen, verbesserten sich laufend die Segeleigenschaften: Im späten 12. Jahrhundert hatte ein drehbares Heckruder das bisherige Seitenruder auf der rechten Seite, die dementsprechend auf Schiffen heute noch „Steuerbord“ heißt, abgelöst. Damit sprachen die Schiffe nun viel besser auf Kursänderungen an und wurden schlagartig wendiger. Im späten 13. Jahrhundert setzten sich in Europa die Mehrmaster durch – selbst bei wenig Wind waren die Schiffe nun schneller als zuvor. Zuletzt hatte sich im 14. Jahrhundert eine neue Bauweise entwickelt, die es erlaubte, die Planken für den Schiffskörper Stoß an Stoß und somit plan zu verlegen: „Karweel" (oder „kraweel") anstatt wie bisher „klinker" (dachziegelartig überlappend) zu beplanken, schuf daher unversehens ideale hydrodynamische Bedingungen. Die großen europäischen Schiffe, die nun im 16. Jahrhundert auf den Weltmeeren segelten, waren alle karweel gebaut, hatten in der Regel drei bis vier Masten und trugen überwiegend Mischbesegelung: Traditionelle Rahsegel an den ersten beiden, den Fock- und den Großmasten, für die Fahrt vor dem Wind und dreieckige Lateinersegel zum Kreuzen an den hinteren, den Besanmasten. Nicht nur, daß diese Segel meist prachtvoll bemalt oder bestickt waren, das ganze Schiff bot einen grandiosen und malerischen Eindruck: Farbig bepinselte Bordwände und zahlreiche Flaggen an der Reling schmückten das Unterschiff, und ein tanzender Reigen von Fahnen und Wimpeln aller Art auf den Masten verbrämte die Silhouette.

Die erzwungene Änderung ihrer Reisepläne nahm Georg Christoph Fernberger und seinen Reisegefährten nicht lange in Anspruch, hatte ihnen doch der Zufall zwei Lastschiffe beschert, die gerade in Damiette vor Anker lagen und in wenigen Tagen mit Zielhafen Tripoli an der syrischen Küste auslaufen wollten. Viel mehr als die Frage, wohin die Fahrt nun gehen sollte, beschäftigte Fernberger aber der unfreiwillige Aufenthalt in Damiette. Hier zum Stillsitzen verdammt zu sein, erzeugte erhebliche Spannung, denn Fernberger wußte um die gefährlichen Winterstürme zu dieser Jahreszeit. So kreisten seine Gedanken, noch bevor er schließlich den für die Überfahrt ins Auge gefaßten Segler bestieg, nachhaltig um die Frage, ob er wohl auch wieder heil an Land kommen würde. Seine Unruhe wuchs, als die beiden Schiffe nicht wie geplant in den folgenden Tagen ablegten, sondern umständehalber immer noch länger zuwarteten.

Vom Meer her kündigte sich inzwischen schon unmißverständlich der Winter an: Vor dem Zollkastell an der Nilmündung, wo die beiden Lastschiffe vor Anker lagen, herrschte eine tosende Brandung, Wind und Seegang hatten hier innerhalb kürzester Zeit mächtige Sandbänke aufgeworfen. Als am Tag der Abfahrt bei günstigem Wind die Segel gesetzt wurden, konnten beide Schiffe die gefährlichen Untiefen zwar passieren, am offenen Meer aber erwarteten sie bereits grobe See und schwere Sturmböen. Trotzdem lief man am 12. Dezember 1588 unbeschadet Zypern an. Den ersten Teil der Reise hatten Georg Christoph Fernberger und Hans Christoph Teufel damit glücklich bestanden.

Für einige Wagemutige war das Meer eine Herausforderung, für die meisten aber blieb es lange Zeit eine Art Tabu und ein Ort der Angst. Zuviel konnte einem Menschen in diesem fremden, unberechenbaren Element zustoßen. Der weit verbreiteten Anschauung vom lebensfeindlichen Element trug nicht zuletzt auch die Vorstellung vom Jüngsten Tag Rechnung, in dessen Szenerie die apokalyptischen Texte das Meer als Schreckensbild fest eingewoben hatten. Quer durch die Zeit, von der Antike bis ins 19. Jahrhundert, und quer durch den europäischen Seefahrerraum, von der Bretagne bis nach Rußland, trifft man auf unzählige Sprichwörter, deren Tenor in etwa lautet: Wer nicht beten kann, der fahre aufs Meer hinaus!

Auch Georg Christoph Fernberger hat seinen Erlebnissen und den dabei ausgestandenen Ängsten an prominenter Stelle Tribut gezollt: Mit der lateinischen Losung *„Qui navigant mare, narrant pericula eius"* (*„Wer übers Meer fährt, erzählt von seinen Gefahren"*) zierte er das Deckblatt seines Reiseberichtes. Doch damit noch nicht genug, ließ er unmittelbar darauf eine eindringliche italienische Variation folgen: *„Non conosce terra ne la stima, chi non ha prouato il mare prima."* (*„Der kennt die Erde nicht, noch schätzt er sie, der nicht zuvor das Meer erfahren."*)

Von Anfang an schien die Überfahrt von Ägypten unter keinem guten Stern zu stehen und die *„bösen Vorzeichen"*, die Georg Christoph Fernberger bereits in Damiette erkannt haben wollte, ballten sich nun in Zypern über den Köpfen der Seefahrer zu drohenden, unheilschwangeren Wolken. Alles begann mit einem Streit über das Abreisedatum: Am Abend des 12. Dezember hatte man Limassol an der Südküste von Zypern erreicht; zwei Tage darauf drängte ein an Bord befindlicher türkischer Beamter bereits zur Weiterfahrt, während der griechische Kapitän darauf bestand, noch bis zum 16. zuzuwarten, drohten doch, so die seefahrenden Griechen, an diesem Tag stets gefährliche Stürme. „Nichts als abergläubisches Geschwätz", urteilten hingegen die des Mittelmeers weniger kundigen christlichen und moslemischen Passagiere mit Terminen, und unter Androhung von Tätlichkeiten veranlaßte der türkische Pascha den Schiffspatron, am 14. um Mitternacht die Segel zu setzen.

Unter frischem Wind nahm das Schiff seinen Kurs Richtung Osten auf. Die Hoffnungen der Passagiere konzentrierten sich indessen auf die baldige Ankunft im Zielhafen, war doch die Überfahrt von Zypern nach Tripoli unter günstigen Bedingungen in vierundzwanzig Stunden möglich. Als mit dem 16. Dezember der gefürchtete Lostag anbrach, befand sich das Schiff mit Fernberger und Teufel an Bord jedoch nicht sicher vertäut im Hafen von Tripoli, sondern immer noch weit entfernt von der rettenden Küste schaukelnd auf hoher See. Weiße Schaumspitzen krönten die Wellen, zunehmende Dünung und Windböen kündigten Sturm an: Die bösen Vorahnungen der Seeleute erfüllten sich schließlich in einer so gewaltigen „Fortuna", daß alle an Bord ihre Seelen Gott anbefahlen. In beinah jede Reisebeschreibung fand dieser Begriff aus der zeitgenössischen italienischen Seemannssprache Eingang, gewöhnlich als „greulich", „grausam" und „gewaltig".

Auf dem mittelgroßen, einfach getakelten Lastschiff hatte man inzwischen die nötigen Vorkehrungen für diese „Fortuna" getroffen. Bis auf die kleine Sturmfock am Bug waren alle Segel geborgen und die Pumpen besetzt, um dem überkommenden Wasser Herr zu werden. Für das Schiff vom türkischen Typ „Karmazal" sprach in dieser Situation sein großer Tiefgang, gegen ihn der hohe Aufbau am Heck und sein Erhaltungszustand: Nicht nur, daß man das kleine Stützsegel ebenfalls wieder einholen mußte, weil es von oben bis unten zerschlissen war, die gesamte Ausrüstung erwies sich als altersschwach und überholungsbedürftig – Rigg und Rumpf miteingeschlossen.

Ohne Segel war das Schiff manövrierunfähig geworden. In der hohen See stampfte und rollte es zwischen Wellenkämmen und -tälern, klein und verloren wie eine Nußschale. Inzwischen war die Nacht hereingebrochen, und in der Dunkelheit, die nur ab und an durch Blitze grell erleuchtet wurde, erschien die Lage noch düsterer und aussichtsloser als zuvor. In den Reihen der Matrosen griff Unmut um sich, Befehle des Kapitäns wurden ignoriert, und den Passagieren wurde angst und bang, als sie sahen, daß nicht nur den Seeleuten der Mut abhanden gekommen war, sondern auch dem Patron.

Als das hinterher geschleppte Beiboot dann noch voll Wasser lief, versank und durch sein Gewicht das Heck des Schiffes in die Tiefe zu ziehen drohte, hatten die meisten an Bord ohnehin bereits mit ihrem Leben abgeschlossen: *„Die Türken und Araber schrien, da die Situation so aussichtslos war, in lautem Wehklagen und Weinen durcheinander, wenige täuschten in ihrer Miene Hoffnung vor und unterdrückten die Sorge im Herzen. Manche opferten Zwieback, Geld, lebende Hühner und anderes und versuchten vergeblich das erzürnte Meer zu beruhigen, andere verlangten von uns Erde und Holz aus dem Heiligen Land ... Der Kapitän des Schiffes selbst versuchte mit dem gezückten Schwert die dichten und finsteren Wolken, zwischen denen wiederum der gesamte Himmel unter den zuckenden Blitzen hervorleuchtete, zu zerschneiden und zerteilen. ... Wir fanden in dieser gefährlichen Situation keine andere Zuflucht, als mit inbrünstigem Gebet die Gnade unseres allmächtigen Gottes aufs demütigste anzuflehen, und gelobten für die Zukunft eine bessere Lebensführung."*

Da sich die Moslems an Bord ebenso inständig an Mohammed wandten, schien der Himmel schließlich ein Einsehen zu haben: Die Verbindung zwischen Beiboot und Schiff löste sich plötzlich, und während das eine in der Tiefe versank, richtete sich das andere wieder in eine stabile Position auf.

Abergläubisches Entsetzen machte sich breit, wenn der Wind einmal über das beherrschbare Ausmaß hin zugelegt hatte. Als Naturgewalt übermächtig, war ein Sturm doch viel mehr als eine natürliche Erscheinung: Verantwortlich für das Wüten der Elemente zeichneten Dämonen, böse Geister oder Hexen. Daher galt es, diese wieder auszutreiben. Am vielversprechendsten waren dabei Reliquien (die dafür zuweilen auch „zwangsenteignet" wurden), und wenn sich die Möglichkeit bot, etwas Lebendiges zu opfern, griff man ebenfalls begierig zu, um dadurch den ungeheuren Appetit des Meeres vielleicht zu stillen. Halfen wider Erwarten weder Opfer noch Gebete, schien das Unglück jemandem an Bord zuzuschreiben zu sein: einem Sünder, einer schwangeren Frau, einem Leichnam? Wenn sich allen Anstrengungen zum Trotz die Wut des Meeres einfach nicht legen wollte, blieb noch die allerletzte Möglichkeit, sein Heil in Gelübden und Gelöbnissen zu suchen: eine Wallfahrt (unter Pilgern eines Pilgerschiffes der Bequemlichkeit halber oftmals nur einmal ausgelost) beispielsweise oder der

Rückzug in ein Kloster. Dann blieb nur mehr, sich auf den Tod vorzubereiten und zu beichten.

Unbeeindruckt von Reliquien- und Tieropfern, Gebeten und möglichen Gelübden tobte der Dezember-Sturm über der Levante weiter fort. Er währte die ganze Nacht, und als schließlich der Morgen graute, schien es sogar, als hätte er noch an Kraft zugelegt. Zumindest aber ließen die ersten Sonnenstrahlen auch die Hoffnung wieder aufkeimen. Erst gegen Mittag begann der Sturm langsam abzuflauen. Zwei Tage später sollten Fernberger und Teufel unter den letzten Ausläufern des Tiefs die schützende Küste erreichen. Vom ursprünglichen Kurs abgekommen und meilenweit nach Norden verschlagen, machte das vielgeschmähte Schiff sicher vor der Festung von Issos im Golf von Iskenderun fest.

Endlich wieder festen Boden unter den Füßen bedurfte es auch einer Neuorientierung hinsichtlich des nun einzuschlagenden Weges. Obwohl er Issos als einstigen Schauplatz großer historischer Schlachten würdigte und sowohl des Makedoniers, der hier als strahlender Sieger vom Platz gegangen war, als auch des Osmanen gedachte, der viele Jahrhunderte später das Schlachtfeld als Verlierer hatte räumen müssen (Alexander der Große bzw. Beyazit II., der Heilige), zog es Georg Christoph Fernberger doch unweigerlich fort. Ziel war und blieb das Heilige Land. Also folgten die Beinahe-Schiffbrüchigen zunächst dem Landweg der Küste entlang in Richtung Südosten bis zum Hafen Beass (Payas), der just am 24. Dezember 1588 erreicht wurde. Die hier ansäßige kleine Gemeinde von armenischen Christen setzte die Weihnachtsbotschaft im Evangelium großherzig in die Tat um und bot den Gestrandeten am Geburtstag des Herrn Unterkunft und Verpflegung für die nächsten sechs Tage. So sahen sich Georg Christoph Fernberger und Hans Christoph Teufel nun zumindest in der Lage, das Weihnachtsfest angemessen und feierlich zu begehen.

Alleine dadurch wurden die Schrecken der überstandenen Seefahrt sicherlich in weite Ferne gerückt, und die Erinnerung daran begann wohl schon erheblich zu verblassen. Vermutlich war die ganze Sache inzwischen ohnehin nur mehr halb so schlimm. Ein bestandenes Abenteuer eben.

4. Kapitel

Durch Mesopotamien

In Beass hatten die beiden verhinderten Wallfahrer wieder Anschluß an die Verkehrsverbindungen Kleinasiens: Hier traf die Route von Ägypten über Jerusalem, Damaskus und Aleppo auf die Mittelmeerküste, um dann weiter über Land nach Konstantinopel zu verlaufen. Unverrichteter Dinge zurück zum Ausgangspunkt oder ein neuerlicher Anlauf in Richtung Heiliges Land? Georg Christoph Fernberger und Hans Christoph Teufel schien die Entscheidung nicht schwer gefallen zu sein: Nach den Feiertagen brachen die beiden mit einer Karawane auf nach Aleppo, der ersten Station auf der Reise nach Jerusalem.

Als Fernberger am 3. Jänner 1589 Aleppo erreichte, stellte er zunächst einmal fest, daß die Handelsstadt trotz ihrer Bedeutung und Berühmtheit (schließlich sah sich Fernberger hier fälschlicherweise auch im antiken Hierapolis) viel kleiner war als Kairo – und wohl auch kleiner, als er sich vorgestellt hatte. Aufgrund ihrer günstigen Lage *„in der Mitte des Dreiecks Babylon, Kairo und Byzanz"* sei die Stadt Kairo aber dennoch überlegen, räsonnierte er. Schließlich verdankte Aleppo dem Umschlag indischer Waren, der die Anwesenheit unzähliger Kaufleute nach sich zog, nicht nur eine polyglotte Atmosphäre, sondern auch ihren architektonischen Reiz. Für das verwöhnte Auge eines Europäers war Aleppo ein unverhofftes Kleinod inmitten des Osmanischen Reiches und eine der schönsten Städte in der Region.

Wie überall in der Levante, wo sich Kaufleute aus Orient und Okzident gleichermaßen tummelten, waren auch in Aleppo Standesvertretungen der europäischen Handelsmächte installiert. Die Konsuln sollten sowohl die Rechte ihrer Schutzbefohlenen gewährleisten und notfalls auch innerhalb des türkischen Rechtssystems einklagen, als auch die Gerichtsbarkeit über straffällig gewordene Schäfchen aus den eigenen Reihen ausüben.

Hier in Aleppo waren sowohl Franzosen als auch Venezianer mit eigenen Konsuln vertreten. Das warf für Reisende hinsichtlich eines guten Quartiers für die Dauer des Aufenthaltes nur die Frage auf, bei welchem man Unterschlupf zu suchen gedachte. Fernberger und Teufel hatten den venezianischen Konsul zu ihrem Gastgeber erkoren, führten sie doch den Schlüssel zu dessen Haus schon im eigenen Reisegepäck mit. Und weil sie nicht nur eines, sondern gleich „etliche" Empfehlungsschreiben vorweisen konnten, öffnete ihnen der Konsul alsbald sein Domizil. Beschafft hatten sich Fernberger und Teufel ihre Empfehlungsschreiben übrigens bereits vorsorglich in Konstantinopel, beim *Bailo*, dem Vertreter Venedigs an der Pforte.

Nachhaltiger als von den hier umgeschlagenen exotischen Waren aus Indien wurde Georg Christoph Fernbergers Aufmerksamkeit in Aleppo von der konfessionellen Vielfalt der syrischen Glaubensbrüder gefesselt; insbesondere, nachdem er eine befremdliche Szene beobachtet hatte: *„Diese haben die Gewohnheit zum Ritus gemacht, sich am Tag der Epiphanie* [6. Jänner, Ende der Weihnachtszeit] *vor Sonnenaufgang einzeln dreimal ins Wasser des Flusses zu werfen, auch wenn dieser eiskalt oder gefroren ist, und sie sagen, daß dieser Brauch von ihren Vorfahren in alter Zeit zur Erinnerung an die Taufe Christi, der an selbigem Tag von Johannes im Jordan getauft worden war, eingerichtet wurde. Das sah ich am 16. Jänner, der nach der alten Zeitrechnung der Tag der Epiphanie war, in Aleppo."*

Es war noch nicht einmal sieben Jahre her, daß sich Europa vom bis dahin gültigen Julianischen Kalender verabschiedet hatte. Da ein Sonnenjahr tatsächlich etwas kürzer ausfällt, als dort angenommen, war inzwischen eine unübersehbare Lücke zwischen der üblichen Zeitrechnung und den dazugehörigen astronomischen Erscheinungen entstanden. Um nun wieder eine gesicherte Berechnung des Ostertermins zu gewährleisten, hatte Papst Gregor XIII. zu Beginn des Jahres 1582 mit der Bulle *Inter gravissimas* die folgende Kalenderreform publik gemacht: Im Oktober sollten ganze zehn Tage ausfallen, um die Differenzen auszugleichen, und für die Zukunft würden in einem Zeitraum von 400 Jahren drei Schalttage ausfallen müssen, um den neuen Stand zu halten. Allerdings sprang nicht ganz Europa so selbstverständlich von Donnerstag, den 4. Oktober auf Freitag, den 15. Oktober 1582. Vor allem die Protestanten lehnten die Gregorianische Kalenderreform als Werk des „Antichristen" kategorisch ab, aber auch aufrechte Katholiken waren einigermaßen verstört über die geänderte Zählung ihrer Tage. Und obwohl Georg Christoph Fernberger Protestant war, hatte er sich bereits der neuen Zeitrechnung verschrieben; vermutlich bedingt durch seinen langen Aufenthalt in Konstantinopel, wo er sich als Angehöriger der kaiserlichen Gesandtschaft der amtlichen Zeitrechnung des katholischen Reiches bedienen mußte. Da die christlichen Sekten in Syrien ihrerseits am alten Stil festgehalten hatten, zählt Fernberger daher schon den 16. Jänner, als jene erst zu ihrem rituellen Tauchbad am Dreikönigstag gingen.

„In Hierapolis [Aleppo] *hielt ich mich einige Tage auf, da es keine günstige Gelegenheit gab, die Pilgerfahrt ins Heilige Land auf der Route über Damaskus anzugehen. So mußten wir sie auf eine andere Zeit verschieben ...“*

Recht lakonisch berichtet Georg Christoph Fernberger von der drastischen Änderung seiner Reisepläne. Sein Gefährte Hans Christoph Teufel schien ebensowenig enttäuscht zu sein, daß es nun nicht zu den Heiligen Stätten gehen würde. Er nannte in seinem Reisebericht allerdings auch den Grund für den plötzlichen Meinungsumschwung: Was Fernberger noch als *„keine günstige Gelegenheit“* umschrieben hatte, entpuppte sich bei Teufel als zwei Nonnen aus Neapel, die es ebenfalls nach Jerusalem zog und mit denen die beiden protestantischen Herren partout nicht zu reisen gewillt waren. Hans Christoph Teufel hielt es gar für eine persönliche Schande, daß eine Frau es ihm gleichtun sollte, und sah sich vom Vorhaben der italienischen Ordensfrauen regelrecht genötigt, selbst ein anderweitiges Ziel anzusteuern. Über Vermittlung des venezianischen Konsuls schlossen sich Fernberger und Teufel daher einer Gruppe honoriger muslimischer Kaufleute an, die just in die entgegengesetzte Richtung strebte: zum Euphrat. Was eine sehr schöne Gelegenheit ergab, wie ohnedies schon lange gewünscht, nach Babylonien zu reisen, vermerkte Teufel, um zu erklären, warum das Heilige Land auch diesmal wieder hintanzustehen hatte. Mit ähnlich stichhaltigen Argumenten vermochte Georg Christoph Fernberger in seinem Reisetagebuch nicht aufzuwarten, schien doch seine Sehnsucht, jenes biblische Terrain im Osten aufzusuchen, erst durch die Macht des Schicksals aufgekeimt zu sein. Doch um nicht allein den Umständen Genüge zu tun, plante Fernberger zum Ausgleich nun gleich *„soviel wie möglich davon zu durchstreifen“*.

Knapp drei Wochen nach ihrer Ankunft in Aleppo waren die Vorbereitungen für den neuerlichen Aufbruch abgeschlossen. Am Abend des 21. Jänner 1589 verließen Fernberger und Teufel mit ihren türkischen Reisebegleitern die Stadt, um in einem Anwesen außerhalb zu übernachten. Am nächsten Morgen sollte die große Reise dann tatsächlich beginnen. Im übrigen war ihrem Gesinnungswandel inzwischen auch ein Kleiderwechsel gefolgt: Die beiden hatten den Umständen entsprechend ihr äußeres Erscheinungsbild neu überdacht und sich von Pilgern in Kaufleute verwandelt – im Schutz ihrer Reisegruppe traten sie damit *„sozusagen als griechische Kaufleute“* auf.

Nicht zum ersten Mal paßte sich Georg Christoph Fernberger hier in Kleiderfragen dem Ort und seinen Konventionen an: Wahrscheinlich hatte er sich schon in Wien türkische Kleider für den Bosporus anfertigen lassen. Dem Anlaß beziehungsweise dem Aufenthaltsort äußerlich zu entsprechen, war immer von Vorteil, in der Frühen Neuzeit aber spielten dabei neben praktischen Aspekten (beipielsweise nicht auf den ersten Blick als Tourist kenntlich zu sein) die gesellschaftlichen Bezüge die Hauptrolle: Es genügte sich zu verkleiden, um in eine andere Rolle zu schlüpfen. Mit dem Obergewand legte man auch seine Identität ab, und über den optischen Eindruck seiner Garderobe definierte sich ein Mensch gegenüber anderen als die Person, die er war oder vorgab zu sein. Alle übrigen Kriterien, wie Physiognomie, Stimme und Sprache reichten nicht an die Bedeutung des äußeren Habitus heran, dem durch entsprechende Gestik und Mimik der letzte Schliff verliehen wurde. Dadurch war es einerseits möglich, ein gesellschaftliches Inkognito zu wahren, andererseits hatten Hochstapler ein leichtes Spiel. Doch nicht nur Stand und soziale Stellung ließen sich für die Zeitgenossen auf diese Weise bereits auf den ersten Blick bestimmen, selbst die geschlechtliche Identität war – zumindest vorerst – primär an dem Unterscheidungsmerkmal Hose beziehungsweise Rock abzulesen. Daß Mimikry nicht nur in der Welt von Flora und Fauna einwandfrei funktioniert, sondern auch in allen Biotopen der menschlichen Gesellschaft Erfolg versprach, läßt sich durch den Extremfall Geschlechtertausch zweifelsfrei belegen: Aus dem 17. und 18. Jahrhundert sind mehr als hundert Fälle – und die Dunkelziffer liegt hier sicherlich weit höher – bekannt geworden, in denen Frauen in Männerkleidung oft jahrelang unerkannt als Soldaten oder Matrosen aus den ihnen angestammten beziehungsweise zugewiesenen häuslichen Bereichen ausbrachen und wie ihre männlichen Zeitgenossen daran gingen, die Welt zu entdecken.

Unterwegs in fremden Landen war eine Verkleidung in diesem Sinn hilfreich, um unbehelligt sein Ziel zu erreichen. Auch Georg Christoph Fernberger benützte während seiner Reise die allgemein wiedererkannten Kategorien für seine Zwekke. Um sich in eine andere Person zu verwandeln, brauchte man weniger Raffinement oder Finesse, sondern eher ein solides Wissen um die gesellschaftlichen Ausdrucksformen und die entsprechenden Kleiderordnungen: Hier in Aleppo hatte Fernberger daher vermutlich zunächst sein Pilgerkleid (einen breitkrempigen schwarzen Filzhut, einen Rock aus grauem Tuch mit weiten Ärmeln und dem fünffachen Jerusalemkreuz über der linken Brust, einen breiten Gürtel und einen sehr kurzen schwarzen Ledermantel sowie die Attribute Pilgerstab und Paternoster) wieder zwischen seinen persönlichen Habseligkeiten verstaut und war statt dessen in eine für Kaufleute übliche Ausstattung geschlüpft. Möglicherweise hatte sich Fernberger seine neue Identität überdies um teures Geld bestätigen lassen und sich einen entsprechenden Paß besorgt. Solcherart verkleidet sollte Fernberger auf seinem gesamten Weg durch das Osmanische Reich unbehelligt bleiben. Als er danach die türkische Einflußsphäre verließ und sich im Indischen Ozean den Portugiesen anschloß, war es erneut nötig, sich umzuziehen: So verwandelte sich der „Kaufmann" Fernberger auf der Insel Hormuz ebenso behende in einen portugiesischen Soldaten. Nachdem er schließlich zwei Jahre und viele im Indischen Ozean bestandene Abenteuer später wieder in Hormuz eingetroffen war, endete auch seine Statistenrolle in der portugiesischen Armee. Damit war ein weiteres Auftreten in „portugiesischer Kleidung“ nicht mehr notwendig. Für sein nächstes Reiseziel Persien mußte er nun hingegen vergleichsweise einschneidende Änderungen vornehmen: Fernberger zog nicht nur ein „persisches Gewand“ über, sondern *„rasierte* [auch seinen] *Kopf und wickelte einen Turban aus bemaltem Stoff darüber …“.* Der „Muselmane“ Fernberger wanderte in der Folge ungeschoren durch ganz Persien und mußte sich erst wieder an der Schwelle zum Osmanischen Reich, in das er nun neuerlich einzureisen gedachte, Gedanken über sein äußeres Erscheinungsbild machen. Dort, wo der Tigris die Grenze zwischen Armenien und Mesopotamien bildete, wurde wegen des anstehenden Kleiderwechsels extra Halt eingelegt: Fernberger wahrte sein Inkognito mithilfe von „armenischer Tracht“ und schlüpfte in passende Gewänder. Das kleine Täuschungsmanöver funktionierte übrigens klaglos: *„… da wurde ich auf dem Weg von keinem Perser, Türken, Araber oder selbst Armenier für etwas anderes als einen Armenier gehalten …“* Mit heiler Haut und im Besitz aller Wertgegenstände erreichte er zehn Wochen später Jerusalem.

Respektablen Kaufleuten gleich zogen Fernberger und Teufel also von Aleppo los in Richtung Nordosten. Gleich am zweiten Tag trat wegen des schlechten Wetters eine kurze Verzögerung ein, doch nach einer Woche erreichte die Gruppe schließlich den Euphrat und setzte über den Fluß nach Bir (Birecik). Ein kleines Städtchen mit großer Vergangenheit, wähnte sich Fernberger hier doch am einstigen Wohnsitz von Balaam, Sohn des Beor und Traumdeuter aus dem 4. Buch Moses, Kapitel 22–24. Es war Ende Jänner und empfindlich kalt, überdies hatte sich das Wetter kein bißchen gebessert. Trotzdem konnten Fernberger und Teufel ihre Ungeduld kaum bezähmen – ihre Reisegefährten hingegen legten gesteigerten Wert auf angemessenen Reisekomfort und beschlossen, hier die Schlechtwetterfront abzuwarten. Die beiden unternehmungslustigen Österreicher mußten sich der Entscheidung fügen, die ihnen letztlich zwanzig ungemütliche Tage in Bir bescherte. Zwar stand, als die Gruppe die Grenzstadt zwischen Syrien und Mesopotamien erreicht hatte, kein Boot für sie zur Verfügung, doch vermochten die Zimmerleute dieser Gegend gewöhnlich ein passables Schiff innerhalb von vier Tagen herzustellen – der Rest der Wartezeit war vergebens.

Das rohe Bretterboot, in das sich die Gruppe dann am 16. Februar 1589 endlich begab, besaß weder Kiel noch Bug- oder Achtersteven. Auch auf Segel und Masten hatte man verzichtet. Traditionell baute man hier solch plumpe, in der Regel zwischen sieben und zehn Meter lange, kastenförmige Gefährte mit flachem Boden und geraden Seitenwänden. Entwickelt hatte sich dieser Schiffstyp aus der äußerst schwierigen Flußschiffahrt auf dem Euphrat: Mäander, Stromschnellen, Sandbänke und die Wasserräder der Bewässerungsanlagen vereitelten jeden Versuch, stromaufwärts zu fahren, und flußabwärts, von der Strömung getrieben, bewahrten nur die starken Bodenbretter vor Havarien auf Felsen und Untiefen. Die Nacht durchzufahren war hier deshalb ebenso unmöglich wie zu segeln. Zudem erwies sich die Reisezeit im Moment als nicht ideal: Bevor nicht die Schneeschmelze in den Bergen Armeniens eingesetzt hatte, führte der Euphrat Niedrigwasser – manchmal selbst für diese Boote zu wenig.

Ein überraschend gefährliches Unterfangen also, das Fernberger und Teufel nun bevorstand. Und der erste unliebsame Zwischenfall ließ nicht lange auf sich warten: Als ihr Boot auf einer Sandbank aufgelaufen war, setzte sogleich hektische Betriebsamkeit ein. Bevor man daran gehen konnte, das Fahrzeug wieder flott zu machen, mußten zuerst Passagiere und Ladung an Land gebracht werden. Eiligst nahm jedoch eines der Begleitschiffe die kostbaren Güter sofort wieder auf, denn an Land sah man sich außerstande, die eigene Habe gegen arabische Nomaden zu verteidigen, die, so berichtete man, gleich scharenweise versuchen würden, damit ihren Besitzstand zu vermehren. Akute Gefahr bestünde selbst in solchen Momenten nie, wurde man unterwiesen, denn ihrem Charakter entsprechend beschränkten sich die Araber darauf, zu plündern und anschließend zu fliehen. Zumindest ein Pluspunkt also gegenüber der Lage am Nil, wo Georg Christoph Fernberger angesichts der möglichen Überfälle durch die Araber stets auch um sein Leben gefürchtet hatte.

Doch trotz eifrigstem Ausschauhalten ließ sich kein Abkömmling des Wüstenvolkes entdecken. Was die Araber betraf, verfügte das Abendland schon seit langem über ein genaues Bild von ihnen. Nach dem „Erstkontakt" mochte jeder einzelne Reisende also nicht nur auf die eigenen Erlebnisse, sondern auf den Erfahrungsschatz von Generationen zurückgreifen, sind doch die Pilgerberichte seit dem Mittelalter voll von unerquicklichen Begegnungen mit den Söhnen der Wüste. Schon früh drängte sich der Vergleich mit den Zigeunern aus der Heimat auf: besser als kein anderer geeignet, die Vorstellung hinsichtlich Aussehen (dunkeläugig, dunkelhaarig, „schwarze" Haut, „ungepflegt" und „unansehnlich") und Lebensweise (ohne festen Wohnsitz) gleich in die richtigen Bahnen zu lenken. Diebereien gehörten damit ebenfalls bereits zum festen Kanon der unerfreulichen Eigenschaften. Vielleicht noch mehr als die ihnen zur Last gelegten Räubereien dürfte dem Ruf der Araber die maßlose Leidenschaft der Beduinen für ihre Vollblüter geschadet haben, verweigerten diese dem ins ferne Ägypten gereisten okzidentalischen Edelmann doch kurzerhand ein adäquates Reittier: *„Christen aber ist es nicht erlaubt, zu Pferd zu reiten, da die Araber dies nicht gestatten, weil sie uns einer so großen Ehre für unwürdig halten."*

Man war als Herr von Stand und Angehöriger einer zivilisierten Nation geschmäht, ungeachtet der Einmaligkeit dieser rigiden Maßnahme im gesamten Reich des Sultans.

Immerhin verleideten die Araber nicht nur den Christen das Reisen in islamischen Gefilden. Auch die türkischen Glaubensbrüder (von ihren eigenen korrupten Steuereintreibern in Verruf gebracht) hatten schwer unter ihnen zu leiden, was zu der absurden Situation führte, *„daß ein Christ sich, was sein Leben betrifft, viel sicherer unter ihnen aufhält als ein Türke. Denn jener muß bei ihnen nur um seinen Besitz, dieser* *aber um seinen Besitz und sein Leben bangen*". Besonders brisant war die Lage am Rand des osmanischen Herrschaftsbereiches, an der Küste des Persischen Golfes, wo die Araber genügend Schlupfwinkel und auch die nahe Grenze zu Persien auf ihrer Seite wußten. So etwa erlebte Fernberger später in Basra, wie reguläre osmanische Truppen von einem Feldzug gegen arabische Rebellen zurückkehrten, und berichtete von einem arabischen Überfall, der dem dortigen türkischen *Sançakbey* und dessen gesamter Familie das Leben gekostet hatte.

So war an friedliche Koexistenz nicht zu denken. Bestes Einvernehmen herrschte hingegen allem Anschein nach innerhalb der gemischten Reisegesellschaft von christlichen und muslimischen Kaufleuten (darunter echten sowie getarnten), die sich nun schon seit der Abfahrt in Bir ein Schiff teilte. Neunundzwanzig Tage verbrachte Georg Christoph Fernberger auf dem Euphrat: tagsüber bedroht vom unruhigen Fluß, nachts von räuberischen Arabern und umherstreifenden Löwen, die den Reisenden an Hab und Gut beziehungsweise ans Leben wollten. Nur selten tauchte am Flußufer eine Ortschaft auf, und selbst diese wenigen Ansiedlungen erwiesen sich oft als zerstört oder verlassen.

Eines Abends hatte man wie gewohnt das Zelt, in dem die Reisenden schliefen, aufgestellt, die Feuer entzündet, mit denen man sich die Löwen vom Leib zu halten hoffte, und das Schiff an eine der Zeltstangen gebunden. Was so friedlich begann, sollte eine dramatische Nacht werden. Durch einen heftigen Regenschauer in der Nacht schwoll der Fluß an, das Schiff riß sich los: „*Das bemerkte aber unsere Wache, zugleich wurden wir durch das auf uns einstürzende Zelt geweckt. Daraufhin liefen wir durcheinander, riefen, klagten, ja verzweifelten gleichsam, aber umsonst. Wohin hätten wir uns denn in der stockdunklen Nacht, in der obendrein dichtester Regen fiel, wenden sollen? Ja, wenn ich jemals glaubte, zugrunde zu gehen, so erkannte ich damals, daß ich gänzlich verloren war.*"

Zu allem Überfluß waren gerade an diesem Tag die zwei Begleitschiffe ein Stück vorausgefahren – auf Hilfe hoffte man daher vergeblich. Fernberger vertraute erneut auf Gottes Barmherzigkeit und wurde wieder nicht enttäuscht: Durch Zufall waren zwei Männer, ein Matrose und ein venezianischer Kaufmann, an Bord des Schiffes geblieben. Die beiden erwachten – wohl nicht zuletzt aufgrund der Schreie ihrer Gefährten – und lenkten das Boot beherzt ans Ufer, wo es auf eine Sandbank auflief. Erneut vertäut und diesmal ausreichend gesichert, wurde das Schiff am nächsten Morgen schließlich wieder flott gemacht. Den Rest des Tages brachte man damit zu, durchnäßte Kleider und strapazierte Nerven wieder in ihren ursprünglichen Zustand zu bringen.

Zwei Tagesreisen bevor das eigentliche Ziel der Fahrt erreicht war, machte das Schiff mit Fernberger und Teufel an Bord abends in einer kleinen Stadt fest. Gelegenheit für einen interessanten Ausflug, hatte man den Besuchern doch etwas außerhalb von Ayt (Hit) ein Naturschauspiel ersten Ranges in Aussicht gestellt. Hellgelb verkrusteter Boden und Schwefelgeruch wiesen den Weg. Am eigentlichen Ort des Geschehens wechselte die Farbskala dann plötzlich auf teerschwarz: Man hatte ein weithin von heißem, flüssigem Bitumen überströmtes Feld erreicht. Unter höllischem Lärm von einem Krater ausgespien, stiegen große Blasen auf, fielen in sich zusammen und ergossen sich anschließend als Pech und Schwefelwasser über die Erde. Beeindruckt bediente sich Fernberger einer Szenerie der griechischen Mythologie, um dem Schauplatz gerecht zu werden: der Vereinigung von Lethe und Styx, der beiden Flüsse des Hades. Kein Wunder, daß auch die Moslems den Ort nur „Schlund der Hölle“ nannten, wie Hans Christoph Teufel festhielt. *„Die Sache ist wahrhaft der Besichtigung würdig“*, resümierte Georg Christoph Fernberger zufrieden, während sein Reisegefährte Teufel schon daran gegangen war, den Umfang des Kraters festzustellen und dann beobachtete, was mit einem Stein geschah, den er zu diesem Zweck hinein geworfen hatte.

Bald nach diesem Ausflug näherte sich die Schiffsreise von Fernberger und Teufel ihrem Ende. Am 16. März des Jahres 1589 hatte der Flußkahn endlich seinen Bestimmungsort erreicht. In Felucchia (Al Fallûjah), wo der Euphrat in einer jähen Beuge seinen Lauf ändert und direkt nach Süden fließt, wurde der Transitverkehr gewohnheitsmäßig wieder auf die Straße umgelenkt. Schon nach zweitägigem Aufenthalt setzten Passagiere und Handelsgüter ihren Weg dann auf dem Rücken von Kamelen fort. Über geschichtsträchtigen Boden trugen sie die Kamele auf einem alten Handelsweg eine Tagesreise weit nach Westen. Ihr Ziel: Bagdad.

Schon nach einer guten Stunde wartete die eigentliche Sensation des Ritts: Hier führte der Weg nach Bagdad durch das Stadtgebiet des biblischen Babel. Zwar lag in der einstigen Metropole kein Stein mehr auf dem anderen, doch von ihren monumentalen Mauern (90 Meter hoch und über 20 Meter breit) und den berühmten Gärten der Semiramis vermeinte Fernberger noch beeindruckende Überreste zu entdekken. Zwei der sieben Weltwunder auf einen Streich. Oder gar vier, denn in der Antike kursierten Weltwunderlisten, die für Babylon noch weitere Einträge vermerkt hatten: den Obelisken der Semiramis bzw. die legendäre Euphrat-Brücke. Am nächsten Morgen, knapp zwei Monate nach ihrer Abreise in Aleppo, ritten Georg Christoph Fernberger und Hans Christoph Teufel schließlich in die am rechten Tigrisufer gelegene Vorstadt von Bagdad. Jenseits des Flusses, nur mehr eine mit Ketten gesicherte Schiffsbrücke entfernt, lag das eigentliche Ziel der Fahrt.

Bagdad selbst war nicht mehr die märchenhafte Stadt der Kalifen. Nachdem es beim Mongoleneinfall im Jahr 1401 von Timur völlig verwüstet worden war und sich die Türken seiner im Jahr 1534 bemächtigt hatten, war vom Glanz und der einstigen Pracht nichts geblieben. Auch Georg Christoph Fernberger dürfte sich *„das neue Babylon“* ein wenig anders vorgestellt haben: *„In der Stadt aber sieht man keinerlei Relikte der Vergangenheit mehr, abgesehen von einigen Ruinen persischer Tempel.“* Seine Bedeutung verdankte Bagdad inzwischen nur mehr den hier umgeschlagenen Waren aus Indien, wodurch es Heerscharen von Kaufleuten anzog. Als letzte Stadt vor der Grenze zu Persien beherbergte Bagdad überdies noch ein

stehendes Heer des osmanischen Sultans.
Schon vier Tage nach ihrer Ankunft strebten Fernberger und Teufel erneut stadtauswärts. Ihre Esel lenkten sie auf eben jenen Weg, den sie gekommen waren: Denn trotz der ausgedehnten Besichtigung des alten Babylon hatte man auf den Abstecher zum allerwichtigsten Monument verzichten müssen. Jetzt sollte ein Ausflug Versäumtes nachholen.
Das Objekt der Begierde war unter den Überresten des biblischen Babel das einzig erkennbare große Stück: der Turm der Sprachteilung. Eine Sehenswürdigkeit ersten Ranges also, wohl wert, erneut stundenlang im Sattel zuzubringen. Sechzehn, siebzehn Kilometer folgten Fernberger und Teufel dem ausgetrockneten Bett eines Wasserlaufes, dann ragte der legendäre Bau vor ihren Augen in den Himmel: Mahnmal für den Hochmut der Menschen, die versucht hatten, damit den Himmel zu erreichen, und die ihnen dafür von Gott auferlegte Strafe der Sprachenvielfalt. Zwar *„ist allerdings von diesem so gewaltigen Bauwerk nur ein winziger Teil übrig ...“*, doch zeugte selbst dieser vom monumentalen Ausmaß der einstigen Anlage. Nach dem Befund der beiden Österreicher immerhin geschätzte sechzig, siebzig Meter hoch. An der Authentizität des Turmes bestand kein Zweifel, bestätigte doch der Augenschein die Informationen des „Reiseführers“: *„Er besteht aus quaderförmigen Ziegeln, die eineinhalb Handflächen breit und fünf Finger hoch sind. Sie sind von der Sonne gebrannt und getrocknet ...“*. Genauso wie im Alten Testament (1 Mos. 11) geschildert. Noch dazu schienen sich auch die Erwartungen der Besucher mit der Wirklichkeit zu decken: Es existierte eine konkrete Vorstellung vom einstigen Turm zu Babel, seit sich in der europäischen Malerei des Mittelalters eine eigene Tradition der Darstellung ausgebildet hatte. Der tatsächliche Augenschein entbehrte daher eines Überraschungseffektes – nur scheinbar fremd und in Wahrheit längst bekannt, als Bild ohnehin stets vor Augen gestanden.
Hinsichtlich des Turms zu Babel bestand überdies ein ebenso klar definiertes Bild von der unwirtlichen Atmosphäre des Ortes: Weithin von Wüste umgeben, bevölkerte den Turm eine Vielzahl von bösartigem, speiendem und kreuchendem Geschmeiß. Georg Christoph Fernberger seinerseits verfügte über einen geschärften Blick fürs Wesentliche und enttäuschte ungerührt alle Freunde des Althergebrachten: *„Ich halte mich nicht damit auf, daß manche schreiben, der Turm sei wegen vieler Echsen, Schlangen und Löwen unzugänglich ... Das freilich leugne ich nicht, daß in vielen orientalischen Gebieten, die sumpfig sind, riesige Schlangen und sehr große Eidechsen leben, was auch rings um diesen Turm wahrscheinlich möglich war, allerdings in alter Zeit ...“*
Das einzige Wesen, das sich hier blicken ließ, war ein verschreckter Wüstenfuchs, der seinen Vorwitz mit dem Leben bezahlte.
Doch selbst für Realisten hielt die mahnende Stätte Unerklärliches bereit: *„Eines kann ich nicht übergehen, nämlich daß wir, als wir uns dem Turm näherten, in der Ferne 6 oder 7 mit Lanzen bewehrte Reiter rechts vor uns erblickten, die auch selbst ihren Weg in Richtung auf*

den Turm lenkten und schon in der Nähe zu sein schienen. Als wir aber über jenen durch den Einsturz entstandenen Ruinenhaufen zum Turm emporstiegen, von wo aus wir in die umliegende Ebene weit und breit ausblicken konnten, zeigte sich uns niemand mehr von ihnen."

So nahm jeder unterschiedliche fabelhafte Eindrücke mit nach Hause – von denen eine Luftspiegelung jedenfalls der verwirrendste war. Gerade deshalb ging auch nichts über handfeste Souvenirs: Vollauf befriedigt schlug Georg Christoph Fernberger den Rückweg ein, nachdem er seiner Andenkensammlung ein weiteres Beutestück (zu einem Stückchen von der babylonischen Mauer gesellte sich nun ein eigenhändig ausgeschlagener Ziegel vom Turm der Sprachteilung) einverleibt hatte. Doch was immer Fernberger in der Umgebung von Bagdad auch gesehen und beschrieben haben mag – es war sicherlich nicht Babylon. Denn das liegt 90 Kilometer weiter südlich.

Dieser Befund ist indes nicht ganz so erstaunlich, wie er auf den ersten Blick erscheinen mag: So war Fernberger weder der einzige noch der erste, der sich hier der Täuschung hingab, vor den imposanten Überresten der profanen Wunder und des biblischen Monumentes zu stehen. Daß er, gleich Teufel und den anderen Reisenden, dennoch davon überzeugt war, auf seinem Weg nach Bagdad das alte Babylon zu besichtigen, lag, abseits der unbestrittenen topographischen Nähe und der Hinweise, die ihm seine Reisebegleiter wohl ebenso gegeben haben mochten, vor allem an seiner grundsätzlichen Einstellung: Er sah, was er sehen wollte.

Zurück in Bagdad verlieh Georg Christoph Fernberger seiner eigenen Wirklichkeit abermals Terrain: So wollte er im „neuen Babylon" auch noch das antike Ktesiphon, die Residenz des Partherreiches, erkannt haben – wohl auch am linken Tigrisufer, tatsächlich aber 32 Kilometer südöstlich von Bagdad gelegen. Nicht das erste und auch nicht das letzte Mal gab sich Fernberger hier einem solchen Irrtum hin: Fast immer lag dabei die betreffende Stadt der Antike in relativer Nähe zur gegenwärtigen, und meist hatte diese auch Bedeutung und Funktion ihrer Vorläuferin in der Region übernommen. Mangelnde topographische Kenntnisse? Wohl kaum: Fernberger reiste ohne Führer im Taschenbuchformat und herausnehmbarem Kartenteil. Die einzige Landkarte, auf die Fernberger zurückgreifen konnte, existierte nur vor seinem geistigen Auge und war ganz anderer Art. Eine „erlesene" Topographie, die die antike Welt widerspiegelte und mit der vorgefundenen Wirklichkeit in Deckung gebracht werden wollte. Vermutlich kam der Erfahrung, die Buchstaben der einstigen Lektüre Gestalt annehmen zu sehen und sich tatsächlich an den Schauplätzen der antiken Literatur wiederzufinden, ein hoher Erlebniswert zu, doch noch mehr war dadurch eine Orientierung gewährleistet. In zweifacher Hinsicht: So wurde Fremdes durch Bekanntes verständlich gemacht und der eigene Standort auf der imaginären Weltkarte bestimmt.

Als nun in Bagdad ein Fest zu Ehren des Statthalters gefeiert wurde, holte Fernberger die Realität wieder ein: Ein Pascha in goldenen Kleidern nebst edelsteinbesetztem Säbel (samt prächtigem Hofstaat und in Begleitung aller Streitkräfte) wetteiferte mit einem Feuerschlucker, der auch Glasscherben, glühende Kohlen und Steine verschlang, um die Gunst des Publikums. Ein prächtiges Spektakel. Georg Christoph Fernberger wurde nachdenklich: Immerhin war der Mann, der seit Jahren an der Spitze dieses osmanischen Verwaltungsbezirkes stand, Italiener. Zumindest italienischer Herkunft: *„Er ist von seiner Abstammung her Italiener, von einer berühmten Genueser Familie, namens Cigala, und wurde vor einigen Jahren mit seinem Vater am Meer gefangen genommen. Dieser war ein Genueser Schiffskapitän, ein tapferer Soldat, ein Mann von großem Ansehen, der in Byzanz starb. Sein jugendlicher Sohn wurde sofort in den Sultanspalast aufgenommen und allmählich in türkischen Sitten unterwiesen und wurde so schließlich Türke ...“*

Seit die Türken ihre Expansion in Europa begonnen hatten, sorgte man sich dort nicht nur wegen ihrer militärischen Schlagkraft, sondern fühlte sich auch und gerade wegen der vielen christlichen Überläufer im Innersten bedroht. Die Christen, die als Gefangene oder Deserteure ihrem Glauben abschworen, zum Islam übertraten und dann in die höchsten Ämter der osmanischen Verwaltung aufstiegen, zählte man „nach Tausenden“. Die Beweggründe für den Glaubenswechsel lagen – zumindest für die Konvertiten – auf der Hand: Manche fühlten sich von der christlichen Intoleranz abgestoßen, andere, besonders Unterprivilegierte, waren ob ihrer Lebensumstände verbittert und versuchten auf diese Weise zu besseren Chancen zu gelangen. In Europa war man generell der Meinung, daß die Osmanen allein durch diese Abtrünnigen alle überlegenen Errungenschaften des Westens erworben hätten, wobei die vermittelnde Rolle der vertriebenen Juden hier einfach oft vergessen wurde.

Georg Christoph Fernberger stieß ins selbe Horn: *„Wäre es doch nicht so beweinenswert wie bewundernswert, daß die Macht und die Herrschaft des türkischen Reiches in den Händen, ja vielmehr im Blute von Christen gelegen sind. Denn die Verweser der höchsten und wichtigsten Ämter ... sind alle von unserem Blut oder ihre Eltern waren Christen und haben als Erwachsene in plötzlichem Entschluß den wahren Glauben abgelegt. In den Händen und der Macht dieser, ich sage Brüder, die durch das Blut mit uns verbunden sind, liegt die gesamte Stärke des türkischen Reiches. Ich rede nicht von der unzählbaren Menge des Volkes und der sehr großen Zahl der Janitscharen, die auch alle von unserem Blut sind, teils gefangen, teils ausgewählt wurden, sodaß wir durch den gerechten Zorn des allmächtigen Gottes durch unsere Brüder und unser eigenes Blut bestraft, bekämpft, getötet und verfolgt zu werden scheinen.“*

Fernbergers Einschätzung der Konvertiten war durchaus differenziert: Während man den christlichen Gefangenen, die zum Islam übergetreten waren, kaum einen Vorwurf machen konnte, ebensowenig wie den Janitscharen, die als Kinder bei den christlichen Familien in den besetzten Gebieten des Balkans als sogenannter „Knabenzins“ ausgehoben worden waren, klagte er andererseits diejenigen an, die aus Macht- und Gewinnstreben die Seite gewechselt hatten.

Vierzehn Tage blieb Georg Christoph Fernberger in Bagdad. Er kämpfte mit widerstreitenden Gefühlen. Schließlich war er von Konstantinopel aufgebrochen, um eine Pilgerfahrt zu unternehmen, doch seither waren bereits sieben Monate verflogen – und seine Ziele hatten sich deutlich verändert: *„Ich empfand den heftigsten Wunsch, von Babylon* [Bagdad] *noch weiterzureisen.*" Beispiele für solchen Gesinnungswandel gab es zuhauf: *„Erfüllt doch fast alle Reisenden, die nicht eines Geschäftes wegen, sondern aus religiösen Gründen oder auch aus bloßer Neugier ihre Heimat verlassen, dasselbe Gefühl: Je mehr Länder und Orte sie durchstreifen und je mehr sie sich von zuhause entfernen, desto weiter wünschen sie vorzudringen, und niemals geben sie sich mit dem Reiseziel zufrieden, das sie sich bei ihrer Abreise gesetzt haben. Dies habe ich am eigenen Leib zur Genüge erfahren. Ich dachte nämlich, ich würde glücklich, ja selig und für den Rest meines Lebens zufrieden sein, wenn es mir nach meiner ersten Reise zum Berg Sinai und ins Heilige Land gelänge, einmal die Fundamente des antiken Babylon und die uralte Ruine des Turmes der Sprachenverwirrung zu besuchen. Doch sobald ich dies (...) durch die Gnade Gottes erreicht hatte, befiel mich sofort eine neue Sehnsucht ...*"

Zwar hatte er das Heilige Land noch nicht gesehen und die Frömmigkeit ohne Zweifel nicht eingebüßt, doch die Oberhand gewonnen hatte, trotz der Gefahren und Mühen des Reisens an sich, die bloße Neugier.

Nach den zeitgenössischen Vorstellungen ein relativ problematisches Bestreben: Es gab tiefsitzende Vorbehalte gegen eine zu weitgehende Neugier. Neugier und Narrheit lagen nach dem Verständnis der Zeit eng beieinander. Und obwohl die deutschen Humanisten nirgends ein explizites „*curiositas*-Verbot" aussprachen, machten sie doch auf die Gefahr aufmerksam, die der Entdeckungsdrang psychisch und physisch mit sich bringen könne. Erst die Neuzeit löste die Neugierde langsam von ihrer transzendenten Legitimation und brach mit dem Konzept, daß Gott dem Menschen nach dem Maß seiner Gnade Einblick in die Natur gewähre, sodaß jeder eigenmächtige Schritt das Verhältnis von Abhängigkeit und Dankesschuld strapazierte.

Georg Christoph Fernberger hatte unterdessen also „eine neue Sehnsucht" erfaßt. Doch wohin wollte er von Bagdad aus? Und was begehrte er eigentlich zu sehen? Sein unstillbares Fernweh konzentrierte sich auf *„den Zusammenfluß der beiden berühmtesten Flüsse Asiens"*, lag also ganz in der Nähe und war von Bagdad aus leicht zu erreichen. Reisegefährte Hans Christoph Teufel verlangte es zwar nicht explizit danach, in die sich mischenden Fluten von Euphrat und Tigris zu schauen, doch dem Rausch des Reisens ebenfalls erlegen, stellte auch er die Pilgerfahrt hintan. Gemeinsam bestiegen sie am 8. April des Jahres 1589 eines der Frachtschiffe, die täglich Bitumen aus Hit den Tigris flußabwärts bis Basra im Schatt el-Arab transportierten. Sieben Tage später erfüllte sich Fernbergers Wunsch: Als sich der sumpfige Unterlauf des Euphrat langsam im Bett des Tigris verloren hatte, richtete er seinen Blick erneut nach vorn, denn das eigentliche Ziel der Fahrt war schon greifbar nahe. Bereits am nächsten Tag drehte das Schiff unter vollen Segeln in einen Kanal ab, der Basra mit dem Fluß

verband, und lief sicher in den kleinen Hafen der Stadt ein.
Basra lag inmitten eines anmutigen Palmenhaines, besaß ein gut befestigtes türkisches Kastell am anderen Flußufer und reichlich Skorpione. Als Attraktion bot man ausgestopfte Löwenfelle am Stadttor, und an der Stadtmauer baumelten die gehäuteten Schädel gefangener Piraten. Am Hafen bestaunte Georg Christoph Fernberger gebannt die vertäuten Boote: *„Hier gibt es einen erstaunlichen, doch auch gefährlichen Schiffstyp zu sehen, von dem Waren aus dem Persischen Golf hierher transportiert werden. Man nennt diese Schiffe Terraden, da sie nicht einmal einen eisernen Nagel, ja überhaupt keine Eisenteile haben. Sie sind hingegen aus dünnen Brettern gefertigt, die mit Nadel und dickem Faden zusammengenäht und mit Tauen gebunden werden. Anstelle von Erdpech wird feines Stroh und Schilf zwischen die schräg übereinander gefügten Planken gestopft, weshalb sie auch notwendigerweise sehr viel Wasser ansaugen und eine Seefahrt auf diesen Schiffen nicht ungefährlich ist."*
Erschreckend labile, offene bootähnliche Flöße, die dennoch an der Küste des Persischen Golfes seit Jahrhunderten gebräuchlich waren. Die „dünnen Bretter", die so gar nichts mit den festen Bohlen eines Schiffes gemein zu haben schienen (und die Fernberger entsprechend argwöhnisch beäugte), waren Blattrippen der Dattelpalme, aus denen diese Gefährte kunstvoll zusammengefügt wurden.
Als Fernberger und Teufel von Bord ihres Frachters gegangen waren und endlich wieder festen Boden unter ihren Füßen spürten, führte sie ihr erster Weg ins Zollhaus. Während man wartete, wurde das Gepäck auf Handelswaren durchsucht; erst nach einem positiven Bescheid konnte man sich zwecks Unterkunft in die Karawanserei der Stadt verfügen. Für europäische Ohren besaß Basra unter dem Namen „Bassora" oder „Balsora" einen vertrauten Klang: Im Mittelalter als Zentrum arabischer Kunst und Wissenschaft weithin gerühmt, waren Ende des 16. Jahrhunderts der einst so wohlhabenden Stadt nur die Reminiszenzen an ihre Glanzzeit geblieben. Georg Christoph Fernberger nützte die Gelegenheit, um an Ibn Sina zu erinnern – jenen islamischen Philosophen und Arzt des 10./11. Jahrhunderts, dessen medizinisches Lehrbuch in Europa die Heilkunde revolutioniert hatte und der unter seinem latinisierten Namen Avicenna immer noch den Status einer Autorität behauptete.
Eine neue Welt tat sich auf: Hinter Basra sprengte der Ozean die Enge des Osmanischen Reiches und jene des Nahen Ostens. Kenntlich gemacht auch an den hier umgeschlagenen wertvollen Gütern aus Indien. Bis zu den verlokkenden Fernen ihrer Herkunftsländer war es nun nur mehr ein kleiner Schritt. Was, wenn man einfach noch ein bißchen weiter vordringen würde, noch ein klein bißchen mehr von der Welt zu sehen begehrte? Der bloße Gedanken schien kaum ausgesprochen worden zu sein, da folgte der Idee schon der Entschluß.
Eine Überfahrt nach Hormuz am Ausgang des Persischen Golfs befand Fernberger *„der Mühe wert"*, eine neuerliche Seereise über eine Distanz von mehr als 1.000 Kilometern zu wagen. Worauf er sich bei diesem Unternehmen einließ,

war Georg Christoph Fernberger durchaus bewußt: Die Schiffe, die im Persischen Golf verkehrten, waren die von ihm als extrem unsicher eingestuften Terraden, dazu gesellten sich Matrosen, die laut Fernberger keinen Magnetkompaß verwendeten, weil sie ihn nicht kannten, und vom Meer selbst erzählte man sich – und ihm – schauerliche Geschichten: von häufigen und heftigen Stürmen zum einen, von gefährlichen Piraten zum anderen. So mancher hatte angesichts des hier gebräuchlichen Schiffstyps tunlichst auf eine Seereise verzichtet: Den Gebrüdern Polo schien einst der Gedanke, wie geplant in Hormuz ein der Terrade ähnliches Schiff zu besteigen, plötzlich so widersinnig, daß sie kehrtgemacht und China statt dessen auf dem Landweg angesteuert hatten. Anders Fernberger und Teufel, die sich *„in Gottes Namen“* auf die Überfahrt einließen. Nachdem die Entscheidung gefallen war, konnte es mit der Weiterreise kaum schnell genug gehen, dennoch galt es, bis zum Tag der Abfahrt noch über einen Monat lang in Basra auszuharren.

Doch auch nachdem man sich schließlich aufs Wasser begeben hatte, bedeutete das wieder nur endloses Warten: Da wegen der gefürchteten Piratenüberfälle im Konvoi gefahren wurde und noch nicht alle der sieben Schiffe fertig ausgerüstet waren, saßen Fernberger und Teufel nochmals mehrere Tage lang in einem weiter stromabwärts gelegenen Hafen fest. Durch diese Verzögerung traf sie der Orkan, der sich nun erhob, nicht auf hoher See, sondern noch am geschützten Fluß: Plötzlich verdunkelte aufgewirbeltes Erdreich die Sonne und machte den Tag zur Nacht. Selbst im Hafen waren die Folgen des Sturmes noch verheerend und Fernberger, der kaum die Hand vor Augen sehen konnte, fühlte sich erneut in akuter Lebensgefahr: Der Winddruck hatte die Anker ausgebrochen – verzweifelt versuchten die Männer, die Schiffe zu halten, die ständig aneinanderprallten; mit einer Wucht, die sie bei jedem Stoß aufs Neue zu zertrümmern schien. Zuerst brachen die Steuerruder, dann ging eine schwere Kanone mit donnerndem Krachen und einem Teil der Schiffswand über Bord ...

Als der Sturm ein wenig nachgelassen und die unmittelbare Gefahr wider Erwarten gebannt war, fand man endlich Zeit, tief durchzuatmen. Ein Gutes hatte der Sturm immerhin gehabt: Nachdem sich Fernberger nebst seinen Kameraden gerettet sah, war sein Vertrauen in die vorher so gefürchteten „genähten“ Schiffchen immens gestiegen: *„... wären diese mit eisernen Nägeln gefertigt gewesen, wären sie ohne Zweifel durch die zahlreichen Erschütterungen zerrissen worden. So aber dehnten sich die Taue ein wenig, und die Seiten der Schiffe wurden bei den Zusammenstößen fast bis auf eine Handbreit zusammengedrückt. Darüber hinaus haben sie vor anderen Schiffstypen auch noch den Vorteil, daß man bei einem Schaden in der Beplankung sofort Holz einfügen und die Stelle mit dicken Nähten sehr gut dichten kann, was bei Schiffen mit Eisenbeschlägen in keiner Weise möglich wäre. Es ist wahrhaftig wundersam, daß man auf solchen Schiffen eine derart stürmische See überstehen kann. Hätte ich nicht mit eigenen Augen gesehen, daß sie dies zustande bringen, hätte ich es niemals geglaubt.“*

So begann die Fahrt zur Insel Hormuz schließlich am 1. Juli des Jahres 1589, man war gelöst und voller Vorfreude. Zwei Tage und etwa 100 Kilometer später passierte die kleine Flotte bereits die Flußmündung – denkwürdig auch, weil hier am „Maidan Ali“, dem „Feld des Ali“, der Neffe und Schwiegersohn von Mohammed einst seine Kamele geweidet hatte. So erzählte man zumindest, und weiter, daß Allah das Gebiet überschwemmt habe, um der Nachwelt jede Möglichkeit zu nehmen, die heilige Stätte zu entehren.

Nachdem sich seine maritimen Erfahrungen bisher auf das Marmara- und das Mittelmeer beschränkt hatten, machte Georg Christoph Fernberger nun mit dem Ozean Bekanntschaft: Mit beeindruckender Kraft wechselten am Persischen Golf alle sechs Stunden die Gezeiten, während zuvor Ebbe und Flut kaum wahrnehmbar gewesen waren. Deshalb stachen Fernberger auch die Mangrovenwälder mit ihren bei Niedrigwasser bloßgelegten Luftwurzeln und Stelzwurzeln so deutlich ins Auge, als die Schiffe nach der Überfahrt zur Insel Karg, wo Wasser gebunkert worden war, wieder unter Land segelten.

Die Fahrt durch den Persischen Golf verlief ruhig und ereignislos. Im Schutz der persischen Küste segelte der kleine Verband der sieben Terraden nach Südosten, zur Linken stets von den mächtigen Ketten des Zagros-Gebirges flankiert, zur Rechten dehnte sich das Meer soweit das Auge reichte. Zerstreuung bot die Unterhaltung mit anderen Passagieren, Abwechslung einige Inseln, die an Steuerbord oder Backbord auftauchten und für kurze Zeit den Blick festzuhalten vermochten, bevor sie wieder im dunstigen Horizont verblaßten. Dort an Land zu gehen vermied man tunlichst, da einige der Eilande als berüchtigte Piratennester galten. *„Man berichtet, daß diese Piraten in der Kunst des Speerwurfs bestens geübt seien und jeder von ihnen drei und selbst vier Speere auf einmal schleudern könne. Daher sind ihre Angriffe auf Schiffe stets von solcher Wucht, daß es aussieht als regnete es Speere.“*

Knapp einen Monat nachdem Georg Christoph Fernberger Basra verlassen hatte, tauchte am 15. Juli 1589 schließlich die Insel Hormuz am Horizont auf. Das ersehnte Ziel war erreicht – der erste Eindruck allerdings enttäuschend: *„Die Insel ist sehr heiß, trocken und unfruchtbar. Man findet hier weder saubere Quellen frisch entspringenden Wassers noch Brunnen, die von unterirdischen Reservoirs gespeist würden. ... Im Sommer erlebt die Insel nämlich niemals Regen, im Winter nur selten. Aus diesem Grund wächst hier auch weder Gras noch Kraut, weder Strauch noch Baum. Hier hat man weder Saat noch jemals Ernte gesehen.“* Eine einzige Steinwüste, verkrustet mit Salz, ja bedeckt von schneeweißen Salzbergen. Salz, das auf der schweißnassen Haut auskristallisierte; Salz, das sich in die Mauerfugen fraß und Steine heraussprengte.

Doch trotz der lebensfeindlichen Umgebung und obwohl die Versorgung der Insel mit Trinkwasser problematisch war (neben den 70 allein vom Stadtkommandanten abgestellten Booten setzten auch noch private täglich Süßwasser vom Festland über), hatte sich die Ansiedlung an ihrem Nordufer im Verlauf des 16. Jahrhunderts zu einer

der reichsten Städte auf der Handelsroute Europa–Indien entwickelt. Als strategisch wichtiger Stützpunkt und als Handelsumschlagplatz zwischen Ost und West erlebte Hormuz ab 1515 durch die Portugiesen eine wahre Blütezeit.
Allerdings war das Klima hier mörderisch: Mit Wasserbecken und Belüftungsanlagen in ihren Häusern versuchten die Europäer, die lähmende Hitze wenigstens etwas zu mildern; gewöhnlich hielt man den ganzen Tag Siesta, erst am Abend erwachte das Leben in der Stadt. Wer trotzdem tagsüber ausging, schützte sich mit einem „Sombrero" genannten Schirm vor der sengenden Sonne. Die unmenschliche Hitze, so gab sich Georg Christoph Fernberger überzeugt, war zudem die Ursache der hier grassierenden Krankheiten, denn Wasser und Luft der Insel schienen ihm überaus bekömmlich.
Fünfzehn Tage verbrachte Fernberger in Hormuz – fünfzehn Tage ausgefüllt mit Hofzeremoniell, Festlichkeiten und adeligen Vergnügungen. Als Brennpunkte der ersten Gesellschaft der Stadt fungierten das trotzige Schloß am Hafen, das den portugiesischen Kommandanten beherbergte, sowie das Stadtpalais des persischen Königs von Hormuz, dem die territorialen Aktivitäten der Portugiesen im Indischen Ozean den Status eines Vasallen beschert hatten. Durch und durch pragmatisch praktizierten hier beide Seiten eine gedeihliche Koexistenz: Die Position des Gegenübers anzuerkennen garantierte Sicherheit und Wohlstand für die gesamte Insel.
Gerade in der Person von Farruh Šah, der den Thron vor inzwischen 36 Jahren bestiegen hatte, wurde die multikulturelle Orientierung von Hormuz besonders augenfällig. Was bei so manchem gemischte Gefühle auslöste: Nicht nur, daß seine persischen Untertanen verstört zu sein schienen, auch Georg Christoph Fernbergers Einschätzung fiel zwiespältig aus – zum einen hatte er die Ehre gehabt, dem König von Hormuz die Hand zu küssen und mit einem ernstzunehmenden Potentaten über die politische Situation im Nahen Osten zu diskutieren, zum anderen erkannte er in diesem Mann, der sich in der Gratwanderung versuchte, auf die geänderten Bedingungen einzugehen, ohne seine Wurzeln zu verlieren, eine hilflose Gestalt: *„Besonders die gemischte Kleidung dieses Königs war lächerlich: Sein Kopf war von einem Turban umhüllt, sein Untergewand mohammedanisch, darüber trug er ein Wams aus weißem Damast, mit Gold bestickt, das bei uns Koller heißt, weite Pluderhosen bis zur Fußsohle nach ihrer eigenen Art, weiße, bestickte Schuhe nach unserer Art und ein vergoldetes spanisches Schwert. Diese Tracht pflegte er aus Dankbarkeit gegen die Portugiesen zu tragen, da er mit diesen besonders befreundet war. Den Seinen ist er deswegen nicht ganz geheuer, zumal er sogar seine eigene Tochter einem portugiesischen Edelmann zur Frau gegeben hat."*
Mochte das Spannungsverhältnis zwischen Orient und Okzident auch manchmal einen Schatten auf das Leben in Hormuz werfen – für Besucher aus Europa bot die Insel zwischen exotischer Prachtentfaltung und feudaler Lebensart nicht nur ausgesuchte Phantasien, sondern auch vertraute Umgangsformen. Der magischen Anziehungskraft war Georg Christoph Fernberger aller-

dings nicht erlegen: Im Gegenteil, er war bestrebt, die Insel so schnell wie möglich wieder zu verlassen. Nicht nur die Hitze machte Fernberger zu schaffen, auch die 33 Frachtschiffe, die sachte im Hafenbecken der Stadt schaukelten, leisteten einen nennenswerten Beitrag zu seiner Unruhe. Die Schiffe kamen aus Indien und sollten auch wieder dorthin zurückkehren – eines von ihnen gar schon innerhalb weniger Tage. Indien, das Wunderland jenseits des Horizontes, war greifbar nahe. Alle in Hormuz umgeschlagenen Schätze des Ostens wurden für Fernberger angesichts einer Überfahrt nach Goa gegenstandslos: „... *ich hatte mich noch nie zuvor so unzufrieden gefühlt. Da ich nämlich so viele Schiffe vor Augen hatte, die in Kürze nach Indien zu den Antipoden auslaufen sollten, wo es so viele Wunder und für unsereins unvorstellbare Dinge zu sehen gab, besonders aber da es mir vorkam, als hätte ich schon einen Fuß in Indien, konnte ich es nicht erwarten, auch wirklich dorthin zu kommen.*"

In Hans Christoph Teufel hatten sich während seines Aufenthaltes in Hormuz dieselben Begehrlichkeiten geregt – doch sein Geldbeutel war seinem Fernweh hier nicht mehr gewachsen. So plante er statt dessen seine Rückfahrt: Auf dem Landweg wollte er nun zurück ans Mittelmeer reisen. Wenige Wochen später allerdings sollte er bereits seine gesamte Barschaft aufgebraucht haben: Lebensmittel erwarb er nun im Tausch gegen seinen Pelz, und der Karawane, der er sich angeschlossen hatte, folgte er zu Fuß, weil er keinen Esel mehr mieten konnte. Sein letztes Geld gab er in Täbriz aus, dann war er völlig auf die mildtätige Unterstützung eines armenischen Kaufmannes angewiesen, der ihm auf dem weiteren Streckenabschnitt bis Aleppo unter die Arme griff. Dort verschaffte sich Teufel schließlich Wechsel aus Konstantinopel und konnte damit seine Reise ins Heilige Land wie geplant absolvieren.

Und Georg Christoph Fernberger? Der hatte inzwischen die Vorbereitungen für eine Weiterreise nach Indien abgeschlossen und war in die Montur eines portugiesischen Soldaten geschlüpft, während Teufel nun von einem Turban geziert wurde. Man nahm voneinander Abschied, dann bestieg der eine voller Erwartungen das Schiff nach Goa, der andere ging an Bord eines Leichters, der ihn zum persischen Festland übersetzte.

5. Kapitel
Auf nach Indien

Als Fernberger und Teufel zwei Wochen zuvor von ihrer Terrade auf den Kai von Hormuz geklettert waren, hatten sie dabei die Grenze des *Estado da Índia* überschritten: Seit diese Bezeichnung im Jahr 1570 in Umlauf kam, verstand man darunter all jene Siedlungen und Territorien, die, unter der Kontrolle von Goa, das portugiesische Herrschaftsgebiet im Indischen Ozean ausmachten. Nun ging Fernberger daran, vom Vorposten dieses Reiches direkt zur glänzenden Metropole vorzustoßen.

Als am 31. Juli 1589 die Ankertaue zur Abreise gelöst wurden, glitt die Fuste (ein Galeerentyp mit Besegelung) mit gleichmäßigen Ruderschlägen aus dem Hafen. Besagte Fuste war ein schnelles Kriegsschiff, bestens geeignet, die Mission als Kurier zu erfüllen, die ihr auf dieser Reise zugedacht worden war: Der Kapitän hatte den Auftrag, in Goa über die letzten, beunruhigenden türkischen Flottenbewegungen im Golf von Aden zu berichten und die portugiesische Marine als Begleitschutz für die Warentransporte im Persischen Golf anzufordern. Dafür nahm die Fuste zunächst Kurs nach Osten, drehte an der Flanke der Insel nach Süden ab und steuerte schließlich auf das Kap der Arabischen Halbinsel zu, das die Meerenge am Ausgang des Persischen Golfes markierte.

Seines bisherigen Reisegefährten verlustig gegangen, trat Fernberger die Fahrt dennoch nicht völlig auf sich allein gestellt an: In der ersten Gesellschaft von Hormuz hatte er offenbar Beziehungen geknüpft, die ihm nun zugute kommen sollten. So dürfte Fernberger schon vor der Abreise die Bekanntschaft von Dom Francisco Mascarenhas gemacht haben, jenes portugiesischen Barons, in dessen Geleit er sich schließlich an Bord der Fuste begeben hatte. Dom Francisco aber trat die Fahrt nicht zum Vergnügen an – er kommandierte sie. Wer ein gewisses Naheverhältnis zum Kapitän pflegte, war vermutlich für den Rest der Überfahrt aller Sorgen enthoben und genoß bevorzugte Behandlung sowie gepflegte Gesellschaft. Tatsächlich verfügte Fernberger über detaillierte Informationen zur Lage der portugiesischen Flotte im Arabischen Meer, die aller Wahrscheinlichkeit nach aus eben dieser Quelle stammten.

Als das Schiff die Straße von Hormuz passiert hatte und in den Golf von Oman hinaussteuerte, wurde Segel gesetzt. Dicht unter Land folgte man dem Küstenverlauf der Arabischen Halbinsel nach Südosten und erreichte siebzehn Tage nach der Abfahrt in Hormuz Maskat. Ein kleines Kastell bewachte diesen wichtigen portugiesischen Umschlaghafen: wichtig vor allem deshalb, weil hier üblicherweise sowohl portugiesische als auch arabische Schiffe auf dem Weg nach Indien den Beginn der Monsunperiode abwarteten. Georg Christoph Fernbergers Schiff hingegen beeilte sich, den Hafen zügig zu verlassen. Eile tat Not. Denn im Spätsommer wurde der Südwestmonsun, so stet er Anfang Mai auch eingesetzt hatte, bereits tückisch durch häufige Stürme und sintflutartige Regenfälle. Je später der Zeitpunkt der Überfahrt, desto gefährlicher war sie. Auch die wenigen Landaufenthalte, die die Weiterfahrt entlang der Küste unterbrachen, blieben deshalb flüchtig und kurz. Am 30. August 1589 erreichte das Schiff dann den östlichsten Punkt der Arabischen Halbinsel.

Einhundert *léguas* lagen nun hinter ihm, 260 dieser portugiesischen Meilen dagegen hatte Fernberger noch vor sich. So genau war informiert, wer Zugang zu den nautischen Unterlagen der Portugiesen besaß. Auch den fremden Maßstab hatte sich Fernberger inzwischen zueigen gemacht: Die *légua*, die fortan zumeist als latinisierte *leuca* in seinem Reisetagebuch aufscheint, war bloß *„ein wenig kürzer als unsere* [Meile]" – und deshalb offenbar eine Größe, die sich schnell gefühlsmäßig erfassen ließ. Tatsächlich wurde die *légua* zu jener Einheit, der sich Fernberger in Hinkunft bevorzugt bedienen sollte. Unabhängig vom Aufenthaltsort übrigens, denn selbst als er den *Estado da Índia* längst verlassen hatte, griff er weiterhin auf die gut sechs Kilometer lange portugiesische Meile zurück. Ausnahmslos etwa auf seinem letzten Reiseabschnitt: Ganz Osteuropa und das Baltikum hielt sich Fernberger, nun allein unterwegs, mithilfe von in *léguas* ausgewiesenen Distanzen vor Augen – oder errechnete sie sich selbst. Das Handwerkszeug dazu könnte er sich in den nun folgenden Jahren angeeignet haben, das Astrolabium als Instrument dafür irgendwo erstanden. Immerhin zeigen die Reiseberichte deutlich, daß sich so mancher zuvor unbedarfte Zeitgenosse nun unbefangen der Astronavigation widmete und eifrig daran ging, seinen Weg selbst zu vermessen.

Nur der offene Ozean trennte Georg Christoph Fernberger noch vom Ziel seiner Wünsche. Ein einziger Schritt das Gefühl, ohnehin *„schon einen Fuß in Indien"* zu haben, von der Gewißheit, dort tatsächlich mit beiden Beinen zu stehen. Indien war für das europäische Bewußtsein bereits seit dem Altertum mit exotischen Vorstellungen verknüpft: alle nur denkbaren Wunder, die Schätze des Orients, das irdische Paradies, schreckliche Fabelwesen. Und selbst vereinzelte, wiewohl bruchstückhafte Informationen aus Augenzeugenberichten dienten letztlich doch nur der Bekräftigung dieses exotischen Bildes, das auf den Sockeln des Fabelhaften und Wunderbaren ruhte. Nachdem die Portugiesen im Jahr 1499 die letzte Hürde auf der Suche nach dem Seeweg nach Indien genommen hatten, wurde Europa schließlich regelrecht überschwemmt von der Flut neuer Informationen. In der Folge verschob sich durch pragmatische Handelsinteressen und Kolonialaktivitäten auch die Zielrichtung im europäisch-indischen Austausch: Indien war nun weniger für Fabeln und Wunder als für Gewürze und Edelsteine zuständig und büßte einiges von seinem ursprünglichen Zauber ein.

Innerhalb von neun Tagen überwand Georg Christoph Fernberger die Distanz, die seine Sehnsucht noch von der Befriedigung trennte. Der vergleichsweise kurze Schlag über hohe See hinterließ allerdings Spuren: *„Diese Fahrt war ebenso gefährlich wie über die Maßen beschwerlich, da wir nicht nur türkische Galeassen aus dem Arabischen Golf und Anschläge der Piraten ... aus Calicut, sondern vor allem auch das Wüten des schäumenden Ozeans selbst fürchten mußten. Wir hatten uns diesem Meer ja zu einer Zeit anvertraut, da ... wegen der häufigen Seestürme kein Schiff mit einer sicheren Überfahrt rechnen darf."* Zweifelsohne eröffnete die Überquerung eines Weltmeeres neue Perspektiven. Georg Christoph Fernberger gewann nach den tiefen Einblikken in die Seefahrt auf diese Weise auch Kenntnis vom Artenreichtum der Ozeane: Es gab tatsächlich fliegende Fische, er hatte sie selbst gesehen.

Doch nicht nur sie überwanden die hohen Bordwände der Fuste: Wesentlich mehr zu schaffen machte der Besatzung das überkommende Wasser der stürmischen See. Vom Oberdeck, das bei diesem Schiffstyp nicht den gesamten Rumpf überspannte, ergossen sich die Brecher regelmäßig weiter nach unten – bis zu den Bilgepumpen. Seine Kleider zu trocknen, erübrigte sich vermutlich, der anhaltende Regen mußte jeden derartigen Versuch wohl zunichte machen. Nach insgesamt vierzig Tagen auf See war für Georg Christoph Fernberger schließlich der verheißungsvolle Augenblick gekommen: Vollkommen durchnäßt, doch mit ungebrochenem Willen setzte er seinen Fuß auf den Boden Indiens, nachdem die Fuste am 8. September 1589 zuguterletzt in den Zielhafen eingelaufen war.

Fernberger war im *Goa dourada*, dem „Goldenen Goa", an Land gegangen: Sitz der portugiesischen Verwaltung in Indien und Haupthafen für den Verkehr mit Europa. Zwanzig Jahre nach der Eroberung von 1510 war auch die portugiesische Verwaltung und damit der Vizekönig von Cochin nach Goa übersiedelt. In der Folge entwickelte sich die Stadt zu einer der reichsten und bedeutendsten im ganzen *Estado da Índia*.

Goa selbst lag – wie die meisten portugiesischen Stützpunkte in Asien – auf einer Insel, etwas landeinwärts im Mündungsgebiet zweier Flüsse, gut geschützt und leicht zu verteidigen. Ein kleines Stadtparadies, das sich die Europäer inmitten von üppiger Vegetation an einer Bucht am Nordrand des kaum zehn Quadratkilometer großen Terrains geschaffen hatten.

Der Blick des Neuankömmlings ruhte zufrieden auf Palmenhainen und Gartenanlagen, erquickenden Bächen und einer Überfülle köstlicher Früchte. Ein lieblicher Ort, erholsam und idyllisch – nach einer langen Seereise und der salzweißen Steinwüste von Hormuz. *„Auf dieser Insel Goa und in den meisten Gebieten Indiens gibt es das ganze Jahr hindurch ... eine große Nuß namens Kokos ...*“, hatte Fernberger alsbald registriert und sich sogleich jenen Terminus zueigen gemacht, den die Portugiesen in Form von „Kokosnuß“ und „Kokospalme“ seit den 20er Jahren des 16. Jahrhunderts zunächst unter Seefahrern populär gemacht hatten. Für alle anderen stellte Fernbrger klar: *„Hierbei handelt es sich um jene indische Nuß, die von den Unsrigen aus Konstantinopel ins Land der Christen gebracht wird und von der die meisten glauben, sie erzeuge Muskat ...*“

Noch mehr als die Kokosnüsse faszinierte für gewöhnlich der dazugehörige „Baum“. Unübertroffen hinsichtlich seines Nutzwertes: vollständig – im wahrsten Sinn des Wortes bis zur letzten Faser – verwertbar und dabei Ausgangsmaterial für eine weit gefächerte Produktpalette, die ihresgleichen suchte. Ganze Schiffe ließen sich aus der Kokospalme herstellen: Der Stamm lieferte das Holz, Blattsegmente wurden zu Segeln geflochten, aus der Bastschicht der Kokosnüsse drehte man Stricke für die Takelage und Werg zum Kalfatern. Die übriggebliebenen Wurzeln der Palme verarbeitete man zu Kohle. Und erst die Früchte selbst: Kokosmilch, Kokosfett, getrocknetes Kokosfleisch – und aus ihren Schalen fertigte man handliche Trinkgefäße. Selbst der Blutungssaft der Blütenstände wurde aufgefangen und zu einem Sirup eingedickt: Dieser ergab entweder ein durstlöschendes Getränk oder nach einem weiteren Arbeitsgang braunen Palmzucker. Den fermentierten Saft vergor man dagegen zu Palmwein und Essig oder destillierte daraus Feni, einen hochprozentigen Schnaps. Mit Kokosnußöl konnte man außerdem Lampen betreiben, aus Blättern und Bast auch Körbe und Matten herstellen. Am rosa getönten, mit feinem Streif gemusterten Kokosnußholz fand man in Europa im 16. Jahrhundert ebenfalls Gefallen: Unter dem Namen „Stachelschweinholz“ auf den Markt gekommen, wurde es vorzugsweise für wertvolle Möbel verwendet. Kokosnüsse selbst verarbeitete man in Europa zu Schmuckgegenständen für die Haushalte des Adels. An der umfassenden Nutzung der Kokospalmen hat sich übrigens bis ins 20. Jahrhundert nichts geändert, es ist im Gegenteil nur noch ein zusätzlicher Aspekt hinzugekommen: Die getrockneten Wurzeln liefern heute – geröstet und zerstoßen – ein Ausgangsprodukt für die tägliche Zahnpasta. Georg Christoph Fernberger schloß nach eingehender Untersuchung ebenfalls mit einem erstaunlichen Befund: *„Insgesamt geht überhaupt nichts von diesem Baum verloren.*“

Doch nicht nur die Natur der Insel, auch die Stadt faszinierte: Goa war die Drehscheibe des West-Ost-Handels. Hier stapelten sich neben europäischen Exportgütern vor allem die dort viel begehrteren Produkte des Ostens: verschiedenste Gewürze, Porzellan, Seide, Baumwollstoffe, Edelsteine, Korallen, Perlen, Gold und allerlei orientalische Heilmittel. Nur um in dickbauchigen portugiesischen Galeonen verstaut nach Lissabon verfrachtet zu werden, wo Europa jedes Jahr ungeduldig den Nachschub aus Indien erwartete.

Drei Tage nach seiner Ankunft in Goa fand sich Georg Christoph Fernberger wieder am Hafen ein. Ein *„günstiges Geschick"* hatte seiner Reiselust neue Weichen gestellt: Obwohl es nach Plan eigentlich schon längst nach Bengalen unterwegs sein müßte, hatte sich die Abfahrt eines Schiffes bis über die erste Septemberwoche hinaus verzögert. Wer hätte sich diese Gelegenheit entgehen lassen? Georg Christoph Fernberger mit Sicherheit nicht. Ohne noch von seinem Empfehlungsschreiben, das der Kommandant von Hormuz für ihn ausgestellt hatte, überhaupt Gebrauch gemacht zu haben, verließ Fernberger das Goldene Goa unter Vermittlung eines hier ansäßigen deutschen Handelsagenten. Über die Dauer der Fahrt machte er sich, gegen seine sonstige Gewohnheit, diesmal keine Gedanken: Offenbar waren die Verlockungen des Gangesschwemmlandes allemal eine Reise wert.

Sein Schiff fuhr südwärts, immer dicht an der Küste entlang. Nach einer Woche erreichte Fernberger Coulão (Quilon). Im Jahr 1519 hatten sich die Portugiesen des Hafens bemächtigt und hier das Fort São Tomé gebaut. Die nahe gelegene Stadt lag am Südrand des Pfefferanbaugebietes an der Malabarküste und verkaufte daher neben Alaun, Borax, Quecksilber und Zinnober vorwiegend Pfeffer aus dem Umland. Nur kurz dürfte die Galeere, die Fernberger noch weiter in die verlockende Ferne des Ostens bringen sollte, in Coulão vor Anker gelegen haben. Vermutlich nahm man hier bloß Wasser und Vorräte auf, dann löste sich das Schiff wieder von den kleinen, schmalen Einbäumen, die den Transport durch die Brandung bewerkstelligt hatten, und gewann abermals die offene See.

Wenige Tage später erreichte Fernberger eine charakteristische Landmarke: Kap Comorin, die Südspitze Indiens. Dahinter wich die Küstenlinie wieder deutlich zurück. Fernbergers Schiff folgte ihrem Verlauf: *„... bis hierher segelten wir Richtung Süden ...; ab hier muß man, wenn man nach Bengalen segeln will, den Bug der Schiffe nach Norden wenden ..."* Die Sonne nun tagsüber im Rücken, konnte man das genaue Ausmaß des Wendewinkels am Schiffskompaß ablesen: Der gefahrene Kurs ließ sich ganz einfach an einer Markierung am Gehäuse, dem „Steuerstrich", bestimmen, innen war über einem Magnetstein ein drehbares Blatt Papier mit einer Windrose angebracht. Frei zugänglich war der Schiffskompaß freilich nicht: Die ganze Konstruktion war in einem speziellen Holzverschlag, der *bitácula*, untergebracht, nachts durch eine Öllampe beleuchtet.

Im Golf von Mannar, den Fernberger nun erreicht hatte, machten nicht nur die begrenzten nautischen Hilfsmittel, die im 16. Jahrhundert zur Verfügung standen, sondern auch die äußerst schwierigen Verhältnisse des Gewässers den Seeleuten ihre Aufgabe schwer. Zwischen dem indischen Subkontinent und der Insel Ceylon gab es zum einen Untiefen, zum anderen versperrte eine rund 86 Kilometer lange Kette von Inseln und Korallenriffen – die sogenannte Adamsbrücke – den Weg nach Norden. Den schmalen Kanal konnten nur kleinere, unbeladene Schiffe passieren, große Frachter waren gezwungen, Ceylon im Osten zu umfahren. Auf Fernbergers Galeere warf die bevorstehende Passage deshalb vermutlich bereits ihre Schatten voraus: Alle Waren an Bord wanderten über die Reling in die flachen Boote der Einwohner, um dann nach erfolgter Durchfahrt wieder an Deck gehievt zu werden.

Mit der Querung der Adamsbrücke hatte Georg Christoph Fernberger den Golf von Mannar verlassen. Vor ihm lag schon eine Bucht des Golfs von Bengalen (die heutige Palk Bay), hinter ihm die „Perlensee“: Damit hatte Fernberger (nach dem Roten Meer und dem Persischen Golf) auch das letzte der drei ertragreichsten Perlenzuchtgebiete der Alten Welt gesehen. Eine Serie verpaßter Gelegenheiten, denn das Spektakel des Perlentauchens mitzuerleben war ihm weder dort noch da vergönnt gewesen. Und obwohl seine Wege durch den *Estado da Índia* später noch mehrmals die „Perlensee“ kreuzen sollten, kam er nie rechtzeitig zur Perlensaison hier durch. Erst auf seiner Heimreise, die ihn im Jahr 1591 wieder nach Hormuz im Persischen Golf führen sollte, hatte er endlich Glück. Im Hafen von Hormuz wurden gerade zwei Schiffe klariert, die im Auftrag des Stadtkapitäns von Hormuz nach Bahrein auslaufen sollten. In offizieller Mission vermutlich, denn regelmäßig einmal im Jahr fand eine derartige Fahrt statt, um das Perlenfischen im Namen des portugiesischen Königs zu überwachen. Eine einmalige Chance und vermutlich die letzte Gelegenheit (auf dieser Reise, womöglich sogar für den Rest des Lebens), beim Perlentauchen zuzusehen. Begierig griff Georg Christoph Fernberger zu und schiffte sich ein. Zwei Tage später war er am Ort des Geschehens. *„Mit großem Vergnügen“* beobachtete er nun erstmals selbst, was ihm bisher nur durch Informationen aus zweiter Hand bekannt gewesen war: Nase und Ohren mit Fett abgedichtet, einen Sack um den Hals glitten die behenden Taucher entlang eines Seils zum Meeresgrund hinab, sammelten die Austern ein und kehrten – nach erstaunlich langer Zeit unter Wasser – mit der wertvollen Fracht zu ihrem Boot zurück.

Nachdem die schimmernde Pracht aus den aufgebrochenen Austern nach Gewicht und Qualität sortiert war, wurde mit Hilfe eines Kupfersiebes die Größe jeder einzelnen Perle bestimmt. Solcherart in vier Güteklassen geschieden (der größte und perfekt runde Typ war etwa unter der Bezeichnung *Laia de Portugal*, also „portugiesische Sorte“ im Handel), standen die wertvollsten aller „Edelsteine“ endlich zum Verkauf. Schon im Vorfeld hatte das Spektakel eine Unzahl von Händlern angezogen, sodaß innerhalb kurzer Zeit das Geschäft eines Jahres über die Bühne ging. In Europa warteten die Abnehmer bereits. Schon im Römischen Reich waren Perlen weit verbreitet gewesen, insbesondere nachdem ihr Umschlaghafen Alexandria Teil des *Imperium Romanum* geworden war. Das Mittelalter verstand sie als Sinnbild der Liebe Gottes, und dementsprechend wurden vor allem Kruzifixe, sakrale Gewänder, Pokale und ähnliches mit den irdischen Kostbarkeiten verziert. Im 16. Jahrhundert aber wurden sie zunehmend auch für persönliche Schmuckstücke verwendet. Doch die Faszination der Perlen endete nicht mit bei ihrer Schönheit: Warum manche Muscheln in ihrem Inneren solch formvollendete Glanzstücke produzierten, war noch immer strittig. Man hielt Perlen für einen Teil des natürlichen Organismus: Das Herz etwa oder die Knochen; möglicherweise waren sie auch bloß Exkremente oder auf eine Krankheit zurückzuführen. Die Annahme, daß es sich bei der Ausbildung der Perlen um einen Geburtsvorgang oder um „Eier“ handeln könnte, schlug sich in der Bezeichnung „Perlmutter“ nieder. Eindeutig festgelegt hatte sich hingegen die Antike: Plinius ging vollkommen korrekt von einem Fremdkörper aus, der in die Muschel eingedrungen war – anstelle eines Sandkorns nahm er jedoch Tautropfen als Verursacher an. Das war auch im Mittelalter die vorherrschende Auffassung gewesen. Ebenso lange hatte sich die Ansicht gehalten, gleich Korallen wären Perlen im Wasser weich und erst an der Luft würden sie sich zu den bekannt formvollendeten Festkörpern verhärten.

Die „Perlensee“ und die Untiefen des Kanals von Ceylon unterdessen längst im Rücken, erreichte Georg Christoph Fernberger nun eine Insel der Palk Bay. Der Landgang diente offensichtlich dazu, Vorräte für die Weiterfahrt einzukaufen, denn auf Nerendiva (Delft), klein, lieblich und reich an Vieh, war Lebendproviant überaus billig zu haben. Im portugiesischen *Estado*, der hier ein eigenes Kastell unterhielt, nannte man die Insel deshalb gewöhnlich nur *Ilha das Vacas* (Insel der Kühe). Nun trennte die Galeere, auf der Fernberger seine Reise nach Bengalen absolvierte, nur mehr ein vergleichsweise kurzer Schlag vom nächsten anvisierten Ziel. So lief sein Schiff in der Nacht des 25. September 1589 bereits in den Hafen Negapatam (Nagapattinam) ein. Erstmals befand sich Georg Christoph Fernberger nun in einem in Europa weitaus weniger bekannten Teil Indiens: an der Koromandelküste.

Schon mehr als zwei Wochen war Fernberger inzwischen in Indien, doch von Indien selbst war bislang wenig zu sehen gewesen. In Negapatam jedoch, wo die Portugiesen kein eigenes Fort unterhielten, bot sich die Möglichkeit, auch einen Blick auf das Leben und die Menschen außerhalb der Mauern portugiesischer Festungsanlagen oder Städte zu werfen. Gleich den meisten Küstenstädten des Subkontinents war Negapatam ein Schmelztiegel verschiedenster Rassen, Völker und Religionen. Besonders augenfällig war die massive Präsenz der *moros*: Portugiesisch *mouro* („Maure“) meinte im *Estado da Índia* ganz allgemein Muslim. Zwar unterschied die offizielle Sprachregelung noch einheimische von auswärtigen „Mauren“, doch scheint in der Praxis von den entsprechenden Termini *mouros da terra* bzw. *mouros da Arabia* wenig Gebrauch gemacht worden zu sein. Um sich die Handhabe der komplexen Strukturen zu erleichtern, hatten nicht nur die Europäer überschaubare Kategorien entworfen – die Gegenseite urteilte ebenfalls pauschal: Die neuen Herren aus der Alten Welt nannte man hier „Frangi“, ein Ausdruck, der offensichtlich aus der Zeit der Kreuzzüge herrührte. Unter „Franken“ subsumierte man nun nicht nur die portugiesischen Machthaber, sondern auch alle italienischen Händler genauso wie die vereinzelten Gäste aus anderen europäischen Ländern. Auch ein zweiter Terminus aus dem europäischen Mittelalter war – wohl ebenfalls durch arabische Vermittlung – hier lebendig geblieben: Wer aus dem Osmanischen Reich kam, galt als „Rumi“, kam also aus „Rum“, dem ehemaligen Oströmischen Reich.

Auch ein ungewohntes Zeichen der Gastfreundschaft begleitete den Aufenthalt: Allenthalben wurde Betel offeriert, gemeinsam gekaut und verschenkt. Zur Prozedur gehörte, die Früchte der Betelnußpalme zu zerkleinern und in ein mit gelöschtem Kalk bestrichenes Betelpfefferblatt einzuwickeln. *„Beim Kauen dieser Mischung werden die Zähne schwarz und der Speichel blutrot, und es soll für den Magen gut sein“*, notierte Georg Christoph Fernberger, über die Sinnhaftigkeit der Übung im Zweifel. Allerdings verfärben nicht nur die roten Gerbstoffe des Samens Zähne und Speichel – die durch den beigemengten Kalk freigesetzten Alkaloide zeichnen überdies für eine stimulierende Wirkung verantwortlich. *„Ich glaube, daß sie es eher zum Anstacheln der Wollust verwenden, da das Kraut sehr feurig ist“*, setzte er daher nach, sich auf höchsteigene Erfahrungen berufend?

Peinlich berührt mochte sich Georg Christoph Fernberger abgewandt haben, sowohl von der Gepflogenheit an sich als auch von jenen, die sie praktizierten. Daß das Betelkauen schließlich damit ein Ende nahm, daß verfärbter Saft und Speichel in einem eigens dafür angefertigten Spucknapf landeten, dürfte hingegen Gnade vor seinen Augen gefunden haben. Zu spucken war einem Menschen des 16. Jahrhunderts mehr als vertraut, offensichtlich nicht nur als Brauch sondern auch als natürliches Bedürfnis. Im Lauf einer Entwicklung, die sich weder auf rationale Einsichten noch auf Hygiene berief, sondern ihren Antrieb allein im Unbehagen fand, einen peinlichen Moment auszulösen und einen peinlichen Anblick zu bieten, wurden Körperfunktionen jedoch immer restriktiver gehandhabt: Ende des 18. Jahrhunderts war es bereits peinlich geworden, über das Spucken auch nur zu sprechen, Mitte des 19. Jahrhunderts betrachtete man es schon als widerwärtige Gewohnheit, und heute scheint selbst das Bedürfnis zu spucken aus der abendländischen Gesellschaft weitgehend verschwunden zu sein.

Im September des Jahres 1589 aber wußte sich ein Europäer darüber völlig im Einverständnis mit seiner Umwelt – egal ob unter Seinesgleichen oder im fernen Negapatam. Dennoch hatte nicht nur das Leben hier ungewohnte Facetten zu bieten, auch das Sterben unterlag eigenen Gesetzen. Auf den ersten Blick schien etwa ein Hochzeitszug dem Stadttor zuzustreben; daß es sich dabei um eine Trauergesellschaft handelte, machte erst der weitere Verlauf der Ereignisse deutlich. Offenbar war Georg Christoph Fernberger auf seinem Streifzug durch Negapatam plötzlich auf Musik und Gesang in den Straßen aufmerksam geworden. Den Klängen folgend,

stieß er auf eine folkloristische Schar: im Mittelpunkt eine Frau mit offenem Haar, kostbar gekleidet und geschmückt. Neugierig ging Fernberger hinterher. Selbst wenn ein kundiger Begleiter ihn bereits darüber eingeweiht hätte, was sich kurz darauf am eigentlichen Ort des Geschehens tatsächlich abspielte, sollte es auf jeden Fall eine dramatische Erfahrung werden: *„Es hat dieses Volk den bestialischen Brauch, die Gemahlin nach dem Tod ihres Gatten lebend mit ihm zu verbrennen. ... Diese Sitte sei, wie sie sagen, seit alters her aus dem Grund eingeführt, weil die Frauen dieses Landes gegen ihre Ehemänner so grausam und ruchlos waren, daß sie diese aus jedem geringen Anlaß mit Gift ermordeten. Nach der Aufdeckung dieser Verbrechen wurde dieses Gesetz erlassen, daß nämlich auf den Tod des Ehemannes notwendig der Tod seiner Frau folge, wodurch bewirkt wurde, daß nun das Leben und das Wohlergehen des Gemahls den Frauen wie das eigene, ja sogar mehr als dieses, am Herzen liegt.“* Fernbergers neuerworbene Weisheit konnte nur eine europäische Quelle gespeist haben, jeder Hindu hätte ihm den Sachverhalt ganz anders dargelegt. Die Witwenverbrennung war ein vor allem unter Rajputen und Brahmanen geübtes Ritual, das nach der Ehefrau der Hindu-Gottheit Shiva *Sati* genannt wurde. Der Brauch war bereits im antiken Griechenland bekannt gewesen, und auch das Mittelalter sah sich durch Reiseberichte erneut damit konfrontiert. Noch wurde die Sitte als solche nicht verurteilt und – näher an der hinduistischen Bedeutung – im Sinn einer Heiligsprechung der sich selbst opfernden Frau interpretiert. Auch die Portugiesen, die zu Beginn des 16. Jahrhunderts Augenzeugen der Praxis geworden waren, verstanden das Sati-Ritual noch in diesem Sinn. Dennoch versuchten sie sehr bald, die Witwenverbrennung als barbarischen Brauch zu unterbinden – zumindest im eigenen Einflußbereich wurden klare Verbote ausgesprochen.
Von der Freiwilligkeit der Übung war im Bericht von Georg Christoph Fernberger Ende der 16. Jahrhunderts keine Rede mehr. Ebenso hatte sich auch die Interpretation des Rituals an sich offensichtlich drastisch gewandelt. Etwa bis zur Mitte des 17. Jahrhunderts taucht das Argument, der Prozedur liege eigentlich ein Eigenverschulden der Frauen zugrunde, wiederholt in verschiedenen Reisebeschreibungen auf – ebenso lakonisch abgehandelt wie die Witwenverbrennung selbst. Den Schlüssel zum Verständnis dieser Interpretationskurve liefert vielleicht das Pendant der europäischen Hexenverbrennung. In Westeuropa war der Hexenwahn bereits im 15. Jahrhundert aufgeflammt, um die Mitte des 16. Jahrhunderts griff er langsam auf Mitteleuropa über. Den Europäern, die in Indien mit dem Sati-Ritual konfrontiert wurden, waren Hexenverbrennungen also vertraut. Wenn aber zuhause Personen verbrannt wurden, die man als bösartig und gefährlich eingestuft hatte, lag es nahe, die Situation hier genauso zu interpretieren. Zumal Fremdes generell nur in Kategorien des Vertrauten Wirklichkeit werden kann: Zu verstehen, zu „entfremden“ bedeutet, unverständliche Bereiche des Fremden auf Vertrautes zurückzuführen, mochte auch bei diesem Prozeß einiges vom Gehalt des Fremden verloren gehen. Die Deutung, das Sati-Ritual sei zu

einer Zeit eingeführt worden, als immer mehr heimtückische Frauen ihre Ehemänner vergiftet hätten, damit die Männer wieder ein sorgenfreies Leben führen könnten (da sich ihre Frauen nun mehr um das Wohlergehen ihrer Männer als um ihr eigenes kümmern würden), bringt zwei unterschiedliche Aspekte auf einen Nenner: einerseits das Bild eines solchen idealtypischen Ehelebens und andererseits die Idee der Hexe, jener von zuhause vertrauten Erscheinung übelgesinnter Frauen, die mit dem Teufel im Bunde standen, magische Praktiken beherrschten und aus harmlosen Kräutern übelste Zaubertränke mischen konnten. Das Schlüsselwort „Gift" schlägt die Brücke ganz explizit – bedeutete doch die lateinische Bezeichnung für Hexe, *venefica*, zunächst einmal „Giftmischerin".

Wie das Sati-Ritual nun konkret vollzogen wurde, berichteten europäische Augenzeugen sehr anschaulich, penibel detailreich und selbst als direkte Beobachter ohne Spur von erkennbarem Mitgefühl: Am Rand des vorbereiteten Scheiterhaufens, in dem der Leichnam des verstorbenen Ehemannes aufgebahrt war, vollzog die Witwe zunächst eine rituelle Waschung, entledigte sich ihres Schmuckes und ihrer Kleider, und wurde – von den Blicken der Umstehenden durch ein Tuch abgeschirmt – mit Öl übergossen. Währenddessen war das Feuer entzündet worden; die Frau begab sich auf den ihr zugewiesenen Platz. Nun versuchten die Angehörigen, sie durch gezielte Würfe mit Scheiten zu töten, noch bevor das Feuer sie erfassen konnte. Georg Christoph Fernberger erschien die Inszenierung des Dramas nahezu grotesk: Wenn sich im entscheidenden Moment der muntere Gesang plötzlich in *„Weinen und Wehklagen und ... jämmerliches Rufen und Heulen"* verwandelte, mochte man eher glauben *„eine berühmte Tragödie sei aufgeführt worden"*.

So hatte sich Georg Christoph Fernberger also Hals über Kopf in eine fremde Welt gestürzt. Mit einer Flut von neuen Eindrücken verließ er sie zwei Tage später wieder. Sein Schiff hatte am 27. September 1589 den Anker gelichtet und sich auf die weite Fahrt über den Golf von Bengalen gemacht. So zumindest sah es das Programm vor. Doch gleich am übernächsten Tag braute sich über dem Indischen Ozean ein gewaltiger Sturm zusammen. Unvermutet zeigte das Meer sein häßlichstes Gesicht. Fernberger, der die Fahrt voll Vorfreude angetreten hatte, fand sich plötzlich inmitten eines tobenden Infernos wieder. Und dies bereits zum zweiten Mal nach jenem fürchterlichen Sturm, der sich am Tag des Heiligen Nikolaus über der Levante erhoben hatte. Dennoch: Fernberger sah offensichtlich keinen Grund, sich zu schwören, nie wieder den Fuß auf ein Schiffsdeck zu setzen, sondern räumte nur ein, *„daß nicht viel gefehlt hätte, und ich hätte diese Reise gewaltig bereut"*.

Im Moment allerdings ging die Reise noch ins Ungewisse: Tagelang wartete man vergebens auf ein Anzeichen, daß der Sturm abflaute. Weder tagsüber noch nachts klarte der Himmel jemals auf. Das Schiff tanzte auf den Wellen, vorwärtsgetrieben von einer gepeitschten See und den wirbelnden Windböen. Den Kurs zu halten, war ein Ding der Unmöglichkeit – die Position zu bestimmen ebenso aussichtslos. Dann (höchst-

wahrscheinlich in der Nacht vom 6. auf den 7. Oktober 1589) erschallte plötzlich das Kommando des Kapitäns, die Tiefe zu messen: Instinkt oder doch *„eine Fügung Gottes"*? Als das Lot bei nur fünfzehn Ellen (etwa acht Meter) den Meeresgrund berührte, folgte dem ersten Befehl sofort ein zweiter: Anker zu werfen. Als schließlich der Morgen graute, enthüllte das fahle Tageslicht das ganze Ausmaß der Gefahr, in der man sich befunden hatte: Nur etwa 100 Schritt entfernt lag Land. Es bedurfte keiner allzugroßen Phantasie, sich auszumalen, was passiert wäre, wenn der Kapitän seiner inneren Stimme kein Gehör geschenkt hätte. Doch es konnte immer noch schlimmer kommen: Den Küstenstreifen, der aus den Nebeln auftauchte, identifizierte man als eine der Andamanen-Inseln – und das verhieß nichts Gutes: Die Bewohner galten als Menschenfresser.
Von der Existenz kannibalischer Stämme im Indischen Ozean war Georg Christoph Fernberger überzeugt, ebenso die restliche Schiffsbesatzung. Menschenfresserei war im Umgang mit anderen Völkern schon immer ein aktuelles Thema gewesen, als Topos fest im Bewußtsein verankert und langlebig wie alle Klischees. Zum Wesensmerkmal des Kannibalismus gesellten sich dem Verständnis nach auch weitere ungünstige Eigenheiten: Traditionell attestierte man Menschenfressern Grausamkeit und Wildheit, außerdem war der Schritt zur Sodomie nicht weit; und all das war notwendigerweise die verderbliche Folge der Abgötterei, die diese Menschen praktizierten.
Mit der Entdeckung der Neuen Welt durch Christoph Kolumbus hob die Berichterstattung über solch barbarische Riten erneut an – und riß in der Folge auch nicht mehr ab. Der neuen Tradition verdankte sich auch bald ein neuer Begriff: der „Kannibale". Als unfreiwilliger Namensgeber fungierte ein Volk, das auf den Inseln der Karibik und am Golf von Paria, westlich der Orinokomündung im heutigen Venezuela, hauste. Aus diesem Stamm der Kariben machte ein Hörfehler der ersten Spanier „canibas" – und die anerkannt wilden und blutrünstigen Gepflogenheiten dieser Indios führten nun dazu, daß die Menschenfresserei als Phänomen schlechthin nach ihnen benannt wurde. Langsam wurde dieser neue Begriff des „Kannibalismus" auch weiteren Kreisen geläufig, bis er die bis dahin gängigen Ausdrücke ein- und dann überholte. Schon im Verlauf des 16. Jahrhunderts verwandelten sich *Anthropophagi* immer öfter in *Canibali*.
Georg Christoph Fernberger blieb das Schicksal, den Kannibalen der Andamanen zum Opfer zu fallen, erspart. Man spürte die schützende Hand Gottes, als das Schiff endlich Fahrt aufnahm und von der gefährlichen Küste freikam. Immerhin hatte der Kapitän ebenfalls schnell reagiert und – den göttlichen Willen eilfertig unterstützend – sofort Anker lichten lassen. Doch die eben geretteten Menschen waren sogleich mit dem nächsten gefährlichen Abenteuer konfrontiert: Während Fernberger und seine Gefährten noch hofften, nun *„in Kürze Bengalen zu sehen"*, legte der Sturm, der bereits den neunten Tag wütete, abermals an Kraft zu. Wieder zog ein furchtbares Unwetter auf. Als die dicken Regenschleier dann den Blick auf nahes Land freigaben, wurde die Nachricht an Bord mit Bestürzung

aufgenommen: Nun drohte auf der einen Seite das aufgewühlte Meer, auf der anderen eine unbekannte Küste. Schäumend brach sich die Gischt an den vorgelagerten Felsen und Klippen. Hier aufzulaufen würde den sicheren Tod bedeuten.

Diesmal war die Lage tatsächlich hoffnungslos. Auch auf Gottes Einsehen schien nun niemand mehr zu bauen. Hatte man die Gnade des Herrn einmal zu oft in Anspruch genommen? *„Aufgewühlt und zerrüttet"* haderte Fernberger mit dem Schicksal. Und er sparte nicht mit Vorwürfen: Eine Person an Bord trug die Verantwortung für diese mißliche Lage. Freilich dachte er dabei keineswegs an sich selbst und seine unbändige Neugierde, von der er sich hatte überwältigen lassen. Sein Groll richtete sich indes gegen den Steuermann des Schiffes, denn dieser besaß seiner Meinung nach nicht die nötige Qualifikation für diese Fahrt. Angeblich war er bisher nur an der Westküste Indiens gesegelt und des Golfs von Bengalen völlig unkundig – *„und ich weiß nicht, ob nicht der Kapitän mehr anzuklagen ist, der diesen Mann angeheuert hat, als der ruchlose Mensch selbst, der es gewagt hatte, eine so schwere Aufgabe, der er nicht gewachsen war, auf sich zu nehmen."*

Grobe Fahrlässigkeit ortete Fernberger, nicht nur in diesem Fall, sondern ganz allgemein auf portugiesischen Schiffen. Vielleicht war er auch nicht der einzige an Bord, der so dachte. Zumindest als Konsument portugiesischer Überseetransporte stand er mit seinen Beschwerden nicht alleine: Gegen Ende des 16. Jahrhunderts häuften sich die Klagen der Passagiere, ebenso wie sich die Unfälle häuften. Da im Gegensatz zu den frühen Entdeckungsfahrten das Kapitänskommando inzwischen meist ehrenhalber an Personen des Hochadels übertragen wurde und nicht mehr an nautische Fähigkeiten gekoppelt war, lag das Schicksal des Schiffes in Wahrheit in den Händen der Seeoffiziere. Abgesehen davon, daß der Berufsstand in Portugal aufgrund der hohen Verluste auf der Indienroute auszusterben drohte und es bald an fähigen Nautikern fehlte, war bei denen, die mit der Aufgabe betraut wurden, meist der Ehrgeiz größer als die Eignung.

Sollten Fernberger derartige Fälle von Selbstüberschätzung und Fehlleistungen zu Ohren gekommen sein? Im Grunde war dem Steuermann seines Schiffes bisher kein Vorwurf zu machen: Mochte auch die mangelnde Vertrautheit mit dem Revier ein gewichtiges Argument sein – die Ursache für den schweren Seesturm, die ungewisse Abtrift vom Kurs und den wolkenbedeckten Himmel, der keine Positionsbestimmung erlaubt hatte, war sie nicht.

Nach acht Tagen Dauerregen lichteten sich schließlich die Wolken, es klarte auf. Als die ersten Sonnenstrahlen durchbrachen, tauchten sie die Welt in ein ganz neues Licht: *„Mut und große Hoffnung"* sah sich Fernberger dadurch zurückgegeben. Ebenso den anderen. Der vielgeschmähte Steuermann wiederum nützte die Chance, um mit dem Astrolabium die Winkelhöhe der Sonne zu messen. Mit dem gewonnenen Wert errechnete er die neue Position des Schiffes. Man befände sich bei der Insel Cheduba (Man'aung), erfuhr man daraufhin, an die 70 Léguas vom ursprünglichen Kurs abgekommen.

Zur Positionsbestimmung auf See wurden seit alters her bestimmte Sterne und Sternbilder des vertrauten Nachthimmels herangezogen. Seekarten benützten die Seeleute für ihre Navigationsberechnungen seit Ende des 13. Jahrhunderts in Form von sogenannten Portolanen: Sie zeigten allerdings bloß die Kontur einer Küstenlinie und die Richtungen der Windrose, hatten also kein Gradnetz, dafür aber schon einen Maßstab. Zur schnellen Orientierung waren zusätzlich Kompaßstriche eingetragen, die die Karte von einem Punkt aus überzogen und die Bezeichnung Kompaßkarte bzw. Rumbenkarte (von span.: *rumbo* = Kurs) prägten. Das in diesen Karten graphisch fixierte Wissen stammte aus den schriftlich überlieferten Aufzeichnungen der Seeleute, also Hafen- und Seehandbüchern (den *Portolani* der Italiener oder *Roteiros*, wie sie die Portugiesen nannten), in denen akribisch Distanzen, Hafeneinfahrten, Ankergründe, Windverhältnisse usw. verzeichnet waren. Im Gegensatz zu den gewöhnlich noch geosteten oder gesüdeten Landkarten waren die Rumbenkarten auch bereits alle nach Norden ausgerichtet. Mitte des 16. Jahrhunderts revolutionierte eine neue Technik die Kartographie – zumindest auf lange Sicht, denn als der flämische Geograph und Kartograph Gerhard Kremer die „Mercator"-Projektion einführte, hatte sie in der Praxis vorerst einen schweren Stand. Dafür ist Kremers Name (bzw. dessen latinisierte Version Mercator) bis heute untrennbar mit dem rechtwinkeligen Gradnetz verbunden, mit dem er erstmals seine Karten überzog.

Nachdem man sich also auf einer Rumbenkarte einen ersten Überblick verschaffen konnte, fehlten für eine genaue Positionsbestimmung immer noch die exakten Koordinaten: Um die geographische Breite eines Ortes festzustellen, mußte man nur die Sonnenhöhe beziehungsweise die Höhe des Polarsternes über dem Horizont ermitteln und dann anhand der Tageszeit in eine entsprechende Position umrechnen. Das nautische Werkzeug dafür war das Astrolabium. Allerdings war das Astrolabium eigentlich ein Instrument der Astronomen: kompliziert, empfindlich und kostspielig. Mit einem Wort: schlecht geeignet für den Gebrauch auf Schiffen. Trotz seiner Unzulänglichkeiten beim Einsatz auf See wurde das Astrolabium noch häufig benützt, obwohl man sich schon im Mittelalter nach Alternativen umgesehen hatte. Aber weder einfachere Instrumente zur Winkelmessung wie der Jakobsstab, der Hinterstab oder der erste Quadrantentyp wurden den Anforderungen wirklich gerecht, obwohl sie leichter zu handhaben waren. Eines hatten alle diese Instrumente allerdings gemeinsam: Sie konnten nur bei gutem Wetter beziehungsweise in sternenklaren Nächten eingesetzt werden, und um den Sonnenstand zu messen, mußte man – außer beim Hinterstab – minutenlang direkt ins gleißende Licht schauen: Gewöhnlich reichten daher einige Jahre auf See aus, um sein Augenlicht zu verlieren.

Das eigentliche Problem der Navigationsarbeit stellte allerdings die Bestimmung der geographischen Länge dar, denn diese beruht nicht wie die Bestimmung der Breite auf der Winkelhöhe von Gestirnen, sondern auf einer Zeitmessung: Dazu rechnete man den Zeitunterschied zwischen einem bekannten

Ort und der momentanen Position in einen Abstand zwischen diesen beiden Punkten (und abhängig vom jeweiligen Breitenkreis) in Seemeilen um. Im Zeitalter der Pendel- und Räderuhren war dies schlichtweg unmöglich – die einzigen tauglichen Chronometer an Bord waren Sanduhren. Auf den von Georg Christoph Fernberger frequentierten Schiffen erfolgte die Längengradbestimmung deshalb durch „Gissen". Das Seemannsvokabel aus dem Niederdeutschen bedeutet nichts anderes als „schätzen". Auch heute wird dieses Verfahren der Positionsbestimmung in der terrestrischen Navigation verwendet, allerdings unter der etwas vertrauenserweckenderen Bezeichnung „Koppeln". Damals (wie heute) geht man dabei wie folgt vor: Der Navigator notiert Geschwindigkeit, Fahrtrichtung sowie Dauer des jeweiligen Kurses und ermittelt daraus unter Berücksichtigung von Strömung und Wind die Position des Schiffes.

Tatsächlich hatte also der Steuermann auf Georg Christoph Fernbergers Schiff ganze Arbeit geleistet, als er als neue Position die Insel Cheduba ermittelte, und auch seine folgenden Berechnungen waren exakt: 70 Léguas war man vom Kurs abgekommen, stellte er fest, was der tatsächlichen Distanz Cheduba-Chittagong entspricht. Da man jetzt wieder wußte, wo man sich befand, nahm das Schiff seinen neuen Kurs nach Nord-Nord-West mit vollen Segeln auf. Georg Christoph Fernberger, der immer noch dem Steuermann die Schuld an der Irrfahrt gab und ihm sogar den Abstecher zu den Andamanen zur Last legte, vergaß völlig auf die exakte Positionsbestimmung, die doch wieder für die Qualität des Steuermannes und seiner nautischen Kenntnisse sprach und vermerkte verbissen, daß *„dieser Irrtum ... danach in achtzehn Tagen nur mit Mühe wiedergutgemacht werden"* konnte. Da Fernberger hier ab dem 6. Oktober – also der Sturmnacht vor den Andamanen – rechnete und man bereits den 11. Oktober schrieb, verstrichen aber tatsächlich nur 13 Tage bis zum ersehnten Hafen.

Allerdings verblaßte Georg Christoph Fernbergers Ärger über den „unfähigen" Steuermann bald. Andere, dringlichere Probleme waren aufgetaucht. Zunächst hatte ein starker Gegenwind das Vorankommen erschwert, dann machte man plötzlich gar keine Fahrt mehr: tagelang Flaute, nicht einmal ein Lüftchen wollte sich heben. Widrig vielleicht, aber nicht kritisch – für sich allein genommen sicher, doch inzwischen war man schon viel länger unterwegs als geplant, und Lebensmittel und Wasservorräte gingen zur Neige. Zwar segelte man in Küstennähe, aber der Landstrich gehörte zu einem Territorium, dessen König den Portugiesen feindlich gesonnen war – an Land zu gehen war daher nicht möglich. Für den Rest der Reise mußte man mit dem, was sich noch an Bord befand ein Auskommen finden. Auf Fleisch, Zwieback und Wein hatte man bereits zu verzichten gelernt, doch die tägliche Ration schrumpfte weiter: ein knapper dreiviertel Liter Wasser, zwei Handvoll Reis. Pro Tag, pro Person. Ungeachtet des Standes.

In der prekären Lage hing Georg Christoph Fernberger unwillkürlich Erinnerungen nach. Kulinarische Tagträume, betörende Bilder eines einstigen Lebens – und doch schien nichts davon mehr wesentlich: *„Da begehrte ich nicht nach jenen Köstlichkeiten der mit so vielen exquisiten Speisen gefüllten Tafel des kaiserlichen Gesandten in Konstantinopel (ich erinnerte mich gut daran, aus Übersättigung öfters Überdruß empfunden zu haben), nicht nach jenen Austern und Garnelen, nicht nach Kaviar vom Schwarzen Meer und Botarga* [ein zeitgenössischer Kaviarersatz] *oder kretischen Oliven, nicht nach den Kapern aus Alexandria, die zur Anregung des Appetits und des Durstes gereicht wurden, sondern ich sehnte mich oft nach einer kleinen Ration Zwieback und fauligem Wasser, um den Hunger zu dämpfen und den Durst zu stillen. Und wenn ich die Wahrheit sagen darf, so habe ich niemals mit größerem Appetit und so ausgehungertem Magen das bißchen Reis, mit dem der Bauch sich den ganzen Tag zufrieden geben mußte, verzehrt. Denn niemals habe ich so wacker gehungert wie auf dieser Seefahrt, wo es nicht einmal ausreichend fauliges Wasser gab.“*

Um diese Erfahrung reicher sollte Georg Christoph Fernberger das Schiff letztendlich wieder verlassen. Eine Erfahrung, die ihm die Masse seiner Zeitgenossen zuhause bereits voraus hatte. Hunger war in der Frühen Neuzeit ein beständiger Begleiter des Lebens – allerdings ein ungerechter: Je höher man auf der Ständeleiter saß, desto weniger war man den Krisen der Knappheitsgesellschaft ausgeliefert. Doch selbst bis in die mittleren Einkommensschichten hinein blieben die Menschen nicht vom Hunger verschont. Alltäglich, alljährlich damit konfrontiert, suchte man Trost in Gegenwelten, in denen es Speisen und Getränke in schierem Überfluß gab: Eine davon überlebte im „Tischlein-deck-dich“, eine andere im „Schlaraffenland“. Und obwohl für Georg Christoph Fernberger das Erlebnis einmalig blieb, dürfte doch auch für ihn die Bitte um „das tägliche Brot“ im Vaterunser von nun an mehr als eine Formel bedeutet haben ...

Doch war die Reise wirklich die Strapazen wert gewesen? Als man am 24. Oktober 1589 endlich in den Zielhafen Chittagong einlief, sah sich Fernberger im ersten Augenblick um alle Erwartungen betrogen: *„... nachdem ich in fünfundachtzig Tagen von Hormuz über 980 Léguas* [also etwa 3.300 Seemeilen, umgerechnet rund 6.000 Kilometer] *gesegelt war, fand ich dort dennoch das nicht vor, was ich mir selbst mit großer Hoffnung versprochen hatte.“*

Was immer er sich in Goa unter Bengalen vorgestellt haben mochte – es wich sicherlich von dem ab, was er jetzt hier zu finden hoffte. Von den Erfahrungen der letzten Tage auf See deutlich gezeichnet, stand Georg Christoph Fernberger in diesem Moment der Sinn einzig und allein nach anständigem Essen. Bodenlose Enttäuschung machte sich breit, als er feststellte, daß das „tägliche Brot“ hier völlig unbekannt war. Es gab ausschließlich Reis, mit etwas Glück auch ein Stückchen Fleisch. Schnell war ihm klargemacht, daß in ganz Indien Brot generell nur dort zu haben war, wo sich Christen oder Moslems dauerhaft niedergelassen hatten. Eine böse Überraschung.

6. Kapitel

Am Ganges

Der erste Eindruck von Bengalen war ernüchternd gewesen, und auch der zweite Blick auf das Land des heiligen Stromes hatte kaum Vorteilhaftes zu Tage gefördert. Zumal man sich gar nicht am Ganges befand: Georg Christoph Fernberger war im Hafen von Chittagong gelandet, respektive im Hafen seiner Vorstadt Dianga. Genaugenommen kein Hafen im eigentlichen Sinn, denn hier gingen die Schiffe in einer Flußmündung vor Anker. Und obwohl manchmal gern erzählt wurde, dieser Fluß sei bereits ein Arm des berühmten Ganges, lag man in Wirklichkeit im Karnaphuli auf Reede. Fernberger war dem Ammenmärchen ohnehin nicht aufgesessen. Schwerer wog hingegen, daß ganz Dianga aus nichts als einem Kastell zu bestehen schien. Kein einziges Haus in Sichtweite der Anlegestelle. Ganz offensichtlich unterlag der Ansturm der Kaufleute auf Chittagong starken saisonalen Schwankungen: Ebenso wie an der Küste der Perlensee stampfte man hier zu diesem Zeitpunkt kurzfristig eine kleine Stadt aus Holz und Stroh aus dem Boden. Wer wie Fernberger außerhalb der Marktzeit kam, fand davon nicht einmal Spuren. Alle Behausungen waren verbrannt und dem Erdboden gleich gemacht worden.

„Leer“ blieb das Land nach dem getätigten Saisongeschäft zurück. Voll belegt war zur Zeit ausschließlich der Hafen: Nicht nur mit verschiedenen indischen, großen wie kleinen, sondern vor allem mit etlichen chinesischen

Dschunken. Unter europäischen Seefahrern war die „Junko“ inzwischen berühmt, man konnte ihre überlegenen Eigenschaften nur bewundern: Rigg, Takelage und Segel waren einfach und funktionierten nach einem ausgeklügelten System, das das europäische hinsichtlich Bedienung und Handhabung weit in den Schatten stellte. Daß ihr Innenraum in Schotts unterteilt war, die sie praktisch unsinkbar machten, wußte man seit Marco Polo. Hinzuzufügen blieb, daß sie europäische Schiffe auch an Komfort erheblich übertraf, besaß sie doch offene Salons und absperrbare Kabinen mit eigenen Toiletten auf ihrem Passagierdeck.

Georg Christoph Fernberger hatte sich unterdessen schon vom Ankerplatz in die Stadt selbst begeben: Chittagong lag rund eine Légua vom Meer entfernt flußaufwärts im Landesinneren und unterstand dem König von Arakan. Portugiesen wurden in diesem islamischen Königreich, das sich entlang der birmesischen Küste nach Südosten erstreckte, nur geduldet; der Handelsumschlagplatz selbst war ebenso fest in der Hand seiner moslemischen Herren wie die gesamte Exportwirtschaft Bengalens an sich. Überdies schien es um die offiziellen Beziehungen zwischen Portugal und Arakan im Moment nicht zum besten zu stehen: Das Land, das man während des Seesturmes und der nachfolgenden Flaute nicht ansteuern hatte können, weil sein *„König ein Feind der Portugiesen“* war, gehörte zum Territorium von Arakan. Welche Stimmung mochte dann in der Stadt herrschen, die die Portugiesen Chatigão oder einfach *Porto grande* (großer Hafen) nannten?

Zumindest hinderte niemand die Neuankömmlinge daran, sich mit frischen Lebensmitteln einzudecken. Als Zahlungsmittel für Güter des täglichen Bedarfs fungierten Kaurischnecken, die von den Malediven importiert wurden, daneben wurde aber auch Münzgeld akzeptiert: Neben spanischen Silbertalern (*Reales*) und venezianischen Golddukaten (*Zecchinen*), die im ganzen *Estado da Índia* im Umlauf waren, verwendete man auch gern den *Lari*, eine Münze in Form eines zusammengebogenen Silberstäbchens mit Prägestempel, die im persischen Königreich Lar geschlagen wurde und sich im ganzen Indischen Ozean großer Beliebtheit erfreute. Die Landeswährung hingegen bestand aus viereckigen Silbermünzen, die der König von Arakan prägte.

Bengalen war ein ebenes und fruchtbares Land, es produzierte überreichlich Reis, Zucker, Salpeter und eine besondere Pfefferart: den „langen Pfeffer“, „Fliegenpfeffer“ genannt. Außerdem stellte man hier feinste Textilien mehrheitlich für den innerasiatischen Markt her und lebte gut vom Handel mit diesen Produkten. Die paradiesischen Zustände wurden im Moment allerdings schwer getrübt: Vor Chittagong waren Armeen aufmarschiert, es wurde gekämpft. Die Portugiesen, am Rande des Geschehens, tätigten weiterhin ihre Handelsgeschäfte, *„gleichsam mit bewaffneter Hand“* und ansonsten unbeeindruckt. Dann spitzte sich die Lage plötzlich dramatisch zu: Dem Statthalter der Region, der einen Aufstand gegen seinen Landesherrn angezettelt hatte, war es gelungen, die Portugiesen auf seine Seite zu ziehen (als Prämie winkte ihnen das Fort der Stadt);

gleichzeitig erschien das beeindrukkende Heer des rechtmäßigen Fürsten auf der Bildfläche – *„vierzigtausend Mann, darunter zehntausend Soldaten mit Gewehren, dreihundertsiebzig bewaffnete Elefanten und viertausend größere und kleinere Geschütze“* – und zog einen Belagerungsring um die Stadt.
Georg Christoph Fernberger war gerade noch rechtzeitig in Dianga angekommen, um die letzten Entwicklungen zu verfolgen und erlebte mit, wie der Sohn des Königs von Arakan (der schnell erkannt hatte, daß der Aufstand ohne portugiesische Schützenhilfe rasch in sich zusammenbrechen würde) seinerseits versuchte, die Portugiesen zu einem Fahnenwechsel zu bewegen. Eine beeindruckende Abordnung mit weißen Fahnen und Geschenken sowie ein unwiderstehliches Angebot taten das ihre, um dem Admiral der portugiesischen Flotte den Verrat an seinen Verbündeten leicht zu machen: Den Portugiesen wurde die Insel Sundiva (Sandwip) in Aussicht gestellt, alle portugiesischen Gefangenen sollten ausgeliefert werden und die Hälfte der Geschütze im Fort nebst der Barschaft von 20.000 Lari würde in ihren Besitz übergehen. Kein Wunder, daß die Rebellen an diesem Offert verzweifelten: Nicht einmal das letzte Zugeständnis des aufständischen Statthalters (sein Fort, sich selbst, seine Frau und seine Kinder sowie seinen ganzen Besitz den Portugiesen zu übergeben und sich auch noch taufen zu lassen) war ähnlich reizvoll. Der Admiral reihte daher seine Schiffe in den Flottenverband des bengalischen Fürsten ein. Und wie jener vorausgesehen hatte, hielten die Aufständischen nun nicht mehr lange durch: Drei Tage später kapitulierten sie und übergaben das Fort.
Binnen kürzester Zeit war die Ordnung wieder hergestellt, das Leben in Chittagong nahm seinen gewohnten Lauf. Nichts hatte sich verändert – selbst der aufständische Statthalter befand sich immer noch in Amt und Würden. In Südostasien nämlich zog es ein siegreicher König gewöhnlich vor, den unterlegenen Gegner nachhaltig zu schwächen (indem Gefangene ins eigene Territorium verschleppt wurden), ihn aber in seiner Stellung zu belassen (sofern er vorschriftsmäßig Geschenke schickte und zur persönlichen Huldigung am Hof erschien). Eine geschickte Rochade, in der Freund und Feind die Seiten wechselten: Damit war der Rebell noch fester ans Herrscherhaus gebunden und den Portugiesen diese politische Bühne für die Zukunft verbaut. Selbst die solchermaßen Ausmanövrierten waren übereinstimmend der Meinung, *„es sei klug gehandelt gewesen“* – im Moment konzentrierten sich ihre Hoffnungen ja noch auf die versprochene Beute. Doch wer wußte schon, ob die Verträge auch eingehalten werden würden? *„Wankelmütig“*, wie *„die Inder“* nun einmal waren ...
Georg Christoph Fernberger hatte sich hier in seinem Element befunden. Tagelang beherrschten politisches Kalkül, militärische Taktik und diplomatisches Geplänkel den Gesprächsstoff: Aufmarschpläne und Friedensbedingungen, drohendes Säbelrasseln und echter Gefechtslärm. Im Grunde seines Herzens war Fernberger Soldat und nicht Beamter an einem Schreibtisch seiner Majestät. Auf seiner Reise bemühte sich Fernberger daher stets um detaillierte

Informationen zur Landesverteidigung: die vertretenen Waffengattungen, den Einsatz der Land- und/oder Seestreitkräfte, der Modus der Truppenverpflegung, die landesspezifische Kriegstaktik, die Schlachtordnungen und die Armeestärke (die in Südostasien die der europäischen Staaten übrigens weit übertraf, standen sich doch in den Feldzügen gewöhnlich mehr als hunderttausend Mann auf jeder Seite gegenüber).

Acht aufregende Tage verbrachte Georg Christoph Fernberger in Chittagong bzw. Dianga. Als der Spuk dann vorüber war und die für Europäer so spektakulären Kriegselefanten abgezogen wurden, hatte Fernberger auch wieder den Kopf frei, um über seine Reisepläne nachzudenken. Wobei er plötzlich feststellte, daß *„mich die Zeit dringend an die Rückkehr gemahnte“*. Dringend? Nichts konnte so dringend sein, daß Fernberger sein Vorhaben, den Ganges zu sehen, nicht auch noch in die Tat umgesetzt hätte, schließlich war er nur deswegen nach Chittagong gekommen. Und wie konnte diese kleine Fahrt schon ins Gewicht fallen, bei der Reise zurück ans Mittelmeer, wo die Heiligen Stätten Jerusalems noch immer auf ihn warteten? Am 2. November 1589 – auf den Tag genau vierzehn Monate nach seiner Abreise aus Konstantinopel – verließ Georg Christoph Fernberger die Reede von Dianga. Sein Ziel hieß Satagan, einer der bekanntesten und reichsten Handelsumschlagplätze im westlichen Gangesdelta.

Zwei Routen führten von Chittagong, dem „großen Hafen“, nach „Sategâo“, dem *Porto pequeno* (portug.: kleiner Hafen) an der rechten Gangesmündung: die eine über den Golf von Bengalen, die andere – längere – durchs gesamte Delta. Georg Christoph Fernberger hatte sich einem portugiesischen Kaufmann angeschlossen, der (wie hier üblich) für seine Handelsfahrt eines der einheimischen Schiffe angemietet hatte. Luis de Mata bevorzugte für seine Einkäufe die abgelegenen, aber dafür billigeren Märkte im Hinterland und steuerte deshalb die zweite Route an. Fernberger konnte das wohl nur recht sein: So sollte er mehr vom Land am Heiligen Fluß zu sehen bekommen und sich eine weitere Fahrt übers offene Meer ersparen.

Nur eine kurze Fahrt über den Golf, dann segelte Fernberger durch die Sundarbans. Eine eigene Welt von großen und kleinen Inseln, Kanälen, Sandbänken und Untiefen im Delta des Ganges: flach und fruchtbar; wildreich und größtenteils unbewohnt. Die Gezeiten schufen zwischen den Inseln gefährliche Strömungsverhältnisse, doch bedachtsam gesteuert, war auf die Schiffe dieses Reviers Verlaß. Ein ganzer Katalog von Namen reichte nicht aus, um ihren verschiedenen Formen gerecht zu werden, doch eines hatten sie alle gemeinsam: Sie liefen mit der reißenden Strömung bei Flut ebenso mit, wie sie bei Ebbe sicher auf den Schlammbänken aufsetzten. Und immer wieder tauchte neues Land vor Fernbergers Augen auf: Inseln mit Tigern, Inseln mit Waranen. Am sechsten Tag dann der Augenblick, auf den er so lange gewartet hatte: Siripur, die Mündung des Ganges.

Siripur war keine Ansiedlung im eigentlichen Sinn, dennoch wohnte hier eine Handvoll Portugiesen. Nicht nur, daß Fernberger damit sein selbstgestecktes Ziel erreicht hatte – seine Hartnäkkigkeit wurde auch mit Handfestem belohnt: der ersten anständigen Mahlzeit seit Wochen. Hier fand sich Brot, dazu einige Hühner und überdies das Wasser *„dieses hochberühmten Stromes"*. *„Auf wunderbare Weise"* waren damit alle Entbehrungen im Augenblick wettgemacht. Was das Wasser des Ganges betraf, waren die Europäer im 17. Jahrhundert schon vorsichtiger geworden. Es mochte wohl heilig sein, aber bekömmlich war es nicht.

Georg Christoph Fernberger verfügte entweder über eine robustere Konstitution oder fand seine Beschwerden vielleicht nicht der Rede wert – immerhin weilte er an einem denkwürdigen Ort. Den Griechen hatte der Ganges als größter Strom der Oikumene gegolten: ein Irrtum, ebenso wie sein geradliniger Verlauf in Richtung Osten, den die erste Beschreibung Indiens um 300 v. Chr. postuliert hatte. Im europäischen Mittelalter schwang sich der Ganges zu neuer Popularität auf – weit mehr als nur ein Fluß, stand sein Name symbolisch für den Osten, dessen wunderbares Gepräge sowie die Geburt der Sonne.

An seinen Ufern beherrschten nicht Metaphern sondern Mythen das Bild vom Heiligen Fluß: Im Himmel entsprungen und auf die Erde herabgefallen, präsentierte sich der Ganges gewöhnlich personifiziert als anmutige Flußgöttin Ganga, verehrt aufgrund sühnender und reinigender Kraft. Die Feste, Riten und Zeremonien der Hindus gewährten dem durchreisenden Christen wohl nur kurze Einblicke in das Ausmaß der Hingabe – dieses allerdings mußte beachtlich erscheinen: Menschen, die an ein „Götzenbild" geklammert freiwillig im Ganges ertranken; Frauen, die das Flußwasser nicht einmal mit bloßen Händen zu schöpfen wagten und Kranke, die selbst aus entfernten Gegenden angereist kamen, um sich durch Waschungen im Ganges von den Leiden *„des Körpers und der Seele"* zu befreien. Angesichts der Leichen, die die Strömung an ihm vorbeitrug, hatte sich Georg Christoph Fernberger überdies erkundigt, wer diese Menschen getötet habe. Und er hatte darauf eine verwirrende Antwort bekommen: Es sei hier Sitte, *„nicht nur die Toten, sondern auch die, deren Körper durch langwierige Leiden und schwere Krankheiten schon geschwächt sind, noch halb lebendig in den Fluß zu werfen, ja, daß sogar manche, die vom Alter gebeugt sind und an einer Krankheit leiden, von der zu gesunden sie nicht mehr erhoffen, absichtlich und willentlich in den Fluß gehen, um zu ertrinken."*

Selbstmord? Fernberger fragte nach, diesmal bei seinem portugiesischen Begleiter, den er als zuverlässigere Quelle einschätzte. Doch Luis de Mata konnte die Aussagen nur bestätigen – und Fernberger auch gleich anschaulich eine derartige Szene beschreiben, die sich hier schon vor seinen eigenen Augen abgespielt hatte.

In Siripur hatte unterdessen ein indischer Händler Fernbergers Weg gekreuzt; auch er ein begabter Erzähler. Von ihm erfuhr Fernberger noch mehr Wundersames: *„Von dieser Mündung drei Monatsmärsche flußaufwärts treiben indische Kaufleute Handel mit einem Volk, das seinerseits nicht mehr weit von den sogenannten Einfüßern lebt, deren Fußsohle so breit ist, daß sie sich mit ihr wie mit einem Sonnenschirm gegen die Hitze der Sonne schützen können. Diese Einfüßer sollen angeblich* *jeden Zweifüßer an Laufgeschwindigkeit übertreffen. In deren Nähe wohnt noch eine andere Art von Ungeheuern, nämlich langohrige Menschen, deren Ohren so lang und breit sind, daß sie auf dem einen schlafen und das andere als Decke verwenden."*

Diese und ähnliche monströse Wesen tummelten sich schon seit der griechisch-römischen Antike in abgelegenen Weltgegenden wie dieser: *Phanesi* hießen die einen, die so große Ohren hatten, daß sie sich darin einwickeln konnten; *Skiapoden* die anderen: Schattenfüßler, deren einziger Fuß so groß war, daß sie ihn, wenn sie auf dem Rücken lagen, als Sonnenschirm benutzen konnten. Und dann waren da noch die *Astomi*, die keinen Mund hatten und sich vom Duft bestimmter Früchte ernährten; die *Akephali*, kopflose Wesen, die das Gesicht deshalb auf der Brust trugen und die *Kynokephali*, Hundsköpfige, die sich nur durch Bellen miteinander verständigen konnten. Daneben gab es die *Monoculi* und die *Monopoden*, die nur ein Auge beziehungsweise nur einen Fuß besaßen sowie die üblichen Pygmäen und Giganten.

Monströses als Spielart des Menschlichen hatte nach göttlichem Willen seinen Platz mitten im Leben. Die Frühe Neuzeit betrachtete die andersgestaltigen „Artgenossen" nun allerdings mit scheelem Blick: So faßte man bereits in der 2. Hälfte des 16. und verstärkt zu Beginn des 17. Jahrhunderts die Monstren nicht mehr unbedingt als augenfälligen Beweis für wundersames göttliches Wirken auf, sondern nahm sie vielmehr als Produkt seines Zornes wahr. Der Mentalitätswandel ließ nun Verwachsenes, Mißgestaltetes und Monströses als abscheuliche Vorboten drohenden Unheils erscheinen. Teil der Realität aber waren Monstra und abnorme Lebensformen auch weiterhin, sie gehörten zu einer – wenn auch nur mittelbar erlebten – Umwelt. Zwischen irdischer und transzendenter Welt zogen weder Mittelalter noch Frühe Neuzeit eine klare Grenze, beide Sphären waren miteinander verknüpft: Erde, Himmel und Hölle wurden als drei durchlässige Welten empfunden. Und mußten nicht die Bilder und figürlichen Darstellungen von fabelhaften Tieren und Lebewesen in den Kirchen den Anschein erwecken, daß diese drei Welten eben von Geschöpfen unterschiedlichster Art bevölkert waren?

Georg Christoph Fernberger, dem man an der Gangesmündung die Geschichte von den *Phanesi* und den *Skiapoden* aufgetischt hatte, reagierte darauf allerdings mit Zurückhaltung: *„Das erzählte mir ein indischer Kaufmann. Ich aber bin darüber sehr im Zweifel und glaube auch nicht den antiken Schriftstellern in allem, da sie vieles aufgrund fremder Berichte niedergeschrieben haben, wovon ich erfahren habe, daß es sich ganz anders verhält, ja sogar das völlige Gegenteil davon gesehen habe."* Er gehörte damit zu den Skeptikern, die schon im 16. Jahrhundert den unbedingten Glauben an die Existenz derartiger Lebensformen mitsamt dem Ballast der Autoritätsgläubigkeit in bezug auf die antiken Traditionen und Autoren über Bord geworfen hatten.

Nach dem kurzweiligen Aufenthalt an der Gangesmündung setzte Georg Christoph Fernberger seine Reise fort und drang tiefer ins verheißungsvolle Delta vor. Um die Mittagszeit des 10. November 1589 erreichte man schließlich Sulmenbas, ein kleines Königreich, das in etwa den heutigen Distrikt von Khulna umfaßte. Nachdem Fernberger in Chittagong erlebt hatte, wie die Inder Krieg führten, kam er hier gerade rechtzeitig an, um zu sehen wie „die Heiden" ein Fest begingen. Ungeachtet des spirituellen Charakters der Veranstaltung sah sich Fernberger kaum in der Lage, *„das Lachen zurück*[zu]*halten"*, so grotesk, ja geradezu komisch mutete die Szenerie an. In deren Mittelpunkt standen ein betagter Mann und ein schwarzes „Götzenbild" mit Eselsohren und Löwenschwanz, vor dem der Alte wild gestikulierend hin- und hersprang; offensichtlich tanzend und dazu singend: *„Er war ... bis auf die Schamteile am ganzen Körper nackt, trug offenes, graues Haar, war mit vergoldeten Arm- und Fußschellen geschmückt, hielt in der einen Hand einen vergoldeten Stab, in der anderen einen Apfel, hatte rote Zähne (...) und war kaum schöner als sein Götzenbild."* Während die Zuschauer der Darbietung *„mit großer Hingabe"* folgten, ließ sich Fernberger bereitwillig berichten, welcher Art die *„viel absurdere*[n] *Spiele"* waren, derer man bei anderen festlichen Anlässen ansichtig werden konnte. Für diese spektakulären Techniken der Selbstverstümmelung und Körperbeherrschung dürfte vermutlich wieder Luis da Mata als Informant fungiert haben, und diesen schätzte Fernberger als vertrauenswürdigen Mann. Daher schien, was sich unglaublich anhörte, also tatsächlich wahr zu sein.

Aufschlußreich war das Schauspiel auf jeden Fall gewesen. Für Georg Christoph Fernberger bot sich im Anschluß an die Feldstudie von Kult und Ritus ferner die Gelegenheit, die Religion der Menschen am Ganges eingehend zu erforschen. Er hatte sich in dem bunten Treiben einen ebenbürtigen autochthonen Gesprächspartner gesucht und verwickelte den *„Inder, der der portugiesischen Sprache mächtig war"*, in einen theologischen Disput: *„Als ich* [ihn] ... *fragte, warum sie dieses Götzenbild anbeteten und ihm göttliche Ehren erwiesen und ob sie an einen lebendigen Gott als Schöpfer von Himmel und Erde glaubten, antwortete dieser: ‚Es gibt nur einen Gott im Himmel. Wenn er aber im Himmel ist, kann er nicht auf der Erde sein und kümmert sich nicht um Irdisches. Er hat aber seine Zeichen auf die Erde gesetzt, die wir verehren, so wie auch ihr Christen das Kreuz in euren Kirchen aufgestellt habt und es verehrt.' Er sagte ferner: ‚Wer weiß, daß es einen lebendigen Gott gibt, dem wird es einst umso besser ergehen. Doch gibt es sehr viele einfache Leute, die dies nicht wissen und ihren Gott täglich sehen wollen und deshalb Standbilder an Gottes Stelle verehren.'"*

Eine unbefriedigende Antwort, auch wenn sich Fernberger hier jedes weiteren Kommentars enthielt. Für ihn und seine Zeitgenossen mit ihrem ausgeprägten dogmatischen Bewußtsein offenbarte sich darin lediglich der heidnische Charakter des Kultes. Anstoß erregte bei den Europäern vor allem der als stumpfsinnig empfundene Dienst an vielgestaltigen Götzen – mochten es nun Steine sein (wie in Fruchtbarkeitskulten des Shivaismus) oder tiergestaltige Statuen (die vielleicht nichts anderes als Epiphanien des Himmelsgottes Vishnu waren). Georg Christoph Fernberger nahm davon einen lebhaften Eindruck mit, vorerst einmal nach Jassor (Jessore), der nächsten Station auf seiner Fahrt durch das Gangesdelta.

In der Hauptstadt des gleichnamigen bengalischen Fürstentums dürfte sich Fernberger nicht lange aufgehalten haben, mehr Zeit verbrachte er dagegen im Reich des Großmoguls, dessen Territorium er in Jessore überschritten hatte. Von den Usbeken aus ihrer zentralasiatischen Heimat Samarkand vertrieben, waren die Moguln im frühen 16. Jahrhundert in Indien eingefallen. Babur und seine überlegen ausgestatteten Truppen eroberten hier zunächst die Reste des Sultanats von Delhi. Sein Enkel Akbar konsolidierte und erweiterte das Reich: im Westen um Gujarat, im Osten um Bengalen. Er war der erste, den die Portugiesen mit dem Titel „Großmogul" bedachten: Er verkörperte den *Grão Mogol* – oder wie Fernberger sich ausdrückte: Er war der *„große Magor"*.

Obwohl Georg Christoph Fernberger hier am Ganges die Grenze des mächtigen Mogulreiches überschritten hatte, befand er sich nun trotzdem nicht in einer völlig anderen Welt. In den fruchtbaren Niederungen gedieh der Reis ebenso prächtig wie in der Gegend um Chittagong, und die Wälder steckten voll jagdbarem Wild. Vom Fluß aus ließen sich bunte Papageien in den Bäumen ausmachen, und in den Affen des Dschungels fand man einen kurzweiligen Zeitvertreib, nachdem das Geschrei der jeweils anderen Spezies *„aufs Lustigste"* wechselweise imitiert wurde. Ungetrübte Idylle herrschte allerdings auch hier nicht: Wie Georg Christoph Fernberger feststellte, barg jeder der großen Flüsse, die er bisher besucht hatte, bedauerlicherweise auch ebensolche Gefahren: *„Wie aber am Nil Krokodile und Flußpferde, am Euphrat Löwen und am Tigris die Überfälle von Räubern, so sind auf diesem Fluß riesige Krokodile und Tiger zu fürchten."*

Vom Lärm aufgeschreckt, schnellten die Gaviale von den Uferbänken in den Fluß, verhielt man sich hingegen still an Bord, verharrten sie regunglos beim Sonnenbaden. Im Grunde mochte man sich also am Schiff sicher fühlen, auch wenn man manchmal über weite Strekken in Begleitung der Echsen reiste: nur eines Augenpaares und des erhabenen Teils der Schnauze ansichtig, die neben der Bordwand durch die Fluten glitten. Von der sicheren Position an Deck aus aber auch eine einladende Gelegenheit, seine Treffsicherheit mit der Büchse auf kurze Distanz unter Beweis zu stellen. Auf Trophäen hoffte man allerdings vergebens: *„Der Aufprall der Geschoße warf sie zwar auf und nieder, durchdrang ihre äußerst harte Haut aber nicht, und so nahm sie der Fluß sogleich unverletzt wieder auf."*

Die zweite Gefahr, die hier am heiligen Fluß lauerte, sah Fernberger nicht zu Unrecht in den geschmeidigen Tigern, die den Dschungel auf der Jagd nach Beute durchstreiften: *„Das Land ist voll von riesigen Tigern, die sie Baga* [Hindi: *bâgh*] *nennen. Diese greifen nicht nur Menschen an, wenn sie die Schiffe verlassen, sondern springen gelegentlich auf Schiffe, die am Ufer vertäut sind, und zerfleischen unversehens die Nichtsahnenden, sodaß der Mensch weder am Land noch wenn er am Wasser fährt, hinreichend sicher ist."* Schaudernd passierte man die Stelle, an der im Jahr zuvor ein Portugiese einem

bengalischen Königstiger zum Opfer gefallen war: Fernberger hatte aus der Geschichte seine Lehren gezogen und sah vom täglichen Abendspaziergang geflissentlich ab, wenn am Ufer Tatzenspuren zu sehen waren.
Ungeachtet der *„dunklen Verstecke und Behausungen der Tiger“* drang Fernberger tiefer in den Lebensraum der Großkatzen ein. Nach Jessore hatte de Matas Schiff auf seinem Weg nach Westen inzwischen mehrere Märkte im Gangesdelta angesteuert, die miteinander durch schmale Wasserwege verbunden waren. Das Gebiet wurde langsam unzugänglich, der Dschungel immer dichter und die Kanäle so schmal, daß die Ruder auf beiden Seiten das Ufer streiften.
Am 21. November 1589, genau vierzehn Tage nachdem Fernberger in den linken Gangesarm eingefahren war, erreichte er das Ziel der Fahrt: Sategâo an der rechten Mündung. Nachdem die Truppen des Großmoguls in den 70er Jahren des 16. Jahrhunderts den Hafen erobert hatten, waren die Portugiesen in das benachbarte Hugli ausgewichen und hatten dort eine weitere Handelsniederlassung errichtet. Diese war schon jetzt *„berühmter als alle übrigen* [Orte] *am Ganges“*, und vorbei am Kastell von Sategâo steuerte das Schiff nun den eine halbe Légua entfernten Kai von Hugli an.
Hier florierte der Handel – auch wenn sich die portugiesischen Kaufleute der anmaßenden Beamten des Großmoguls manchmal mit Waffengewalt erwehren mußten. Deren Übergriffe hatten angeblich immer nur ein Ziel: Salz zu beschlagnahmen, das teuer importiert werden mußte. Extrem preiswert bot Bengalen hingegen seine Menschen feil: Die Masse der Bevölkerung war bettelarm, „freiwillig“ ging man den Weg in die Sklaverei. Dabei ließ das Angebot keine Wünsche offen: Von aufgeweckten Knaben im Alter von acht oder zehn Jahren bis hin zu schwangeren Frauen, die, vom Ehemann verkauft, als Ammen in Portugal unterkamen. Georg Christoph Fernberger verzeichnete die Mechanismen dieses Sklavenmarktes mit einigem Erstaunen: Der Armut war er schon sein ganzes Leben auf Schritt und Tritt begegnet, zuhause ebenso wie in all den Landstrichen, die er bisher bereist hatte. Und ihn selbst betraf die Angelegenheit immer nur hinsichtlich der geforderten Almosen. Hier allerdings galten ganz andere Spielregeln: für Arme, für Reiche, für Anbieter und für deren Käufer.
Zwanzig Tage verbrachte Fernberger in Hugli. Am Ziel seiner Wünsche, alle seine Sehnsüchte erfüllt, schien Fernberger die Zeit lang zu werden. Es war erst Anfang November, die Handelsschiffe verließen Hugli jedoch gewöhnlich nicht vor Dezember. Bis auf eine Ausnahme: Zwei Galeeren im Hafen machten jetzt schon klar zum Auslaufen, voll beladen mit Waren aus Bengalen, die noch in dieser Segelsaison weiter nach Lissabon verschifft werden sollten. Allerdings mußten die Schiffe der *Carreira da Índia* die Malabarküste spätestens Mitte Jänner verlassen, um mit dem Monsun sicher nach Afrika überzusetzen. Die beiden Galeeren, die sich nun in Hugli auf den Weg zu diesem Rendezvous machten, konnten also damit rechnen, ihre Kontaktpartner noch zwischen dem 15. und 20. Jänner in Goa, Cochin oder einem der anderen Häfen dort anzutreffen.

Am 11. Dezember 1589 war es so weit: Georg Christoph Fernberger bestieg eines der beiden in Hugli vertäuten Handelsschiffe und machte sich auf den Rückweg nach Goa. Mit der Strömung trieben die Schiffe zügig dem Meer entgegen. Um die Mittagszeit des nächsten Tages traf man in Betor ein, wo jene Handelsschiffe auf Reede lagen, die wegen ihres größeren Tiefganges nicht weiter in den Fluß einfahren konnten. Eines davon sollte die beiden Galeeren nach Goa begleiten, also warf man hier ebenfalls Anker. Drei Tage verstrichen. Erst dann war die letzte Galeere ebenfalls klar zum Auslaufen. Nun aber nahmen die drei Schiffe ihre Fahrt ohne weitere Verzögerung auf. Kurz nach der Abfahrt tauchte linkerhand ein unbedeutendes Dorf namens Kalikata am Flußufer auf – nichts wies auf seine spätere Bedeutung hin: Im Jahr 1690 sollten die Engländer dieses Dorf jedoch zu einer Niederlassung der Ostindischen Handelskompanie ausbauen, die als „Kalkutta" bekannt werden sollte.

7. Kapitel

Wieder westwärts

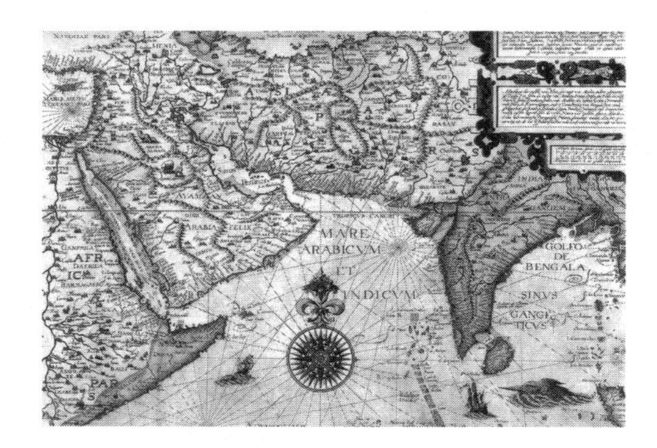

Eine Woche nach der Abfahrt in Hugli erreichten die drei Galeeren das Meer. Bald verlor man das Land aus den Augen. Georg Christoph Fernberger schien das Glück diesmal hold zu sein: Der Wind war günstig, und das Wetter hielt. Ohne Zwischenfälle überquerten die drei Schiffe den Ozean und gingen am 30. Dezember 1589 wieder vor der Ostküste Indiens vor Anker. Fernberger war sicher im „Reich Narsinga“ gelandet.

Genaugenommen war Narsinga der Name eines Herrschers, der von den Portugiesen verballhornt auch auf dessen Reich mit unaussprechlichem Namen übertragen worden war: Anläßlich der Fahrt Cabrals im Jahr 1500/1501 hatte man erstmals Nachricht von Raja Narasinha bekommen, der hier über das hinduistische Königreich Vijayanagar regierte. Überliefert in Form eines „Königs von Narsinga“ wurden in der Folge das Territorium und dessen ebenfalls Vijayanagara („Stadt des Sieges“) genannte Hauptstadt gleichermaßen unter diesem Begriff bzw. unter der Version Bisnagá bekannt. Inzwischen gehörte Vijayanagar allerdings längst der Vergangenheit an: Im Jahr 1565 von seinen moslemischen Nachbarn erobert, war der letzte Herrscher enthauptet und seine Residenzstadt geplündert und völlig zerstört worden. Eines der Reiche, das seine Nachfolge antrat, hatte auf dem Territorium aber den ursprünglichen Namen weitergeführt – und genau hier erreichte Georg

Christoph Fernberger Ende des Jahres 1589 erneut indischen Boden.
Auch für ihn war dieser Streifen der *Costa de Chiaramandel* (von den Portugiesen üblicherweise „Costa de Charamamdell“ genannt) ein äußerst traditionsreiches Gebiet: *„Das ist jenes selige Land, wo der Heilige Thomas ... zuerst landete. Hier stärkte er den christlichen Glauben durch Wundertaten, bekehrte viele Völker und auch einige götzenanbetende Könige zur christlichen Religion und erlangte schließlich, da die Brahmanen sagten, daß seine Wunder auf Zauberei beruhten und ihn beim Beten mit Lanzen durchbohrten, die Märtyrerkrone.“*
Nach guter christlicher Überlieferung war Thomas, der Apostel, zunächst nach Babylon und von dort an die Küste des Arabischen Meeres gelangt, auf einem Schiff zur jemenitischen Inselgruppe Sokotra im Indischen Ozean übergesetzt und hatte von dort aus die Malabarküste erreicht, wo er mit seiner Missionsarbeit begann. An der Ostküste Indiens starb er schließlich als Märtyrer, getötet von Brahmanen der Stadt Meliapur. Fernberger hatte sich in einem Punkt geirrt: Die Koromandelküste war nicht glänzender Auftakt, sondern tragischer Schlußpunkt von Thomas' indischem Abenteuer gewesen.
Mailapur (Mylapur, inzwischen ein Stadtteil von Madras), die „Stadt des Heiligen Thomas“, lag an einer ansonsten wenig einladenden Küste mit gefährlicher Brandung. Im Jahr 1522 hatten die Portugiesen hier eine Niederlassung gegründet. Die von ihnen errichtete Kirche auf einem Hügel über dem Meer (im Andenken an den Heiligen Thomas und der Mutter Gottes geweiht) ging dagegen schon auf das Jahr 1507 zurück. Inzwischen zeigte man hier bereits Generationen von europäischen Touristen die letzte Ruhestätte des großen Märtyrers. Und das nicht erst, seit die Portugiesen schon wenige Jahre nach der Entdeckung des Seeweges nach Indien das Grab besuchten und beschrieben: Hatten doch die „Thomas-Christen“ schon Marco Polo zu der Gedenkstätte geführt, die ihrer Überlieferung nach auf das Jahr 52 n. Chr. datierte. Im Schlepptau der Portugiesen war die Zahl jener europäischen Christen, die ihr Seelenheil an die wundertätige rote Erde im Bereich des Grabes hängten, inzwischen allerdings merklich angewachsen. Hinsichtlich der Reliquien gab sich Ende des 16. Jahrhunderts hingegen niemand mehr Illusionen hin: Daß der Leichnam des Apostels einst nach Edessa in Kleinasien überführt worden war, wußte man seit dem Mittelalter. Entsprechend fanden die Portugiesen, als sie im Jahr 1523 erwartungsvoll das angebliche Grab des Apostels Thomas geöffnet hatten, darin nur mehr ein Gefäß mit Erde vor, Bruchstücke eines Schädels und einige Knochen mit der eisernen Spitze einer Lanze.
Die ihm unbekannte Koromandelküste vor Augen, mußte sich Georg Christoph Fernberger mit einem kurzen Blick begnügen: Mailapur verfügte über keinen Hafen, die drei Galeeren waren deshalb draußen im flachen Wasser vor Anker gegangen. Anscheinend wurden nur frisches Wasser und Proviant gebunkert, vielleicht übernahm man aber auch einige Ballen der hier in leuchtenden Farben gefertigten Baumwollstoffe – doch nachdem die Leichter, die den Trans-

port durch die gefährliche Brandung bewerkstelligt hatten, wieder von den Bordwänden abstießen, machte man sich offenbar sofort bereit, erneut Segel zu setzen. Ein schweres Sturmtief im Rücken, lief der kleine Konvoi nämlich schon tags darauf, am 31. Dezember 1589, in die schützende Palk Bay ein und landete sicher auf der Insel Neduntivu. Kein unbeschriebenes Blatt für Georg Christoph Fernberger, obwohl sein Reisetagebuch das nicht zu erkennen gibt (und Fernberger auch in Hinkunft mit keinem Wort darauf verwies, wenn seine Reiseroute nochmals die eigene Spur kreuzte): Dreizehn Wochen zuvor war sein Schiff auf dem Weg nach Bengalen ebenfalls hier vor Anker gegangen. Der Viehkauf damals war sehr rasch über die Bühne gegangen, diesmal mußte man drei Tage ausharren, bis das Unwetter abzog. Gelegenheit also, die kleine *Ilha das Vacas* etwas genauer unter die Lupe zu nehmen.

Zahllose großrahmige Wildziegen mit imposanten halbkreisförmigen Hörnern fielen dabei ins Auge, doch erst bei näherem Hinsehen ließ sich auch das wahre Kapital des Eilands erkennen: saftiges Gras. Dieses wiederum war – wie Mediziner behaupten – dazu angetan, im Magen der Inselziegen kugelige Objekte auszubilden, die unter den Zeitgenossen hoch im Kurs standen: „bazar"-Steine (von pers. *pàdzahr*, Gegengift). Unter dem Namen „Bezoar" in Europa weithin bekannt, galten die verkrusteten Knäuel aus Pflanzenfasern und Haaren seit Jahrhunderten als Wundermittel gegen Vergiftungen. Ebenso wie in der indischen und persischen Medizin, bediente man sich ihrer auch in der europäischen Antike und schätzte ihre überragende Heilkraft noch bis weit in die Frühe Neuzeit. Denn neben toxischen Erscheinungen ließen sich damit Übel wie Ruhr, Magenbeschwerden, Schwindelanfälle und Epilepsie heilen und selbst gegen die Pest war man damit bestens gewappnet. Georg Christoph Fernberger nahm in diesem Zusammenhang von der *Ilha das Vacas* nicht nur geballtes Wissen mit, sondern bei der Gelegenheit vermutlich auch wohlweislich ein Antitoxikum für den Eigenbedarf. Auch wenn – unbestrittenermaßen – unter den echten Bezoaren nicht jener von der *Ilha das Vacas*, sondern der persische der beste war.

Auf der *Ilha das Vacas* war inzwischen das neue Jahr angebrochen, und nachdem der tropische Sturm über dem Indischen Ozean abgeflaut war, verbrachte Georg Christoph Fernberger seine ersten Tage des Jahres 1590 daher erneut auf hoher See. Im Moment winkten allerdings weder verheißungsvolle Landstriche noch vielversprechende Abenteuer: Auf den drei Galeeren, die ihren Kurs nach Südwesten fortgesetzt hatten, warf im Gegenteil ausschließlich die nächste Meerenge ihre Schatten voraus. Linker Hand war die Insel Ceylon am Horizont aufgetaucht, rechter Hand lag das indische Festland. Dazwischen versperrte eine Inselkette die freie Passage. Georg Christoph Fernberger war die folgende Prozedur schon von der Hinfahrt hinlänglich bekannt: Mitsamt der Ladung hatten die Schiffe zuviel Tiefgang für den seichten Kanal, alles unnötige Gewicht mußte daher von Bord – nicht nur die Waren aus den Laderäumen, auch die Masten und Rahen.

Der Schwarm von kleinen Transportbooten, der daraufhin Ballen und Truhen, Fässer und Hölzer aufnahm und nach erfolgreicher Durchfahrt wieder ausgab, bestach durch ein gemeinsames Konstruktionsmerkmal: Kein einziger Nagel hielt die Planken, selbst am Anker fand sich keine Spur von Eisen. Die antike Literatur kannte diesen Umstand als lokales Kuriosum und führte es auf *„Berge und ... Meeresgrund voll von Magnetstein"* zurück, dessen Anziehungskraft den Schiffen andernfalls zum Verhängnis werden würde. Der Überlieferung zufolge zog der geheimnisvolle Magnetberg vorbeifahrende Schiffe unwiderstehlich an: Das Eisen an Bord hielt sie entweder unbarmherzig in seiner Nähe gefangen oder ließ sie in der Tiefe des Meeres versinken, wenn die Nägel aus ihren Planken schnellten. Die Zahl seiner Opfer war Legion. Insbesondere da er nicht nur an der *Porta de Ceilão* Unheil stiftete, sondern im Gegenteil in etlichen gefährlichen Gewässern für Schiffbrüche verantwortlich zeichnete, im Roten Meer genauso wie etwa auf der Segelroute nach Indien.

Für Georg Christoph Fernberger hatte der sagenumwobene Magnetberg bereits im Jahr 1590 jeden Schrecken eingebüßt – und angesichts der hiesigen Bootsbautradition, die grundsätzlich auf Eisen verzichtete, führte er den simplen, durch und durch rationalistischen Beweis: *„Ich kann* [dafür] *aber eine andere, plausiblere Erklärung geben, und zwar den Eisenmangel, der vielerorts in Indien herrscht."*

Die Frage: Glaubhaft oder unglaubwürdig? schien gerade inmitten einer fremden Umwelt nahezu überall angebracht zu sein. So fand etwa Fernberger, wenn er seine Erlebnisse mit den entsprechenden Passagen aus den klassischen Werken verglich, manches, das seiner Meinung nach der Wahrheit entsprach oder zumindest möglich erschien – wichen die Ergebnisse von Autorität und Augenschein aber voneinander ab, machten sich Zweifel breit: Zweifel, die unmißverständlich an der hehren Fassade der Tradition kratzten. *„Ich ... glaube auch nicht den antiken Schriftstellern in allem ..."*, hielt Fernberger anläßlich der Konfrontation mit Einfüßlern in seinem Reisetagebuch fest. „Erlesenes" wankte unter den eigenen Reiseerlebnissen und stand bald ganz im Schatten von – im wahrsten Sinn des Wortes – „Erfahrenem": Zumal *„ich erfahren habe, daß es sich ganz anders verhält, ja sogar das völlige Gegenteil davon gesehen habe"*. Dem Problemkreis hatten sich im Zeitalter der Entdeckungsfahrten auch die Humanisten nicht verschließen können, machte doch anscheinend jedes heimkehrende Schiff die Unzuverlässigkeit der antiken Quellen nur noch immer offensichtlicher. Mit einer Wissenssynthese, wie sie das Mittelalter hergestellt hatte, war die Kluft nun aber schwerlich zu überbrücken, nicht nur, weil sie inzwischen tiefer und breiter geworden war als je zuvor, sondern auch, weil das Erfahrungswissen inzwischen einen größeren Anspruch auf Plausibilität erheben konnte als das bisherige Buchwissen.

Georg Christoph Fernberger widmete seine Aufmerksamkeit in der Zwischenzeit dem Aus-, Um- und Einladen der Waren vor und nach der Insel Mannar, das eine ganze Woche in Anspruch genommen hatte. Am 14. Jänner 1590 befand sich schließlich alles wieder an seinem ursprünglichen Platz an Bord, die Handelsschiffe lichteten die Anker und setzten Kurs für den letzten Abschnitt der Überfahrt: Zunächst direkt auf das Kap Comorin und, nachdem die Südspitze Indiens ohne Zwischenfälle passiert war, erneut in Richtung Nord-Nord-West. Wenige Tage später steuerten die drei Galeeren bereits ihren Bestimmungsort an der Malabarküste und damit gleichzeitig einen der größten portugiesischen Umschlaghäfen in ganz Indien an: das berühmte Cochin. So fand die Fahrt ein Ende, *„heil"* zum einen und überdies erfolgreich, denn auch ihr Auftrag (die bengalischen Handelsprodukte noch vor Abschluß der Segelsaison für den Weitertransport nach Lissabon auszuhändigen) war erfüllt, denn man hatte im Hafen von Cochin gerade noch zwei portugiesische Großsegler angetroffen.

Die Stadt selbst war das Zentrum des gleichnamigen Fürstentums, hier hatten die Portugiesen einst ihren ersten Stützpunkt überhaupt im Indischen Ozean errichten können. Und nicht nur deshalb war Cochin ein traditionsreicher Ort: Die hiesige Faktorei mit dem Gründungsdatum 1502 ging noch auf den unsterblich gewordenen Vasco da Gama zurück, und den Grundstein zur portugiesischen Festung hatte der große Afonso de Albuquerque, dessen geschickte diplomatische und militärische Schachzüge zu Beginn des 16. Jahrhunderts die Basis für den glänzenden *Estado da Índia* geschaffen hatten, ein Jahr später gelegt. Am Weihnachtsabend des Jahres 1524 war hier Vasco da Gama verstorben, der, von König João III. mehr als zwanzig Jahre nach seiner letzten Fahrt als Vizekönig des *Estado* nominiert, hier nur wenige Monate nach seiner Ankunft einer Krankheit erlegen war. Doch selbst nachdem man 1534 seinen Leichnam nach Lissabon überführt hatte, konnte man in Cochin weiterhin da Gamas Grabstein besichtigen.

Strenggenommen nicht in Cochin selbst, sondern im portugiesischen Stützpunkt in unmittelbarer Nähe der ursprünglichen Stadt: Schließlich war der *Estado da Índia* kein Kolonialreich im eigentlichen Sinn, sondern ein System von mehrenteils befestigten Enklaven, die es erst zu etablieren gegolten hatte. Um dem jeweiligen Lokalfürsten – moslemischem Sultan genauso wie hinduistischem Raja – einen kleinen Hafenplatz oder eine der Küste vorgelagerte Insel abzutrotzen, hatte meist schon eine spektakuläre Machtdemonstration genügt. Darüberhinaus nutzten die Portugiesen bestehende Rivalitäten benachbarter Herrscher zum eigenen Vorteil, ansonsten aber vermied es deren dabei geübte Politik tunlichst, sich in die inneren Angelegenheiten des jeweiligen Landes einzumischen. So blieben Siedlungen der einheimischen Bevölkerung, bestehende Herrschaftsstrukturen und autochthone Gesetzgebung stets weitgehend unangetastet.

Mit dem florierenden Gewürzhandel entwickelte sich Cochin in der Folge zum größten Pfeffermarkt an der Malabarküste und sein Raja, der *„im Verhältnis zu anderen Königen Indiens nicht* [eben] *sehr mächtig"* genannt werden konnte, zu einem reichen Mann.

Die Gegend um Cochin war hügelig und unwegsam, dorniges Gebüsch säumte die schmalen Pfade. Weiter landeinwärts in den Bergen residierte der sogenannte „Pfefferkönig“, ein Aggressor, gegen den die Portugiesen dem Raja von Cochin um die Jahrhundertmitte auch zweimal zu Hilfe geeilt waren. Auf den ersten Blick mochte Cochin für einen Besucher daher nicht besonders einladend wirken, denn der wahre Schatz der Region blühte im Verborgenen: *„Das Land jenes Königs ist reich an Pfeffer, der in größter Menge in den Wäldern ohne jede menschliche Pflege wächst.“* Die Ähren einer unscheinbaren Kletterpflanze, *„dem Efeu sehr ähnlich“*, lieferten also das so begehrte Gewürz: Echten Pfeffer.

Antike und Mittelalter hatten dem Pfeffer den Stellenwert eines Edelmetalls eingeräumt, er war als gefragte „Spezerei“ nicht nur profitable Handelsware, sondern auch anerkanntes Zahlungsmittel. Noch im 15. Jahrhundert war Echter Pfeffer das teuerste erhältliche Gewürz, kein Wunder also, daß das „Land, in dem der Pfeffer wächst“, schon seit langem angestrebtes Ziel aller Handelsleute war. Griechen und Römer hatten noch ihre eigenen Flotten an die Malabarküste geschickt, später übernahmen die Inder selbst den Transport bis ans Rote Meer, Araber und Venezianer erledigten den Zwischenhandel. Als die Portugiesen Ende des 15. Jahrhunderts den Traum eines Seeweges nach Indien wahr gemacht hatten, konnte Pfeffer erstmals wieder direkt aus Indien importiert werden.

Seit fast hundert Jahren verkehrten inzwischen regelmäßig portugiesische Flotten auf der sogenannten *Carreira da Índia* zwischen Lissabon und den Häfen im Indischen Ozean, um vor allem Pfeffer, Muskat und Nelken für den europäischen Markt einzukaufen. Und zu Beginn lief das Geschäft auch glänzend: Der direkte Seeweg nach Indien hatte den Portugiesen ein fast absolutes Monopol im Gewürzhandel gesichert, die alten Handelswege durch Kleinasien und übers Mittelmeer drohten zu kollabieren (in Alexandria wurde kaum mehr als ein Viertel, in Beirut etwa gar nur mehr ein Siebtel des früheren Exportvolumens umgeschlagen), der Stern der großen italienischen Handelsrepubliken, allen voran Venedig, schien zu sinken.

Zunächst agierte im Gewürzhandel tatsächlich der portugiesische König als allmächtiger Kaufmann: Sowohl im Indischen Ozean als auch auf der *carreira* (der „Linie“) nach Europa waren indische Spezereien exklusiv auf Schiffen Seiner Majestät unterwegs. Als mit der Zeit auch portugiesische Privatleute im Indienhandel ihr Glück zu machen suchten, zog sich die Krone allerdings schrittweise aus dem merkantilen Fach zurück und vergab statt dessen Lizenzen für definierte Routen im Indik: ein Monopol auf Zeit für jede einzelne Konzessionsfahrt, gegen Gebühr oder als diplomatisches Privileg. Die Kontrolle über die Handelsrouten aber wahrte stets die Krone. Um das portugiesische *mare clausum* zu erschaffen, war es im frühen 16. Jahrhundert notwendig gewesen, die orientalischen Kaufleute ebenfalls ins Herrschaftssystem einzubinden: Für deren sichere Fahrt garantierte in der Folge ausschließlich ein offizielles Schriftstück des *Estado*, ein Geleitbrief, der Daten zur Fracht enthielt, Name des Schiffes und des Kapitäns sowie Bestimmungsort und Herkunftshafen vermerkte. Ohne diesen portugiesischen *cartaz* angetroffen zu werden, bedeutete nun für jedweden Händler, seine potentiellen Aktivitäten auf weniger lukrative Häfen außerhalb dieses Systems verlegen zu müssen – oder zu schmuggeln (und im Fall des Falles von der portugiesischen Marine aufgebracht zu werden).

Es war nicht allein der Schmuggel, der schließlich das sichere und beinahe vollkommene Monopol der Portugiesen im europäischen Gewürzhandel zu Fall brachte. Um die Mitte des 16. Jahrhunderts begann sich das Blatt zu wenden: Den portugiesischen Schiffen gelang es immer weniger, die Häfen auf der arabischen Halbinsel zu blockieren, der Gewürzschmuggel nahm bedrohlich zu, die Gewinnspannen auf der Indienroute verfielen zusehends. Den Handel mit Gewürzen auf der moslemischen Pilgerstraße nach Mekka, Medina und über den Sinai hatten die Portugiesen ohnehin nie ganz unterbinden können (ja, sie hatten sich – da es illusorisch anmutete, den Bedarf an Gewürzen im vorderasiatischen Raum und Nordafrika via Lissabon zu decken – entschlossen, die begehrten Waren über die Drehscheibe Hormuz eigenhändig weiterzuhandeln), doch nun gelangten nicht nur auf dem traditionellen Weg über das Rote Meer wieder größere Mengen an Pfeffer und Gewürzen nach Europa, auch die klassische Landroute erlebte einen Wiederaufschwung. Diese Karawanenstraße (ab Hormuz gut 3.000 Kilometer quer durch Persien und weiter nach Aleppo und in die Umschlaghäfen an der syrischen Küste) versorgte nun zweimal im Jahr die italienischen Seerepubliken wieder ausreichend mit Handelsgütern, und schließlich wurden beinahe ebenso viele Gewürze über die Levante wie über die portugiesische Kap-Route transportiert. Unter anderem auch deshalb, weil die Portugiesen nicht mehr imstande waren, den Bedarf an Spezereien in Europa zu decken: Immer häufiger erreichten die Schiffe auf der *Carreira da Índia* nun nicht mehr ihr Ziel und sanken unterwegs.

Im Schnitt ging auf der *Carreira da Índia* eines von zehn ausgelaufenen Schiffen unter, und in der 2. Hälfte des 16. Jahrhunderts erhöhte sich die Verlustquote sogar. Nahezu jedes sechste Schiff erlitt nun Schiffbruch. Die Gründe dafür waren vielfältig und hatten sich auch im Lauf der Zeit gewandelt: Havarien zu Lasten von Piraten und Gefechten waren es zu Beginn hauptsächlich gewesen, später barg das eigene Schiff die allergrößte Gefahr. Eine *Nao* in denkbar schlechtem Zustand (aus Zeitdruck unregelmäßig und bloß oberflächlich überholt) und aus teilweise minderwertigem Holz (die Maxime der Werften lautete notwendigerweise Quantität statt Qualität), getrimmt vor allem auf Ladekapazität, ohne daß ihre Segeleigenschaften mit der immens gestiegenen Tonnage (von 400 Tonnen um 1540 auf 1.500 Tonnen gegen Ende des Jahrhunderts) Schritt gehalten hätten. Stachen diese schwer zu manövrierenden Ungetüme nun in See, waren sie – insbesondere auf der Rückreise nach Europa – zudem hemmungslos überladen. Dessen ungeachtet zogen Profitgier und die Hoffnung auf schnelles Geld weiterhin ungeahnte Fahrlässigkeit nach sich, in der Frachtpolitik ebenso wie hinsichtlich der Befähigung einer Schiffsbesatzung. Und für mangelnde Sorgfalt in bezug auf letztmögliche (weil windabhängige) Abfahrtstermine ist nicht zuletzt das Reisetagebuch von Georg Christoph Fernberger ein hervorragendes Beispiel.

Diese Fakten (oder zumindest eine vage Ahnung davon) vor Augen, stachen auch die beiden Segler, die als Schlußlichter der Handelssaison in der letzten Jännerwoche des Jahres 1590 die Reede von Cochin verließen, in See – auf ihr Einlaufen in den Tejo jedoch sollte man in Lissabon im Sommer wie schon so oft vergeblich warten.

Während des zweiwöchigen Aufenthaltes erhaschte Georg Christoph Fernberger nicht nur so manchen Einblick in die Mechanismen des Pfefferhandels, sondern machte sich auch mit der Struktur der ortsansäßigen Gesellschaft vertraut. So war etwa, wie er in Erfahrung gebracht hatte, das Verhältnis zwischen Portugiesen und Hindus zu Beginn von erheblichen Spannungen getrübt worden: *„Es geschah aber, als die Portugiesen anfänglich in diesem Reich aufgenommen wurden, den Nayris* [Nayar] *begegneten und keiner dem anderen ausweichen wollte, daß täglich Unruhen entstanden und auch Morde geschahen ...“*

Im Grunde war das Problem aus einer spezifischen Institution der dortigen Gesellschaft entstanden: Zwischen den einzelnen Kasten herrschten hierarchisch abgestufte (Ausweich-)Regeln, die einer „Verunreinigung aus der Ferne“ vorbeugen sollten. Schließlich – so die verbreitete Überzeugung – ging von den niedrigen Bevölkerungsschichten die gefürchtete Verunreinigung schon lange vor einer eigentlichen Berührung aus. Je „unreiner“ und tiefer auf der gesellschaftlichen Skala, desto größer die Distanz, die es deshalb allen anderen gegenüber einzuhalten galt. Als Sand im Getriebe dieser klaglos funktionierenden Stigmatisierung fungierten alsbald die Portugiesen, die sich weigerten, gleich allen anderen Hindus den autochthonen Edelleuten auszuweichen. Nachdem deren *Po, Po!*-Rufe (die Aufforderung, aus dem Weg zu gehen) bei ihnen auf taube Ohren stießen und sich die Zwischenfälle auf den schmalen Pfaden im dornigen Hinterland häuften, einigten sich der Raja und der portugiesische Kommandant schließlich, eine bindende Entscheidung mittels eines Zweikampfes herbeizuführen.

Am vereinbarten Tag lief das ganze Volk erwartungsvoll zusammen: die Ankunft des Rajas kündeten Schellen, Trommeln und Trompeten ebenso an wie die klirrenden Eisenringe an den Schwertgriffen und Lanzenschäften seiner Krieger, die ihm und seinem Hofstaat folgten. Der Zug hielt an der vereinbarten Arena. Wohl beschirmt und von vier Fächern flankiert, stellte der Raja nun seinen besten Nayar zum Kampf. Die Portugiesen hatten sich zwar ebenfalls eingefunden, keiner von ihnen aber war bewaffnet und schien die Herausforderung annehmen zu wollen. Wie einige Beispiele in der langen Geschichte des *Estado da Índia* zeigen, verließen sich die Portugiesen in brenzligen Situationen, in denen um alles oder nichts gespielt wurde, selten allein auf ihren Gott, ihr Glück oder ihre militärische Überlegenheit, sondern griffen zu einer altbewährten Taktik: List. Ihr bester Mann hatte sich als schäbiger Wasserträger verkleidet, der wie zufällig gerade den Ring passierte. Aufgefordert, sich zum Kampf zu stellen, äußerte dieser nun, keine Erfahrung im Kriegshandwerk zu haben. Als er sich schließlich doch dazu bereit erklärte, waren die Hindus – und besonders der ausgesuchte Krieger – schon nicht mehr mit Ernst bei der Sache. Ein tödlicher Fehler, wie sich gleich herausstellen sollte. Binnen kürzester Zeit überwältigt, ließ der Nayar nicht nur sein Leben, sondern auch die Ehre seines Standes auf dem Platz und verlor den Gipfel der sozialen Hierarchie an die Portugiesen – die ihr erkämpftes Wegerecht übrigens seitdem niemals mehr einmahnen mußten, denn es *„wird bis zum heutigen Tag von den Bewohnern dieses Landes genau beachtet"*.

Georg Christoph Fernberger war inzwischen wieder dem Ruf des Meeres gefolgt: Vierzehn Tage nach seiner Ankunft in Cochin hatte im Hafen ein ansehnlicher Flottenverband ausklariert. Da dem portugiesischen Kommandanten Piraten vor der Malabarküste gemeldet worden waren, hatte man einem Transporterkonvoi Richtung Goa eine eindrucksvolle Eskorte von Kriegsgaleeren beigestellt. Man schrieb den 3. Februar 1590, als die 36 Schiffe auf ihren Kurs entlang der indischen Küste nach Norden gingen, mit an Bord der Abenteurer aus Österreich in der Montur eines portugiesischen Soldaten. Seine Qualitäten im Seegefecht mußte er jedoch nicht unter Beweis stellen – noch nicht jedenfalls –, denn der gefürchtete Piratenkapitän namens „Konyall" (Cunhale) schien samt seiner Flotte vom Winde verweht.

In den Gewässern, die der gefürchtete Pirat gegen Ende des 16. Jahrhunderts heimgesucht hatte, trieben aber auch andere gefährliche Kreaturen ihr Unwesen: hochgiftige Seeschlangen. Gewöhnlich wurden die meterlangen bunt geringelten Exemplare zwar von der Schiffsbesatzung freudig begrüßt, denn sie signalisierten (nach einer langen Überfahrt von Lissabon) endlich die Nähe der ersehnten indischen Küste. Sobald daher auf einem portugiesischen Schiff eine Wasserschlange ausgemacht war, erhob sich lautes Geschrei und vielstimmig hallte *„‚Cobra, Cobra' (was in der portugiesischen Sprache Schlange heißt)"* übers Deck. An Bord der Galeere, auf der Georg Christoph Fernberger seinen Dienst versah, schlug die Stimmung diesmal allerdings um, nachdem unseligerweise ein Mann gebissen worden war. Das selbst in Spuren tödliche Gift der Wasserschlange wirkte schnell: Obwohl *„viele und wirksame Mittel"* zum Einsatz kamen, vermochte man den Matrosen nur noch zum Christentum zu bekehren, bevor er getauft sein Leben aushauchte.

Häufiger als Schlangenbissen begegnete man an Bord von Schiffen ohnehin anderen Krankheitsbildern: Neben Skorbut und Tropenfieber dezimierten vor allem Syphilis, Typhus und Fleckfieber die Mannschaften. Zwar gehörte auch auf der portugiesischen *Carreira da Índia* eine Schiffsapotheke zum Standardinventar, doch fand sich darin im Fall des Falles kaum Nützliches, so eine zeitgenössische Klage. Folglich waren Reisende gut beraten, selbst Medikamente mitzuführen. Georg Christoph Fernberger etwa nannte eine derartige Notfallvorsorge sein eigen – zusammengestellt, beschafft und gemixt vom einstmaligen Gesandtschaftsapotheker im Deutschen Haus, der im Nebenerwerb solche Dienste für Pilgerwillige anbot (und von seiner dankbaren Kundschaft Souvenirs

aus aller Herren Länder erhielt). Seit seiner Abreise aus Konstantinopel hatte sich Fernbergers Reiseapotheke sicherlich um einige orientalische Pharmazeutika vermehrt, denn Ingredienzen für Heilmittel und gebrauchsfertige Pasten wurden in Indien allerorten gehandelt.
Auch für den fernen europäischen Markt wurde hier en gros eingekauft, wobei die Grenzen zwischen Gewürz, Parfum und Arznei oft fließend waren: Von Teufelsdreck oder *assa foetida* (gleichermaßen Bestandteil des indischen Curry und bewährtes Heilmittel bei Krämpfen) und Kurkuma (als Gelbwurz im Curry ebenso geschätzt wie als Mittel gegen Gelbsucht) spannte sich der Bogen zum Trio Amber, Moschus und Zibet, das gemeinsam zu duftenden „Pestkugeln" verarbeitet wurde, sowie Benzoe (ein Baumharz, bestimmt für wohlriechende Essenzen und gleichzeitig desinfizierend) und weiter zu Rharbarber (bei Verstimmungen des Verdauungsapparates), Kampferöl (für ein schwaches Herz), Aloesalbe (bei offenen Wunden) und Chinawurzel (gegen Syphilis).
So gerüstet erfreute sich Georg Christoph Fernberger bester Gesundheit. Seit der Abfahrt aus Cochin hatte die Flotte täglich portugiesische Wachposten am Ufer gesichtet. Vorbei an den Kastellen und Häfen von Cranganore, Ponnani und Chaliyam ging die Fahrt nun nach Calicut, das am 6. Februar 1590 steuerbord voraus gesichtet wurde.
Im Jahr 1498 war Vasco da Gama nach der geglückten Umrundung des Kaps der Guten Hoffnung erstmals hier vor Anker gegangen. Wenig freundlich begrüßt, wie man in Europa bald darauf vernahm: Die ersten Worte, mit denen sich ein portugiesischer Unterhändler in der Stadt konfrontiert sah, machten Geschichte – kurz und bündig hieß es damals nämlich „Hol dich der Teufel!" Auf Kastilisch übrigens, das die arabischen Kaufleute aus Tunis, die sich in der Welthandelsstadt tummelten, ebenso beherrschten wie Genuesisch. Nach dem ersten Schrecken auf beiden Seiten wechselte man zwar blumige Begrüßungsworte, doch die Araber, die die Märkte und Handelsrouten im Indischen Ozean kontrollierten, fürchteten, von den Portugiesen aus ihrer Domäne verdrängt zu werden. Zurecht, wie sich bald herausstellen sollte.
In der Folge wurde die Atmosphäre zunehmend gereizt: Da sich die Mißstimmung der Mauren auch auf den mächtigen einheimischen Fürsten übertrug, der sich mit dem vielversprechenden Titel *Raja Samudrin* („Herr des Meeres") schmückte, sah sich da Gama schließlich schon nach gut einer Woche gezwungen, das unfreundlich gewordene Pflaster von Calicut zu verlassen. Und die Schwierigkeiten nahmen auch im Verlauf des 16. Jahrhunderts nicht ab, im Gegenteil: Der hier ansässige Hindu-Fürst (den die portugiesischen Quellen zum berühmt-berüchtigten *Samorim von Calicut* verballhornten) entwickelte sich zu einem erbitterten Feind der Portugiesen, und so gab das indische Kolikodu (Kozhikode) ständig zu Zusammenstößen Anlaß.
Über die Verhältnisse in Calicut und seinen „Zamorin" hatten die Portugiesen Georg Christoph Fernberger längst ins Bild gesetzt, doch schon bevor er sich in Konstantinopel auf seine Reise gemacht hatte, dürfte ihm der Ort ein Begriff

gewesen sein, ja, er hatte wohl schon damals ein konkretes Bild davon vor Augen. Gemeinsam mit der Nachricht von da Gamas Erfolg verbreitete sich in Europa nämlich auch der Name der ersten Stadt, mit der in Indien Beziehungen geknüpft wurden, und die Aussicht auf die sagenhaften Schätze Indiens machte Calicut sehr bald zu einem Synonym für die begehrten Produkte, ja geradezu zum Inbegriff des Reichtums. Binnen kürzester Zeit verstanden die Europäer unter „Calicut" mehr als nur eine bestimmte Stadt. So sprach man allgemein von „calikutischen Ländern", „calikutischem Pfeffer", „calikutischen Sitten" und schließlich auch von „calikutischen Leuten", ohne daß dabei im besonderen die Malabarküste, Gewürze aus Calicut, dort übliche Sitten oder dessen autochthone Bevölkerung gemeint waren.

Viel zu sehen bekam Fernberger von Calicut aber nicht. Offenbar hatte der imposante portugiesische Flottenverband vor der feindlichen Stadt nur kurz die Segel gestrichen, denn schon am nächsten Tag sichtete man bereits das rund 80 Kilometer weiter nördlich gelegene Cannanore. Der „Stadt Krischnas" hatten die Portugiesen bereits im Jahr 1505 eine Festung vor die Tore gestellt. Auch hier war das anfänglich gute Einvernehmen verspielt, inzwischen steuerte Cannanore auf Konfrontationskurs, seine Bewohner zeigten sich *„verkommen"* und sein König unterhielt wie der Samorin aus Calicut inoffiziell eine Piratenflotte. Verkannte Tatsachen, Zank und Mißverständnisse führten – anders als in Calicut – in Cannanore allerdings nie zum völligen Zerwürfnis: Der Hafen war schließlich nicht nur einer der großen Umschlagplätze für Pfeffer, Ingwer und Kardamom, sondern auch als Handelszentrum für Edelsteine weithin bekannt.

Auch in Cannanore hielt sich der große Flottenverband, wenn überhaupt, nicht lange auf, denn schon zwei Tage später kam mit Mangalore bereits die nächste Festung in Sicht, wo tatsächlich eine unfreundliche Überraschung wartete: Das Hafenmanöver von einem Kugelhagel abrupt durchkreuzt, formierte sich das Geschwader neu und beantwortete den lautstarken Empfang durch die Truppen des Rajas, der just in diesen Tagen den Aufstand probte, mit ebensolchem Kanonendonner. Bis zum Abend dauerte das Feuergefecht an, dann hatten Pulver und Blei die Situation wieder einmal sehr rasch zugunsten der Portugiesen entschieden. Als der Tag zu Ende ging, hatte auch Georg Christoph Fernberger seine Feuerprobe bestanden, das erste Seegefecht seines Lebens absolviert und auf der Seite der Sieger den Platz verlassen. Konflikte im *Estado* lösten die Portugiesen schon seit ihrem ersten Auftritt im Indischen Ozean gewöhnlich mithilfe ihrer Flotte – unabhängig davon, ob ihre Widersacher sich in Küstenfestungen verschanzt hatten oder über eine ebenbürtige Marine verfügten.

Auf dem Meer schlug sich die Seefahrernation Portugal hervorragend (ganz anders übrigens als an Land – Georg Christoph Fernberger wußte sich darüber mit Julius Caesar im Einvernehmen), offensichtlich kam ein Schiffsdeck ihrer Kampfmoral also entgegen. Außerdem wußten sie die technologische Überlegenheit auf ihrer Seite: Die portugiesischen Schiffe operierten mit Kanonen an

Bord. Schon die ersten portugiesischen Karavellen, die im 15. Jahrhundert an der Westküste Afrikas entlang immer weiter nach Süden vorgedrungen waren, hatten bereits über kleine gegossene Kanonen auf Vorder- und Achterkastell verfügt. Wirkungsvolle Breitseiten aber ließen sich erst plazieren, als man die Schiffsartillerie später beiderseits des Decks an der Reling postierte. Nach der Erfindung der Stückpforten (konisch eingepaßte Klappen in der Bordwand, die auch bei Seegang dicht abschließen) zu Beginn des 16. Jahrhunderts wanderten die Geschütze zuletzt hinunter in den Schiffsbauch auf ein eigenes Batteriedeck.

Den geordneten Rückzug hatte inzwischen auch der portugiesische Flottenverband im Hafen von Mangalore angetreten. Zwar sollte dieses Gefecht erst ein Vorgeplänkel gewesen sein, doch die Aufgabe, den Aufstand niederzuschlagen, fiel nun der portugiesischen Kriegsmarine zu, derer man bereits in der nächsten Flußmündung ansichtig wurde. Nach diesem unverhofften Rendezvous lösten sich das Handelsgeschwader und seine Eskorte wieder vom unmittelbaren Küstenverlauf und gewannen erneut offene See, wo am nächsten Tag die *Ilhéus de Santa Maria* in Sicht kamen. Der Name der Inselgruppe stammte von einem *Padrão*, einem jener steinernen Wappenpfeiler, die die Portugiesen schon auf ihren ersten Fahrten entlang der afrikanischen Küsten an Flußmündungen und Stränden aufgestellt hatten, um ihren Herrschaftsanspruch über das jeweilige Gebiet zu demonstrieren. Der *Padrão* der *Ilhéus de Santa Maria* war der Gottesmutter Maria geweiht und von da Gama nach seiner überstürzten Abreise aus Calicut auf einer der unbewohnten Inseln vor der Küste postiert worden. Am 10. Februar 1590 aber nahm von der damaligen symbolischen Inbesitznahme des Indischen Ozeans niemand mehr Notiz, und kurz darauf waren die Inseln der Heiligen Maria dem Gesichtskreis auch schon wieder entschwunden.

Den nächsten Halt legte der Schiffskonvoi wiederum bei einer portugiesischen Festung ein: Barzelor (Barkur). Hier blieb man von Schwierigkeiten verschont, und auch in der benachbarten Hindustadt Batecala (Bhatkal) konnte sich Georg Christoph Fernberger vollkommen frei bewegen. Nach den Abenteuern der letzten Tage schien man den Landgang als willkommene Abwechslung zu begrüßen: Fernberger besann sich auf seine Rolle als Tourist in fernem Land und sammelte während des zweitägigen Aufenthaltes neue Einblicke in die Welt der „Heiden“. Die Stadtbesichtigung begann am großen Tempel. Schon in Negapatam hatte sich Fernberger im dortigen Heiligtum umgesehen, war aber schließlich (ungeachtet seiner „Bitten“ und der nachfolgenden Bestechungsversuche) des Hauses verwiesen worden. Hier allerdings schien ihm niemand den Blick auf die *„vielen wundersamen Dinge“* verwehren zu wollen.

Nach dem Anstieg zur erhöhten Plattform, auf der der eigentliche Tempelturm ruhte, wandte sich der Besucher zwischen Prozessionskorridoren und Vorhallen, vorbei an Nebentempelchen und rituellen Badeteichen und unter riesigen Eingangstoren hindurch zum Zentrum der Anlage. Außen wie innen lösten sich die Wände bis hinauf zur Kuppel in Nischen, Arkaden, Balkone, Türmchen und Säulen auf, geziert mit Scharen von Götterstatuen, mythologischen Reliefs und zarten Ornamenten. Der Blick dessen, der noch weiter vordrang, erhaschte im Innenraum mehr als zehn Meter hohe figurale Leuchter und Prozessionsbilder aus Bronze, bis er endlich auf dem stets schlicht gehaltenen Allerheiligsten ruhte: ein Götterbild (meist aus Gold und mit Juwelen besetzt) mit *„dem ewigen heiligen Feuer"*.

Konfrontiert mit einer fremden Wirklichkeit, erlaubten vertraute Begriffe, die Brücke zum Verständnis zu schlagen, ebenso wie sich damit eine Lösung bot, ihrer auch sprachlich Herr zu werden: So drängte sich Georg Christoph Fernberger hier der Rückgriff auf das „Ewige Licht", das in christlichen Kirchen zum Zeichen der Gegenwart des Herrn ununterbrochen vor jedem Tabernakel brennt, geradezu auf, genauso wie andere Reisende (egal ob in der islamischen oder hinduistischen Welt unterwegs) ihre Analogien in „Kapelle", „Tabernakel" oder „Priester" fanden. Andere Optionen, dem Problem des fehlenden Vokabulars beizukommen, bestanden darin, sich autochthone Begriffe anzueignen (und in Lautstand und Endung anzugleichen) oder sich wortschöpferisch zu betätigen.

Mühsam erarbeitet wollte das Verständnis ohnehin generell sein, unabhängig davon, ob manchmal eine Rückbindung auf Vertrautes erhellend dazu beitragen konnte oder nicht. Angesichts von „Heiligen Kühen" und Götterstandbildern in Gestalt von Rindern mußte der Zugang über sprachliche Analogien versagen – ein anderer aber fand sich oft ebensowenig. Duldsam gegenüber der unheiligen Neugierde eines Fremden versuchte sich mancher Einheimische zwar in Erklärungen, doch riß er dabei für jedes Loch, das er leidlich zu stopfen vermochte, ein neues auf. So unterstellte etwa Georg Christoph Fernberger, nachdem ihm die Bedeutung der Kuh zumindest einigermaßen begreiflich gemacht werden konnte, dem Hinduismus einen religionsstiftenden „Propheten".

Vollständig unbegreiflich war dem christlichen Reisenden aus der Alten Welt die starke erotische Komponente des hier beheimateten „heidnischen" Kultes: Pikiert registrierte man die gewagten Szenen der Tempelreliefs und befand die dargestellten Techniken „obszön" und äußerst „schamlos". Für Georg Christoph Fernberger reimte sich die zentrale Bedeutung von Phalloi (in unrealistischen Proportionen) wiederum alleine auf einen antiken Fruchtbarkeitskult, womit die anstößigen Einzelheiten zu Reverenzbezeugungen für den griechischen Gott Priapos gediehen und die Schar der *devadasi*, ihres für den hinduistischen Tempelbesucher traditionellen Status als „Glücksbringerinnen" verlustig gegangen, zu gewöhnlichen „Freudenmädchen" verkamen.

Der bemerkenswerte Ausflug in die spirituelle Welt der „Heiden" endete am 13. Februar 1590: Georg Christoph Fernberger begab sich wieder zurück an Bord seines Schiffes und segelte weiter die Küste entlang nach Norden. Vorbei am nächsten Handelshafen namens Onor (Honavar) im Besitz einer *Rainha da Pimenta* („Pfefferkönigin"), wo hauptsächlich Pfeffer aus dem Umland verkauft wurde.

Unversehens nahm die Fahrt am Abend des nächsten Tages ein Ende: Fernberger war wiederum in Goa gelandet, das er vor (beinahe auf den Tag genau) fünf Monaten so überstürzt verlassen hatte. Doch verglichen mit den aufregenden letzten Wochen schien auch die glanzvollste Metropole im *Estado da Índia* vollkommen reizlos – das „Goldene Goa" verkam zur Zwischenlandung. Zehn Tage blieb Fernberger diesmal. Zehn Tage, so eintönig und ereignislos verlaufen, daß weder Stadt noch Zeitvertreib zu einem Eintrag ins Reisetagebuch verlockten. In der absolvierten Küstenkreuzfahrt hingegen hatte Georg Christoph Fernberger anscheinend seinen idealen Reisetypus gefunden, wo im Tagesrhythmus kurzweilig mit neuen Erlebnissen aufgewartet wurde – Häfen, Menschen, Waren, Gefechten und Geschichten. Eine gelungene Inszenierung, die nun wohl prolongiert werden sollte.

Ein neues Reiseziel war schnell formuliert (*„die großen portugiesischen Niederlassungen im Nordwesten"*), so fehlte nur mehr das entsprechende Schiff. Wie immer löste Fernberger das Problem im Handumdrehen. Die Flotte, die er ins Auge faßte, sollte schon am 25. Februar *„in Richtung Indus"* auslaufen. Großartige Metropolen oder Häfen waren von dieser neuerlichen Küstenkreuzfahrt allerdings nicht zu erhoffen, denn mit Cochin, Calicut und Goa hatte Fernberger die Höhepunkte der Malabarküste bereits in Augenschein genommen – doch es war vermutlich vor allem die Fahrt selbst, die verheißungsvoll erschien.

Als die Schiffe zum vereinbarten Termin ausliefen, stand Fernberger allerdings am Kai: Unruhig und ungeduldig sah er zu, wie die Strömung sie langsam dem offenen Meer entgegentrug. Das Problem war im Grunde leicht zu beheben (für „seine" Galeere hatte man nicht genug Ruderer anheuern können, und erst zwei Tage später war die Mannschaft komplett), doch gingen damit Schwierigkeiten einher: Fernberger wägte ab, ob er sich auf einem einzelnen Schiff womöglich einer Flotte von Piraten ausliefern wollte oder eher seine Pläne ändern, die Abfahrt verschieben und damit riskieren sollte, unter Umständen nicht mehr in dieser Segelsaison nach Hormuz zurückzugelangen. Der Entschluß, der Gefahr zu trotzen, war eines wahren Edelmannes würdig, und so ging Fernberger, wild entschlossen, diese Fahrt zu wagen und seine letzte Kreuzfahrt im Indischen Ozean zu genießen, am 27. Februar 1590 in Goa an Bord. Sich der *„Barmherzigkeit des allmächtigen Gottes"* anvertrauend und neben dem Vergnügungsprogramm vorsichtshalber auch in Aussicht nehmend, *„wenn ein überlegener Feind sich uns in den Weg stellte, mit geblähten Segeln zu fliehen, wohin der Wind uns trieb ..."*.

Zunächst trieb der Wind die Galeere nur an unbewohnten Inseln vorbei, doch schon am nächsten Tag gab es – genauso wie Fernberger wohl gehofft hatte – belebtes Terrain mit neuen Besonderheiten zu besichtigen: *Pagodo dos Bequeros* hieß jenes direkt an der Küste errichtete hinduistische Heiligtum. Mit diesem Shiva-Tempel aus dem 5. Jahrhundert hatte Fernberger unvermutet den wichtigsten (weil besterhaltenen) Tempel der Gupta-Periode vor Augen, der dem islamischen Bildersturm nur aufgrund seiner exponierten Lage nicht zum Opfer gefallen war. Als Touristenattraktion hat der Tempel von Koon-

keshwar deshalb auch die vier folgenden Jahrhunderte mühelos überdauert.
Dem *„Götzen“* auf den Fuß folgten *„viele Pfaue und Affen“* im Hinterland des nächsten Hafens, ein Wal auf hoher See und drei Tage später ein mächtiges Fort an der Küste. Eine Festung der Gegenseite übrigens, aber obwohl von einer unrühmlichen Vergangenheit belastet (allzeit listig hatten sich die Portugiesen hier selbst überlisten lassen und waren *„in ruchlosester Weise“* zu Opfern einer tödlichen Falle geworden), war das Verhältnis zwischen dem Fürsten von Dabul (Dabhol) und den Portugiesen inzwischen ungetrübt und friedlich. Als die Galeere mit Georg Christoph Fernberger an Bord den Ort des Verbrechens wieder verließ, ließ sie gleichzeitig das Territorium von Bijapur und seines mächtigen islamischen Herrschers hinter sich.
Auf Fernbergers Reise in den Norden war inzwischen ein weiterer Tag zu Ende gegangen, und seine Galeere ankerte nun in den Hoheitsgewässern von Abdeneger (Ahmadnagar), dem unmittelbaren Nachbarn von Bijapur. Doch nicht lange, nachdem sich eine dunstige Neumondnacht über die Bucht von Zifardan (Srivardhan) gesenkt hatte, kam plötzlich Bewegung in die Wache: Ein weiteres Schiff lief unter geblähten Segeln den Hafen an, drehte bei und ging ebenfalls vor Anker. Ohne Zweifel eine feindliche Galeere – denn portugiesische Schiffe trieben hier keinen Handel und wären nur im Fall einer Flaute so dicht unter die Küste gegangen – vermutlich obendrein ein Piratenschiff, konstatierte man an der portugiesischen Front. Noch blieb es auch auf der gegnerischen Seite ruhig, die beiden Galeeren schaukelten kaum auf Sichtweite entfernt friedlich in den Wellen. Sollte es zu einem Kampf kommen, würde man ohne Zweifel unterliegen, denn auf den feindlichen Schiffen pflegten auch die Ruderer wakkere Soldaten zu sein, von denen im Kampf jeder seinen Mann stand – die Ruderer auf den portugiesischen Schiffen waren hingegen angemietete Einheimische, die im Fall des Falles keinen Finger rührten. Deshalb kamen die hektischen Beratungen auf Georg Christoph Fernbergers Schiff zu dem Ergebnis, lieber *„unser Heil eher in einer ehrenvollen Flucht zu suchen, als sinnlos zu kämpfen und geradewegs alle umzukommen“*.

Was das „Ehrenvolle“ dieser Entscheidung betraf, verschob man die Diskussion auf einen geeigneteren Zeitpunkt, wichtig war im Moment nur, ungesehen (womöglich war man in der stockdunklen Nacht ja überhaupt noch nicht erspäht worden) den Hafen zu verlassen. Dicht unter Land schlich sich die Galeere daraufhin lautlos aus der gefährlich gewordenen Bucht und entkam aufs offene Meer. Doch selbst bei Tageslicht besehen war die Gefahr noch nicht gebannt: Auch in den beiden Häfen, die man in den folgenden Tagen ansteuerte, hatten jeweils früh morgens noch Piratenschiffe Anker gelichtet. Von *„Gott in seiner Barmherzigkeit wunderbarerweise aus der Hand von Piraten* [befreit]*“* und einem schrecklichen Los entkommen, erreichte die Galeere nach diesen Abenteuern am 8. März 1590 endlich wieder *„eine durch feste Posten der Portugiesen gesicherte Stadt“*: Chaul.
Chaul lag an der Mündung des Kundalika-Flusses im Schutz eines mächtigen Forts, das die Portugiesen bereits im

Jahr 1521 errichtet hatten. Im ausgehenden 16. Jahrhundert zählte Chaul zu den wirtschaftlich bedeutendsten Handelsstädten an der indischen Westküste und galt als Tor zu allen wichtigen Häfen im nördlichen Arabischen Meer: Mekka, Maskat und Hormuz ebenso wie Sind, Cambay und Diu. In den 20er Jahren des 17. Jahrhunderts setzte der Niedergang der Stadt ein, im Gegenzug stieg nun das nördlich gelegene Bombay auf.

Offensichtlich hatte die einzelne Galeere, mit der Georg Christoph Fernberger in Chaul gelandet war, hier wieder Anschluß an ihr ursprüngliches Geschwader gefunden, denn nach zwei Tagen lief sie in einem siebzehn Schiffe umfassenden Verband erneut in Richtung Norden aus. Noch am selben Tag, am 10. März 1590, segelte man an Bombay vorbei. Von der heutigen Millionenstadt war noch nichts zu sehen: Der portugiesische Stützpunkt Bombaim, im Jahr 1534 dem Sultan von Gujarat abgetrotzt, bestand lediglich aus sieben Inseln, zwischen denen sich bei Ebbe malariaverseuchte Sümpfe ausbreiteten und dessen ungesundes Klima noch im 17. Jahrhundert sprichwörtlich war. Weitaus anregender hingegen stellte sich zwei Tage später der Besuch von Bassein dar, das den Portugiesen zugleich mit Bombay übergeben worden war und sich seitdem einer Blütezeit erfreute: Der Handel brachte unermeßlichen Reichtum, und die vielen portugiesischen *fidalgos*, die sich hier auf Landgütern niedergelassen hatten, machten Bassein im *Estado da Índia* faktisch zur „Residenz des Nordens". Augenblicklich sah sich diese erlauchte Gesellschaft noch um einen Ehrengast vermehrt, denn der Gouverneur von Portugiesisch-Indien selbst hielt sich – auf Inspektionstour durch die nördlichen Gebiete – im Moment gerade in Bassein auf. Für Georg Christoph Fernberger nicht unbedingt erfreulich, verhängte man doch sofort entsprechende Sicherheitsvorschriften: Nachdem die Kapitäne ihren Mannschaften strikt jeden Landgang verboten hatten, erhaschte Fernberger seine Eindrücke von Basseins Villen und Werften daher wieder einmal nur vom Schiffsdeck aus. Werften deshalb, weil die Hochburg der lusitanischen Edelleute überdies ein Zentrum der portugiesischen Schiffsbauindustrie war: Hand in Hand mit dem Aufbau des Überseeimperiums hatten die Portugiesen gleichermaßen für eine entsprechende Flottenpräsenz im Indischen Ozean gesorgt, doch einzig und allein Schiffe aus dem Mutterland abzuziehen, hätte die Ressourcen der noch kleinen Seemacht Portugal völlig ausgeblutet. Daher begann man, die Indienflotte wenigstens zum Teil einfach vor Ort in Werften an der Malabarküste zu bauen. Neben solchen strategischen Überlegungen sprachen für einen portugiesischen Schiffsbau in Indien die reichen Teakvorkommen im Hinterland der Küste, und bestes Takelgut lieferte außerdem die Bastschicht der allgegenwärtigen Kokosnüsse. So liefen im 16. Jahrhundert in diesen Werften nicht nur billig erzeugte hochseetaugliche Schiffe von bester Qualität, sondern auch die größten Galeonen der damaligen Welt vom Stapel.

Da Bassein ausschließlich dem portugiesischen Vizekönig huldigte, lichtete die Flotte der siebzehn Galeeren noch in der Nacht die Anker, um bereits am nächsten Morgen den portugiesischen

Stützpunkt Dahanu am Eingang zum Golf von Cambaia anzulaufen. Das kleine Provinzstädtchen geizte im Gegensatz zu Bassein nicht mit seinen Reizen, konnte allerdings auch nicht mit einer so massiven Konzentration an blauem Blut aufwarten. Im Ausgleich dazu aber bot es zumindest einen Sprößling der portugiesischen Hocharistokratie auf, der in der unmittelbaren Vergangenheit des *Estado da Índia* eine herausragende Rolle gespielt hatte. Kurz: eine ruhmreiche Geschichte, in der Mut, Tapferkeit und Heldentum der Portugiesen in Indien verherrlicht wurden. Die handelnden Personen des Dramoletts waren: ein schneidiger Fidalgo und seine liebreizende Ehefrau Joana. Der Ort: deren feudales Haus in Dahanu. Die Umstände: Kriegszustand mit dem Mogulreich. Das wehrhafte Anwesen war schon seit längerem von den Moslems belagert worden, Hilfe war nicht in Sicht. Schließlich sah der Hausherr keinen Ausweg mehr und beschloß, zu kapitulieren. Da schritt die Dame des Hauses ein und übernahm kurzerhand das Kommando: Sie schalt die „Kleinmütigkeit" ihres Ehemannes, gab statt dessen die Parole „Widerstand ‚*bis zum letzten Atemzug*'" aus und griff selbst zu den Waffen, unterstützt vom gesamten weiblichen Hauspersonal. Als Kanonenkugeln und Brandgeschoße die moslemischen Angreifer schließlich in die Flucht geschlagen hatten, war der Mann zur *persona non grata* degradiert, „*Dona Joana*" hingegen eine Berühmtheit: Selbst die „*Geschäfte ihres Gatten und alle seine Schiffe* [liefen] *nur unter dem Namen seiner Frau*". Kein Wunder, daß man sich – offenbar auch gegenüber Georg Christoph Fernberger – über den Namen ihres Ehegatten fortan in Schweigen hüllte.

So interessant wie Dahanu war auch das im Norden benachbarte Daman – seit 1559 dem *Estado da Índia* einverleibt und daher eine der „neuen" Besitzungen – doch schon nach kurzem Aufenthalt stach die Flotte anscheinend wieder in See.

So ging die Fahrt nach Norden zügig voran und schon zwei Tage später, am 16. März 1590, kam an der Küste eine weitere Stadt in Sicht: Surat lag an der Mündung der Tapti, verfügte über einen günstigen Hafen und war ebenfalls einst Teil des portugiesischen Überseeimperiums gewesen. Doch auch in der zweiten Hälfte des 16. Jahrhunderts fluktuierten die Grenzen des *Estado da Índia*, und so wie Daman gewonnen werden konnte, ging Surat wenig später verloren. Seit 1573 zählte es zu den Besitzungen des Großmoguls und wikkelte inzwischen neben dem bedeutenden Handel auch den Verkehr der pilgerwilligen Moslems gen Mekka ab. Unbemerkt war Fernberger auf hoher See erneut in die Hoheitsgewässer des Mogulreiches übergewechselt. Trotzdem herrschte schon am folgenden Tag im nächsten Hafen wieder freundlicheres Klima, und nach der kleinen Ansiedlung namens Gandar (Ghundar) erreichte die Flotte schließlich tags darauf den wichtigsten Hafen im Golf von Cambaia: Khambhat.

Cambaia, wie sie die Portugiesen nannten, war die reiche Hauptstadt des Fürstentums Cambay im Königreich von Gujarat und besaß eine außergewöhnliche Strahlkraft: So verstand man unter „Cambay" damals in der Regel auch ganz Gujarat. Seit den frühen 70er Jah-

ren des 16. Jahrhunderts gehörte dieses Königreich zum Reich der Großmoguln, die in dessen Residenzstadt Ahmadabad einen Statthalter installiert hatten und natürlich auch an den in Cambaia erhobenen Handelszöllen mitnaschten. Die einträglichen Geschäfte selbst wurden am Marktplatz von Cambaia getätigt: ein Ort, *„mit keinem* [anderen] *in Indien vergleichbar“*. Die umgeschlagenen Waren stammten aus China, Indien, Arabien und Afrika; Cambay selbst war berühmt für seine Kunsthandwerksprodukte (insbesondere Schnitzereien aus dem gelb-orange-roten Schmuckstein Karneol), Edelsteine, Stoffe, Indigo, Baumwollmützen und bemalte Tücher, die in Europa als Stofftapeten begehrt waren.
Wenn sich Abend für Abend die Kaufleute zwischen den rund dreihundert Marktständen einfanden, tätigten sie ihre Geschäfte unter Vermittlung von freiberuflichen Maklern bis spät in die Nacht hinein. Die Möglichkeiten, seine Waren zu Geld und binnen kürzester Zeit ein Vermögen zu machen, schienen in Cambaia unbegrenzt, ja der Traum jedes Kaufmannes erfüllte sich hier wohl *„ohne jegliche Mühe oder Beschwerlichkeit“*. Dem staunenden Besucher gingen angesichts der angehäuften und aufgestapelten Schätze die Augen über – und wer als reiner Schaulustiger seine Kreise zog, malte sich so das Paradies der Händler und Kaufleute aus.
Fasziniert von dieser Kulisse schlug Georg Christoph Fernberger in Cambaia neue Töne an: Geblendet von Schätzen, Reichtümern und Gewinnspannen hatte sich auch im Bewußtsein der Zeitgenossen Indien oftmals nur als eine „europäische Schatzkammer“ eingegraben, reduziert auf seinen Überfluß an Gewürzen und Edelsteinen als Ressourcen für die Alte Welt – ein einziges großes, überquellendes Warenlager. Und obwohl die Beteiligung der oberdeutschen Handelshäuser, wie der Welser und Fugger, nie von Staats wegen Unterstützung erfahren hatte oder gar koloniale Aktivitäten im Spiel waren, schwappte diese „Selbstbedienungseuphorie“ auch auf deutsche Reisende über und zwar seit dem 16. Jahrhundert immer regelmäßiger und nachdrücklicher.
Eine der vielen Gelegenheiten, Wohlstand und Besitz der Bewohner der Stadt tauglich zur Schau zu stellen, ergab sich in der letzten Märzwoche des Jahres 1590, als ein Fest in den Straßen Cambaias abgehalten wurde. Im bunten Treiben sollte Georg Christoph Fernberger nachhaltige Eindrücke sammeln: Über die Festtagskultur im allgemeinen und deren materialistische Manifestationen im besonderen. Vor allem anderen aber *„gefiel es mir ..., das Aussehen und den Schmuck der Frauen dieses Landes zu betrachten. Denn bei den Männern kann man außer dem turbangeschmückten Kopf ... und der Kleidung aus wertvollstem Leinen nichts, was auf Luxus hinweist, erblicken. Die Frauen aber schritten beladen mit Gold und Silber, Edelsteinen und Perlen am ganzen Körper, an Haaren, Ohren, Nase, Hals, Armen, Fingern, Füßen und Zehen einher, und waren in Seidengewänder mit so lebendigen Farben gekleidet, daß ich mir wünschte, wenn schon von nichts anderem, so doch wenigstens hiervon ein Bild als Erinnerung an diesen eitlen Prunk zu besitzen“*. Ein Bild so bunt und farbenfroh, daß selbst eine abendländische Hofsoirée damit nicht wetteifern konnte. Nicht nur, daß den Europäern die

Leuchtkraft der Farben unübertroffen schien (und sie kolportierten, die Tönungen würden durch oftmaliges Waschen nicht verbleichen, sondern im Gegenteil nur immer frischer erscheinen) – auch an das Spektrum der Farbenpracht war das abendländische Auge kaum gewöhnt.

Eine ganze Woche hatte sich Georg Christoph Fernberger inzwischen den Reizen des faszinierenden Cambaia ergeben. Der Versuchung, in den äußersten Westen Indiens, zum Indus, vorzudringen (hinter Cambay schloß in diese Richtung nur mehr das ebenfalls zum Territorium der Moguln zählende Reich Dulcinde bzw. Sindi an) war er dabei allerdings nicht erlegen. Obwohl ein heftiges Begehren, nach dem Ganges auch den nicht minder berühmten Indus zu inspizieren, nicht unbedingt untypisch für Fernberger gewesen wäre. Vielleicht fehlte es ihm auch gar nicht am Wunsch, sondern an der Möglichkeit: Schließlich steuerte zwar jedes Jahr eine habgierige Schar von venezianischen Kaufleuten die Indusmündung an, die geschäftstüchtigen Portugiesen jedoch suchten ihr Glück seit jeher anderswo.

So ging es, nachdem Fernbergers Schiff die Bucht von Cambay glücklich achteraus gebracht hatte, planmäßig weiter zum letzten Hafen dieser Fahrt, der als Sprungbrett für die Heimreise dienen sollte: Diu. Die Festung der Portugiesen auf der kleinen Insel galt als deren wichtigstes Bollwerk im nordwestlichen Indik – unbeeindruckt davon unterhielt die Gegenseite dennoch nur drei Tagesreisen entfernt ein berüchtigtes Piratenschlupfloch. Dank starker portugiesischer Flottenpräsenz sollte Georg Christoph Fernberger das Kastell dieser *„Mauren“* jedoch ebenso unbehelligt passieren wie zuvor Goga (Gogo), eine *„Stadt der Heiden“*, und danach die einsame Küste der Halbinsel Kathiawar.

Direkt vor ihrer Südspitze endlich lag das berühmte Diu. Eine kleine Insel, ein Leuchtturm, ein sicherer Hafen, eine Festungsstadt. So näherte man sich Diu als unbedarfter Besucher. Kaufleute hingegen richteten ihr Augenmerk auf seine günstige Lage und den regen Warenumschlag und für die Portugiesen wiederum war Diu Fels und Fundament ihres *Estado da Índia*: Sicher und tragfähig gleich dem direkt ins Gestein gehauenen Sockel seines Kastells. Seit 55 Jahren bauten die Portugiesen inzwischen auf Diu, zuvor allerdings hatten sie jahrelang erfolglos versucht, in dieser strategisch wichtigen Region Fuß zu fassen.

Die Festungsstadt lieferte offensichtlich wenig Anlaß zu Gesprächsstoff: Und so tat Fernberger in Diu nichts weiter als seinen Entschluß kund, die Heimreise anzutreten. Er erklärte sein indisches Abenteuer für beendet, Hormuz zum nächsten Reiseziel und legte die weitere Route mit *„über Persien nach Aleppo und ins Heilige Land und von da so schnell wie möglich nach Konstantinopel zurück“* fest. Zwar war Fernberger nach einem fast achtmonatigen Aufenthalt im verlockenden *Estado da Índia* nun tatsächlich willens, sich auf die Rückfahrt zu begeben – doch der Weg war weit: Und ein neugieriger und unternehmungslustiger Mann durfte wohl die Hoffnung hegen, daß auch künftig kurzweilige Vergnügungen, unplanmäßige Abstecher und Zerstreuungen aller Art auf ihn warteten.

8. Kapitel

Neue Pläne

Über Georg Christoph Fernbergers Zukunftsplänen war es längst April geworden. Schon stand die Karwoche bevor, Ostern rückte näher. Doch bevor am Sonntagmorgen des 22. April 1590 die Auferstehung von Jesus Christus verkündet wurde, hatte sich Fernberger schon von Diu losgesagt: Sein Schiff war am Vorabend ausgelaufen.

Schnell wurde die Erinnerung an den mehr als dreiwöchigen Landaufenthalt vom neuen Bordalltag verdrängt. Wenige Tage und etliche Léguas von Diu entfernt wartete die ruhige See im Arabischen Meer wieder mit bemerkenswerten maritimen Erfahrungen auf: Ein Wal ließ sich blicken, aber anders als das Exemplar, das sich zwei Monate zuvor kurzfristig gezeigt hatte, sprühte es *„aus einer Öffnung an der Oberseite seines Körpers eine gewaltige Menge Wasser hoch in die Luft"*. Ansonsten verlockte das Tier zu keinem weiteren Kommentar. Wenig mitteilsam zeigte sich Georg Christoph Fernberger auch im Hinblick auf jene weiteren, nicht näher definierten *„anderen gewaltigen Ungeheuer"*, die sich jetzt im Verein mit dem einsamen Wal auf der Bildfläche tummelten. Drei dürre Worte, die nur einen sehr matten Beitrag zum Thema „Monstren der Meere" abgaben. Schließlich überboten sich zur selben Zeit die Reiseberichte förmlich darin, die Tiefen der Ozeane – gleich den endlosen Weiten der Kontinente – mit wundersamen Kreaturen zu füllen. Hinsichtlich Größe und

Vielgestaltigkeit wurden den Meeresungeheuern nur von der Phantasie des jeweiligen Schreibers Grenzen gesetzt, und so war man stets darauf gefaßt, in der Dünung schreckenerregende Riesenfische (Wale), fabelhafte Riesenseeschlangen (die schon seit der Antike zum Inventar der Seefahrerlegenden gehörten) und furchtbare Riesenkraken (die im 18. Jahrhundert schließlich zu unübertroffener Beliebtheit unter den tierischen Meeresdämonen gelangen sollten) zu erspähen.

Über die Gestalt der Seeungeheuer hatte man sich schnell verständigt, und auch wer noch nie eines dieser grauenhaften Tiere zu Gesicht bekommen hatte, war sich grundsätzlich über ihr Aussehen im Klaren: Schließlich füllten Kartenstecher damit bereitwillig die riesigen blauen Flächen der neuentdeckten Ozeane. Später verloren sich die Meeresungeheuer an den Kartensaum der Blätter, gemeinsam mit Darstellungen historischer Schiffskatastrophen, die man ihnen – oder dem sagenhaften Magnetberg – zuschrieb, den pausbäckigen Windbläsern und vergleichsweise simplen ornamentalen Verzierungen.

An Bord des Schiffes, das Georg Christoph Fernberger nun gegen Hormuz trug, waren inzwischen nicht mehr die Meeresungeheuer für bange Mienen verantwortlich, sondern deren am Kartenrand postierte Gefährten, die Aquilonen: personifizierte Winde aus Nordost, mit denen man eigentlich zu segeln gedacht hatte. Der Sommermonsun hatte Fernberger im September des vergangenen Jahres nach Indien geführt; um es wieder zu verlassen, hatte er sich dem Wintermonsun anvertraut, der von Ende Oktober bis April die Schiffe wieder zurück an die arabische und afrikanische Küste trieb. Doch wie schon bei seiner ersten Überfahrt war auch diesmal die günstigste Reisezeit längst vorüber, und anstelle des beständigen Zuges aus Nordost trat Ende April gewöhnlich eine instabile Wetterphase mit drehenden Winden und Flautenschüben. Anders als zu Beginn der Monsun-Saison veranschlagten erfahrene Seeleute nun nicht mehr zwischen 20 und 25 Tage für die Überfahrt nach Hormuz, sondern bereits 50 Etmale – bisweilen ließ sich die Fahrt auch binnen zwei Monaten kaum bewerkstelligen. Erfahrungsgemäß war dabei trotz Westkurs auf jeden Fall mit einer immensen Abtrift nach Süden zu rechnen, und so segelte auch Georg Christoph Fernberger inzwischen längst nicht mehr dem Persischen Golf, sondern der ostafrikanischen Küste entgegen.

Zweiundvierzig Tage lang hielt das Wetter, die Strömung über dem Arabischen Meer blieb konstant, die Luft heiß und trocken. Als aktuelle Schiffshöhe hatte der Steuermann nunmehr den dritten nördlichen Breitengrad bestimmt. Wasserschlangen, Vögel und *„andere Anzeichen"* kündeten schon nahes Land an, und man machte sich bereit, in Kürze vor der äthiopischen Küste vor Anker zu gehen, da blieb das Schiff plötzlich in einer zähen Flaute hängen.

Eine große *Calmaria* zerrte gewöhnlich ebenso an den Nerven der Schiffsbesatzung wie ein gewaltiger Seesturm: Wenn auch nur der leiseste Windhauch fehlte, wurde es – insbesondere in Äquatornähe – unerträglich heiß an Bord. Senkrecht brannte die Sonne unablässig nieder, und auch wenn auf den portugiesi-

schen Ostindienschiffen in diesem Fall das gesamte Deck mit weißen Tüchern überspannt wurde, war die Hitze selbst unter diesem Sonnenschutz kaum auszuhalten.
Bleischwer und zäh lagen nun Langeweile und Gluthitze auf dem Schiff. Und mit jedem Tag wurde die Situation gefährlicher: Setzte in dieser Phase der gegenläufige Sommermonsun mit voller Kraft ein, bestand keine Hoffnung mehr, die Reise auch zu beenden. Kein noch so schnelles oder großes Schiff vermochte gegen die stürmischen Südwestwinde anzusteuern, und so unberechenbar die Verhältnisse zuvor gewesen waren, so vorhersagbar waren nun die Folgen. Von entschiedener Hand unweigerlich an die indische Küste zurückgetrieben, würde man dort unversehens in die Sturmsaison im Juni geraten und entweder am Meeresgrund oder (heil durch alle Orkane des Arabischen Meeres gekommen) bis auf drei Ausnahmen alle Häfen der Jahreszeit gemäß versandet vorfinden und daher zwangsläufig in einem Schiffbruch enden. Strandete man in den beiden offenen Häfen auf feindlichem Terrain, war auch in diesem Fall jede Überlebenschance zunichte gemacht.
Folglich schien Georg Christoph Fernbergers Schicksal besiegelt, als sich zu Neumond der Sommermonsun mit einem kräftigen Lebenszeichen zurückmeldete. Unter bangen Blicken fügten sich die Seeleute und drehten ihr Schiff vor den Wind. Während nun kräftige Böen die Segel blähten, sank die Stimmung an Bord ins Bodenlose: Abwechselnd tobende Monsunstürme und das feindliche Calicut („*wo dann der Angriff der Feinde vernichtet, was die Wut des Meeres übrigließ*") vor Augen, „*machten* [wir] *uns unter Tränen für beide Todesarten bereit*". Doch noch bevor man – in Calicut oder anderswo – zu sterben gedachte, lernte man zunächst den Indischen Ozean von seiner schlimmsten Seite kennen: „*Neun Tage und Nächte segelten wir und ertrugen so grauenhafte Stürme, daß wir immer wieder dachten, es sei um unser Leben geschehen. Schließlich waren die Segel zerrissen, die Rahen gebrochen, der Hauptmast geknickt, die meisten unserer Waren ins Meer geworfen und die übrigen von den reichlichen Regenfällen durchnäßt und verdorben.*"
Göttlichen Beistand für Schiff und Seelen zu erbitten, mußte jetzt als allerletzte Zuflucht erscheinen: Doch während die Seeleute im Mittelmeer Reliquien in die schäumenden Wogen warfen, um ihre flehentlichen Gebete zu unterstreichen, konzentrierte sich auf portugiesischen Schiffen die Mannschaft auf die Stimme eines einzelnen Mannes. Inmitten des tosenden Lärmes von Wind und Wellen wurde es völlig still an Deck, bevor der Schiffsgeistliche (oder der Kapitän) nun die Bibel aufschlug und den Prolog des Johannes-Evangeliums verlas. Schließlich war gerade diese Bibelstelle (als Bestandteil des rituellen Exorzismus) auch auf hoher See wie keine zweite geeignet, bedrohliche Dämonen auszutreiben.
Jenes Schiff, das zwischen Mai und Juni 1590 vom Regen in die Traufe geraten war und sich nach der Flaute nun inmitten des Orkans wiederfand, erhielt die erbetene Unterstützung von allerhöchster Seite. Erfolgversprechende Dienste für Seeleute in Not boten auch etliche Heilige an: In Italien, Frankreich, Spanien und Portugal wandte man sich da-

bei vor allem an den heiligen Erasmus, der sich gern als tanzende Lichterscheinung (Elmsfeuer) auf den Masttopps zeigte. Sankt Brandan, den irischen Abt, der selbst übers Meer gefahren war, hielt man in Nordeuropa hoch; auf holländischen Schiffen schwor man dagegen auf die Heilige Gertrud von Brabant, die ehemalige Äbtissin aus dem Kloster von Nivelles, die sich auch bei Ratten- und Mäuseplagen als hilfreich erwiesen hatte. Und seit dem späten 16. Jahrhundert reihte sich auch der selige Asienmissionar Franz Xaver in diese Liste der Schutzheiligen ein: als Helfer für alle, die das Kap der Guten Hoffnung umfahren mußten.

Just am Tag des mustergültigen Nothelfers Veit, der rund vierzig Patronate betreute und unter anderem bei Blitz, Unwetter und Hysterie Beistand zu leisten vermochte, hatte der Himmel schließlich ein Einsehen mit den geprüften Seelen: Am betreffenden 15. Juli des Jahres 1590 flaute der Orkan ab, und geschoben von leichten Westwinden hielt Fernbergers Schiff geradewegs auf eine breite Flußmündung zu. *„Dort liefen wir ... ein und waren gerettet."* Eine Hoffnung, die vermutlich auch durch eine Sicherheitspeilung des Steuermannes genährt worden war, denn als kurz darauf der Anker auf Grund ging, hatte man im Reich Bijapur Zuflucht gefunden: auf portugiesenfreundlichem Territorium und nur knapp nördlich von Goa.

Georg Christoph Fernberger, gezeichnet von Todesangst und Seekrankheit, hatte Mühe, sein Glück zu fassen: *„Es ist unmöglich, zu beschreiben, wie groß unser aller Freude war, da wir uns aus zweifacher Todesgefahr befreit, gleichsam wiedergeboren und in einem friedlichen Gebiet gelandet sahen"*. Ebenso groß aber war im Anschluß daran die Aufregung der folgenden Nacht, als zeitgleich mit dem Gezeitenstrom erneut Sturmböen aufkamen. Dem Zug hielten die Ankertrossen nicht lange stand, sie slippten, und das Schiff drohte mitsamt der sich eben noch wundersam gerettet geglaubten Besatzung an den nahen Klippen zu zerschellen. Nur mithilfe eines Notankers ließ sich die Trift bremsen, und an einen geschützteren Ankerplatz weiter flußaufwärts verholt und sicher vertäut, erwartete die abgekämpfte Mannschaft schließlich den nächsten Morgen. Die sichere Rückreise aber lag für Georg Christoph Fernberger jetzt mehr denn je außer Reichweite.

In unmittelbarer Nähe hingegen lag gegenwärtig drei Léguas flußaufwärts die Stadt Karapatan (Kharepatan). Fernberger legte die Strecke in einem kleinen Boot zurück und erholte sich fürs erste einmal von den *„vergangenen Katastrophen"*. Nun bot sein Zufluchtsort zwar sicheren Unterschlupf, doch kein portugiesisches Quartier: In Karapatan lebten ausschließlich Hindus und Moslems. Völlig ermattet von Sturm und Seekrankheit und den ausgestandenen Mühen und Strapazen hatte sich Fernberger deshalb gezwungen gesehen, sich hier zum ersten Mal während seines Aufenthaltes in Indien einem einheimischen Gastgeber anzuvertrauen. Zutiefst dankbar ob der freundlichen und gastlichen Aufnahme, die ihm bereitet worden war, lebte sich Fernberger alsbald unter dem strohgedeckten Dach eines alten Inders ein.

Überdies eine Gelegenheit, mehr über den Alltag der vielgeschmähten „Heiden" zu erfahren. Fernberger (inzwischen durchaus mit manchen Eigenheiten der indischen Tafelkultur vertraut) ging dem Sachverhalt nun höchstpersönlich auf den Grund. Ebenso wie zuhause war auch hier zunächst eine Fülle von Tischsitten zu berücksichtigen, um tadelloses Benehmen zu demonstrieren – doch damit erschöpften sich die Ähnlichkeiten noch nicht: *„Löffel sind bei den Indern nicht gebräuchlich. Wenn es Suppe gibt, wird sie geschlürft, und Reis sowie die übrigen Speisen, mögen sie auch noch so schwer zu greifen sein, werden mit den Fingern genommen, wobei man den Kopf über die Schüssel neigt."* Zwar hatte man sich in Europa inzwischen von der Praxis verabschiedet, die Suppe zu trinken, statt dessen benützte jeder Tischgenosse dafür seinen eigenen Löffel, ansonsten aber war, was das Tischgerät betraf, die Ausstattung sowohl in Indien wie auch zuhause noch minimal. Gabeln kamen zuerst im 16. Jahrhundert in Italien auf (doch setzte sich diese „affektierte" Art zu speisen nur langsam in breiteren Schichten des europäischen Adels durch), gegessen wurde ganz selbstverständlich mit den Händen. In Indien setzte man sich darüber hinaus nicht unvorbereitet zum Essen – und man setzte sich dazu auch nicht an einen Tisch: Eine Schicht Kuhmist und ein Tuch auf dem Boden ersetzten die Tafel, Bananenblätter die Teller, überdies ging dem Essen stets ein Bad voraus. Solcherart von seinem indischen Gastgeber *„freundlich nach seinem Brauch"* bewirtet, aß und trank Georg Christoph Fernberger in Karapatan stets einsam (da nicht der Hindukaste seines Hausherrn zugehörig) und umständlich (ohne die Lippen an den Wasserkrug oder -becher zu setzen). Berührte ein Christ oder Moslem sein Geschirr, sah sich ein *„indischer Heide"* nämlich gezwungen, es als „unrein" zu zerbrechen – oder es dem Übeltäter kurzerhand zu schenken. Deshalb bekam Fernberger seine Mahlzeiten auch auf frischen Bananenblättern serviert. Berührungsängste mochten jedoch auch den Gast überkommen, denn was zuhause als unfein galt (*„was aus dem Mund fällt oder an den Fingern haften bleibt, wieder in die Schüssel zu werfen"*), war hier statthaft.

Bereits nach wenigen Tagen empfahl es sich daher, an Aufbruch zu denken. Das naheliegendste Ziel für Georg Christoph Fernberger hieß Goa: Rund 150 Kilometer entfernt, bot die Verwaltungsmetropole des *Estado da Índia* die besten Aussichten, in europäischer Gesellschaft und angemessener Umgebung neue Pläne zu schmieden. Mit knackenden Fingern von seinem Gastgeber verabschiedet, verließ Fernberger das Haus des Inders – der auf diese Weise verhinderte, daß sich ein böser Geist in den Körper seines Besuchers einschlich – und machte sich auf den Weg. Als Reisegefährten fungierten eine Gruppe von Portugiesen, einige Inder und deren unvermeidliche Zebu-Rinder. Binnen sieben Tagen legte man die unwegsame Strecke zurück. Anders als eine Fahrt zu Wasser galt eine Reise über Land nicht zu Unrecht generell als mühselig und vergleichsweise unbequem. Im Hinterland des indischen Subkontinents erschwerten Ende Juni zahllose Hochwasser führende Flüsse und Bäche das Vorwärtskommen, und der Dauerregen des Monsun begleitete nun beinah unablässig die Reise in den Süden. Zumindest aber beschränkten sich die Strapazen auf die Unbilden der

Natur, denn auf der gesamten Wegstrecke, vorbei an einem Provinzstädtchen und einem Dorf, konnte man sich vollkommen sicher fühlen: Raubüberfällen beugten allerorts portugiesische Landsknechte vor.
Fürs erste mußte sich Georg Christoph Fernberger damit abfinden, *„in Indien zu überwintern“*. Wieder war die Heimreise aufgeschoben. Die gewohnte Bindung der Jahreszeiten an den Witterungsverlauf hingegen schien hier aufgehoben, denn obwohl es gerade Juli geworden war, wähnte sich Fernberger im tiefsten Winter. Nicht daß es kalt gewesen wäre, aber die Niederschläge im tropisch-sommerfeuchten Klima zwischen Mai und August suggerierten eher winterliche Gefühle als die trokkenen Wintermonate hier. Was auch von anderen Reisenden in dieser Form vermerkt wurde, führte Fernberger – plausibel, aber dennoch irrig – darauf zurück, daß Indien *„ein Land der südlichen Erdhalbkugel“* sei, wie es auch die antike Geographie festgestellt hatte.
Die Möglichkeit, einen neuerlichen Anlauf zur Heimreise zu unternehmen, würde sich erst wieder in vier bis fünf Monaten bieten, mit dem einsetzenden Nordostmonsun im November. Zuvor jedoch war der „Rest des Winters“ auf jeden Fall hier zuzubringen, denn die nun versandeten Häfen würde das Meer erst wieder Mitte August freigeben. Mit diesen unabänderlichen Aussichten und vermutlich ohne konkrete Pläne für seine unmittelbare Zukunft erreichte Georg Christoph Fernberger schließlich am 5. Juli 1590 sein angepeiltes „Winterdomizil“: Schon zum dritten Mal betrat er nun die Stadt Goa.
Um 1600 lebten etwa 75.000 Menschen auf der etwa zehn Quadratkilometer großen Insel, nur ein Bruchteil davon allerdings waren Portugiesen: rund zwei Prozent oder 1.500 Einwohner. Etwa fünfmal so viele Sklaven (geschätzte 8.000) vor allem aus Bengalen, China und Japan stellten einen nicht unbeträchtlichen Anteil an der übrigen Bevölkerung Goas, die darüber hinaus aus einheimischen Hindus und Moslems, konvertierten Christen, sowie Händlergemeinden aus allen Teilen Asiens bestand. Vielfältig wie seine Bewohner war auch die Stadt selbst: Als Spiegelbild von Ost und West ließ sich das Leben in Goa durchaus mit den großen Metropolen in Europa vergleichen, doch übertraf es diese bei weitem an Lebensqualität. Die Versorgung war um so viele Artikel reicher – und was vor Ort benötigt, aber nicht geboten wurde, importierte man kurzerhand aus Lissabon: Gegenstände des täglichen Bedarfs wie Möbel, Waffen und sakrale und liturgische Kunstobjekte genauso wie Messer, Scheren, Gläser und Nachttöpfe.
In den zeitgenössischen Quellen fand Goa als Mittelpunkt der portugiesischen Besitzungen in Indien die ihm gebührende Beachtung und Anerkennung. Seine Besucher würdigten ausnahmslos die Schönheiten der Stadt, verwiesen auf die eindrucksvollen Befestigungsanlagen, bewunderten die schmucken Fassaden der vielen Kirchen, Klöster, Herrenhäuser und Adelspalais und gaben sich fasziniert vom bunten Treiben, den weitverzweigten Handelsverbindungen und der lokalen Lebensart. Kurz: Goa war der Inbegriff europäischer Indienphantasien – und erntete deshalb auch immer wieder entsprechende Superlati-

ve als schönste und vergnüglichste Stadt in ganz Asien.

Bei näherer Betrachtung zeigte sich ferner, daß die Reize der Stadt nicht ausschließlich in Stein gemeißelt waren. Goas Schönheit war auch aus Fleisch und Blut: Die entgegenkommende Weiblichkeit bestand (da kaum portugiesische Frauen vom Mutterland in den *Estado* emigrierten) zum überwiegenden Teil aus Sklavinnen und *mestiças*: ausgestattet mit Genen von chinesischen, japanischen, javanischen, molukkischen, bengalischen oder peguanischen Müttern und portugiesischen Vätern. Und eine hübscher als die andere. Wie überhaupt solche Zerstreuung der Lebensinhalt der Europäer in Goa zu sein schien – zumal in den Monaten, da die Häfen geschlossen und Soldaten wie Kaufleute zur Untätigkeit verurteilt waren. Was die einen zur Begeisterung hinriß, verdammten die anderen hingegen scharfzüngig als Laster, Müßiggang und sittenloses Treiben.

Als Verwaltungs- und Regierungszentrum des *Estado da Índia* war Goa überdies ein Hort der Korruption: Rekrutiert aus dem Hofadel Lissabons, bezogen die Mitglieder der *nobreza de serviço* als Kolonialbeamte ein dürftiges Grundgehalt, aufgebessert nur durch Gratifikationen, wie jene, auf eigene Rechung frachtfrei Handel zu treiben. Doch einen Anteil an den großen Gewinnspannen sicherte man sich nur durch lukrative Geschäfte abseits von Diensteifer und Pflichterfüllung. Überdies blieb nicht viel Zeit, um nach Möglichkeit in die eigene Tasche zu wirtschaften: Die Dienstzeit für königliche Beamte im *Estado da Índia* war auf drei Jahre begrenzt. Obwohl damit ursprünglich persönliche Bereicherung und gefährliche Machtkonzentration vermieden werden sollten, führte diese Regelung letztlich wohl nur dazu, daß sich das Korruptionskarussell immer schneller drehte. Mit den Auswüchsen dieses Systems sah man sich nun überall konfrontiert: Verschwendungssucht und Nachlässigkeit beherrschten eine Administration, die von mangelnder Sachkenntnis unterwandert war, hoffnungslos verstrickt in ein Gespinst von Unredlichkeit, Bestechlichkeit und Denunziation.

Augenscheinlich abgestoßen von allgegenwärtiger Gier, oberflächlicher Vergnügungssucht und lasziver Lebensart standen Georg Christoph Fernbergers knappe Schilderungen von Goa in krassem Gegensatz zu den überschwenglichen Berichten anderer Reisender. Nichts davon trat jedenfalls in seinem Reisetagebuch in Erscheinung – wie überhaupt Goa dort nur durch Abwesenheit glänzte: Viermal sollte Fernberger während seiner Indienreise in Goa landen, doch bis auf wenige Sätze bei seiner Ankunft nahm er nie von dieser Stadt Notiz. Ungewöhnlich war Fernbergers Reaktion aber noch in anderer Hinsicht: Goas Pracht überging er ebenso stillschweigend wie seine politische Macht.

Achtung und Respekt brachte Georg Christoph Fernberger in Goa augenscheinlich nur einem Europäer entgegen: Er hieß Ferdinand Cron, war 31 Jahre alt, aus Augsburg gebürtig und seit 1587 für die Welser und Fugger in Indien tätig. Anscheinend verstanden sich die beiden schon beim ersten Zusammentreffen ausgezeichnet: Als Fernberger von Hormuz kommend in Goa an

Land gegangen war, hatte ihn Cron *„nicht nur in sein Haus aufgenommen, sondern auch mit Rat und Tat unterstützt"* und ihm überdies die Passage nach Bengalen vermittelt. Als er wiederkam, hieß ihn Cron vermutlich erneut willkommen, ebenso wie er ihn höchstwahrscheinlich in den „Wintermonaten" beherbergte. Den adeligen Vergnügungsreisenden und den bürgerlichen Kaufmann verband bald mehr als nur Dankbarkeit des einen für die Gefälligkeiten des anderen – denn sich gegenseitig Hilfe zu leisten, war für Europäer in der Fremde eine selbstverständliche Geste des kulturellen Zusammenhaltes. Nun gingen die von Ferdinand Cron geleisteten Dienste für Georg Christoph Fernberger aber doch deutlich über das Maß des Üblichen hinaus, sodaß sich jener gar *„ihm und all den Seinen für alle Zeit zu jeder Art des Dankes verpflichtet"* wußte. Und mehr: Man war befreundet. Keiner anderen Person widmete Georg Christoph Fernberger in seinem Reisetagebuch persönliche Bemerkungen, keiner anderen allein soviel Raum. Sein Verhältnis zu Kameraden, Konsuln und Kapitänen entsprach vermutlich jener Form der gesellschaftlichen Freundschaft, die im 16. Jahrhundert als alltägliche Komponente des standesgemäßen sozialen Verkehrs angesehen wurde. Deutlich davon unterschieden ging man jedoch persönliche Freundschaften ein, abseits von gesellschaftlichen Bindungen und ausschließlich geleitet von Interesse und Wohlgefallen am Gegenüber.

Im Moment sah sich Georg Christoph Fernberger ohnedies mit einem mehrwöchigen Aufenthalt in Goa konfrontiert – Gelegenheit genug also, diese Freundschaft auch zu vertiefen. Offensichtlich machte man davon sogleich ausgiebig Gebrauch, denn binnen kürzester Zeit schloß der weltenbummelnde Fernberger den hiesigen Kaufmann nicht nur in seine Gebete ein, sondern beschied ihm auch eine außergewöhnliche Hochachtung: *„Und ich schätze die Wohltaten dieses um mich so sehr verdienten Mannes weit höher ein als alle Leistungen meiner Eltern und sonstigen Verwandten. Haben doch jene nach den Forderungen der Natur, von angeborenem Gefühl bewegt so gehandelt und mir erwiesen, was sie unseren Banden schuldeten. Dieser jedoch hat von keiner Blutsverwandtschaft genötigt, von keiner Freundschaft oder Dankbarkeit gebunden, einen ihm völlig unbekannten Menschen mit einer Fülle von Wohltaten überhäuft, was Gott ihm durch seine Gnade und seinen Segen vergelten möge."*

Nicht im mindesten verwundert zeigte sich Georg Christoph Fernberger, als ihm, kaum hier eingelangt, von einem venezianischen Kaufmann zwei Briefe ausgehändigt wurden. War doch die neuerliche Rückkehr nach Goa für ihn selbst unerwartet gekommen, und noch vor kurzem hätte sich Fernberger wohl auf dem Heimweg und de facto irgendwo in Persien gewähnt. Daß Fernberger Post nach Indien nachgesandt wurde, macht deutlich, daß Briefkontakte selbst von einer ausgedehnten Reise nicht notwendigerweise unterbrochen werden mußten. In Städten, Handelsumschlagplätzen und Häfen fand sich stets Gelegenheit, Korrespondenz privat weiterzuleiten. Ganz offensichtlich stellte aber auch der Wegfall einer festen Anschrift kein unüberwindliches Hindernis dar, sodaß der Kontakt nicht zwangsweise einseitig verlaufen mußte. Neben der Post für Georg Christoph Fernberger waren in Goa inzwischen vermutlich auch Nachrichten über jene vier Schiffe eingetroffen, die ebenfalls am Karsamstag in Diu ausgelaufen waren. Sie hatten es weit weniger glücklich getroffen. Nur zwei von ihnen waren ebenfalls nach Indien zurückgelangt: eines bei Daman auf Grund gelaufen, das andere an die Küste von Calicut verschlagen (wo es *„geentert und ausgeraubt* [wurde,] *und alle Christen an Bord ermordet"* worden waren). Hoffnung auf weitere Überlebende gab es nicht, denn die beiden verbleibenden Schiffe waren im Orkan gesunken und lagen zerschellt irgendwo am Grund des Indischen Ozeans.

Mit Sicherheit sorgten diese Neuigkeiten tagelang für Gesprächsstoff in der Stadt, und manch einer mochte nun wohl seinem Schöpfer inständig dafür danken, bei der eigenen Überfahrt von diesem Unglück verschont geblieben zu sein. Nach menschlichem Ermessen müßte Georg Christoph Fernberger zu ihnen gezählt haben. Dennoch fühlte er sich jetzt nicht sonderlich wohl. Zwar zeigte der „Winter" in Goa vergleichsweise angenehme Züge, doch das Klima der Stadt schien aufs Gemüt zu schlagen.

In der Regenzeit zog es die Europäer in die Gärten: Während sie die Hitze ansonsten tagsüber in ihre Häuser zwang, lockten nun üppiges Grün und sanfte, warme Schauer ins Freie. Die kleine portugiesische Adelskolonie ließ sich an ihren Bächen und Badebecken nieder, ausgelassen und vergnügt vertrieb man sich die Zeit mit geselligen Spielen, herrlicher Musik und leichter Konversation. Eine gute Gelegenheit, um als Neuankömmling in den erlauchten Kreis eingeführt zu werden. An der Seite von Ferdinand Cron nahm Georg Christoph Fernberger nun wohl den unbeschwerten Lebensstil der portugiesischen Enklave an: Er trug ebenfalls weite Hemden und knöchellange weiße Seidenhosen, verließ das Haus hoch zu Roß anstatt bloß auszugehen (in Begleitung einer ansehnlichen Sklavenschar, bewaffnet mit Sonnenschirm und Mükkenwedel) und nahm an dem bunten Reigen von Gesellschaften teil, die einander in diesen Wochen fortwährend ablösten. Den Tagen im Garten folgten nächtliche Feste und Bälle in den Häusern, wieder begleitet von Gesang und dem Klang der Gitarren. Viele unterhielten eigens private Musikkapellen, andere heuerten dafür Wandermusikanten an, die ohnedies stets zur Stelle waren und mit ausgesuchten bengalischen Sängerinnen und Tänzerinnen aufwarteten.

So gingen nun die Tage hin, zwischen Stadtpalais, *quintas* (auch Ferdinand Cron besaß eines dieser komfortablen Landgüter in Goa) und dem Herzstück der hier ansässigen „ersten" Gesellschaft: dem Hof des Vizekönigs. Die Kontakte von Fernbergers Gastgeber reichten selbst dorthin, und so machte Fernberger die Bekanntschaft des unmittelbaren Vertreters des portugiesischen Königs im *Estado da Índia*. Im Palast des Vizekönigs fand die feine Gesellschaft einen würdigen Rahmen: Das schönste Gebäude der Insel verfügte über unzählige Gemächer und an den Wänden der prunkvollen Zimmerfluchten hingen die Gemälde berühmter

Schiffe, die die Fahrt von Lissabon nach Goa unternommen hatten.
Und auch wenn sich Georg Christoph Fernberger über all dies gründlich ausschwieg, verlor die Thematik dennoch nichts an Bedeutung – angesichts einer Audienz beim amtierenden *visorey das Índias*. Genaugenommen zählte Dom Manuel de Sousa Coutinho allerdings zu jenen glücklosen Beamten, die auf den begehrten Titel verzichten und das Amt statt dessen unter der schmucklosen Bezeichnung „Gouverneur" ausführen mußten.
Im Moment nahm dieser in seinem Palast am Flußufer die Aufwartungen von Ferdinand Cron (der zu seinen persönlichen Schützlingen zählte) und dessen gestrandetem Freund entgegen. Für Fernberger machten sich Crons Beziehungen sogleich bezahlt. De Sousa zeigte sich zuvorkommend und war auch so aufmerksam, Georg Christoph Fernberger anzubieten, *„völlig kostenlos in seinem Gefolge nach Portugal zurückzukehren"*. Ohne zu zögern nahm Fernberger die freie Schiffspassage an, auch wenn er offensichtlich persönlich wenig Sympathien für seinen Gönner zeigte.
Während also Dom Manuel de Sousa Coutinho, der bereits seit Mai 1588 die Amtsgeschäfte des *Estado da Índia* führte, nun langsam dem vereinbarten Ende seiner dreijährigen politischen Laufbahn in Übersee entgegensah, bereitete sich Georg Christoph Fernberger auf eine Fahrt um das Kap der Guten Hoffnung vor – offenbar gewillt, nach Europa zurückzukehren, ohne die vielzitierten *terrae sanctae* je besucht zu haben. Im Grunde hatte es dieser geänderten Marschroute schon gar nicht mehr bedurft: Fernbergers Unternehmen, das so hoffnungsvoll am 2. September 1588 in Konstantinopel als Pilgerfahrt begann, hatte sich im Lauf der vergangenen zwei Jahre ohnehin längst als Projekt schrankenloser Reiselust enttarnt.
Ein Fest kündigte inzwischen das langersehnte Ende der „Winterzeit" an: Mitte August gab das Meer die Häfen wieder frei, von den Hindus mit einer vergoldeten Kokosnuß und feierlichen Zeremonien besänftigt. Binnen Tagen, längstens zwei bis drei Wochen, war nun mit der diesjährigen Flotte aus Portugal zu rechnen. Allerdings sollte man in Goa diesmal vergeblich auf das Geschwader aus dem Königreich warten, denn *„das Jahr 1590 war ein unseliges für die Seefahrt"*. Wie *„Kenner dieses Meeres sagten"* handelte es sich um *„das Jahr des Taifun"*. Nach den Erfahrungen der Seeleute kulminierten die Stürme des Indischen Ozeans nämlich alle zehn, elf oder zwölf Jahre in einem unerhörten Orkan. Dann allerdings (und niemand konnte voraussagen, in welchem Jahr jener – *„über die Maßen grauenhafter und fürchterlicher"* – Wirbelsturm wiederkehren würde) standen die Sterne der Seefahrer gewöhnlich schlecht. Dennoch stellte sich das Jahr 1590 als einzigartig heraus: Diesmal *„kam ... kein einziges portugiesisches Schiff bis nach Indien, was, seit die Portugiesen sich zum ersten Mal nach Indien gewagt hatten, noch nie geschehen war"*.
In Lissabon ausgelaufen war das ausgebliebene Geschwader noch plangemäß im Frühjahr 1590, dann aber hatten die ersten Schwierigkeiten (von denen nicht alle unbedingt mit dem ominösen „Jahr des Taifun" in Zusammenhang standen) nicht lange auf sich warten lassen.

Offiziellen Dokumenten zufolge waren am 8. Mai fünf Schiffe auf die *Carreira da Índia* gegangen: Zwei der Segler hatten technische Probleme und kehrten daher sofort wieder um, ein anderes Schiff kämpfte im Atlantik abwechselnd mit widrigen Winden, Flauten, Meeresströmungen und einer unzureichenden Ruderwirkung und das vierte drängte der immer stärker einfallende Gegenwind bis an die Küste von Brasilien ab. Im September 1590 fanden sich diese beiden deswegen wieder in Lissabon ein. Das Flaggschiff *Bom Jesus* mit dem neuen Vizekönig Mathias d'Albuquerque an Bord landete zwar letztendlich im Indischen Ozean, mußte aufgrund seiner Verspätung aber in Mosambik überwintern und erreichte Goa erst ein Jahr nach der Abfahrt aus Portugal: im Mai des Jahres 1591.

Im August des Jahres 1590 drangen in Goa unterdessen die Konsequenzen dieser Witterungseskapaden langsam ins Bewußtsein. Für Georg Christoph Fernberger etwa erforderte die neue Situation ein Umdenken: Das Angebot von de Sousa war geplatzt, die Heimreise über den Haufen geworfen. Überdies befand sich Fernberger – anscheinend zum ersten Mal auf seiner Reise – in ernsthaften Geldschwierigkeiten. Schweren Herzens trennte er sich daher zunächst von einigen Souvenirs: *„Einige hervorragende indische Stücke, die ich in Bengalen und Cambay mit großem Interesse und in der Absicht, sie mit nach Hause zu bringen, erworben hatte."* Da ihr Verkauf seine finanzielle Misere anscheinend beheben konnte, dürfte es sich dabei nicht ausschließlich um Kleinigkeiten gehandelt haben – und vermutlich waren sie auch nicht primär als Mitbringsel gedacht gewesen, sondern hätten wohl vielmehr die familieneigene „Wunderkammer" bereichern sollen: Als Prunkstücke einer jener in Mode gekommenen disparaten Sammlungen, die Münzen, Bücher, Kupferstiche und Gemälde ebenso wie ausgestopfte Tiere, verschiedenste Trachten aus fremden Ländern, *Turcica*, Kuriositäten überseeischer Provenienz und Mineralien, Korallen sowie Bezoare neben kostbaren Uhren bergen mochte.

Daß sich ein längeres Reiseunternehmen auch über (Not-)Verkäufe finanzierte, war keineswegs abwegig – gewöhnlich allerdings verwandelten Reisende eigens dafür mitgebrachten Schmuck, Pretiosen, Uhren oder dergleichen in klingende Münze. Der Sorge, mit einer ausreichend großen Summe Bargeld von zuhause aufbrechen zu müssen, war allerdings enthoben, wer sich ausschließlich auf Pilgerschaft begab, denn ebenso wie in Italien schufen in der Levante die Niederlassungen deutscher Handelshäuser die Möglichkeit, sich mit Wechseln zu behelfen. Außerhalb dieser Zonen aber reiste man gewissermaßen ohne Netz: Wer hier einem finanziellen Engpaß ins Auge sah, war auf Anleihen von Privatleuten angewiesen.

Im fernen Indien hingegen griff in dieser Situation ein Mann wie Ferdinand Cron dem insolventen Freund tatkräftig unter die Arme und arrangierte offensichtlich ein fruchtbares Gespräch mit Dom Manuel. Zwar war an Heimreise vorerst nicht zu denken (erst ab Ende Oktober sollte der Wintermonsun wieder eine Fahrt nach Westen möglich machen), doch ergaben sich plötzlich neue und verheißungsvolle Perspektiven: Als nämlich der portugiesische Gouverneur seine Reisekassa mit einem fetten Batzen

Bargeld aufgebessert hatte (die ausgehändigten 500 persischen Lari entsprachen dem Gegenwert von 33 bengalischen Sklavenjungen und im Gangesdelta hätte sich eine Person damit frugal, aber ausreichend gut 40 Jahre [!] lang verpflegen können), war Georg Christoph Fernberger nicht mehr zu halten. Mit diesem kleinen Vermögen in Händen und *„unzählige andere Wohltaten“* von Manuel de Sousa Coutinho im Gepäck, schied Georg Christoph Fernberger am 26. August 1590 von Goa: An Bord einer Galeere, die den günstigen Wind – der herrschende Südwest-Monsun garantierte gegenwärtig auf Ostkurs geblähte Segel – zu einer Fahrt an die Koromandelküste nützte, nahm er nun Kurs auf São Tomé.

9. Kapitel

Im Reich des weißen Elephanten

Wie im Flug sollten die bekannten Küstenstreifen nun an Georg Christoph Fernberger vorüberziehen. Auf halbem Wind machte das schnelle Schiff gute Fahrt, passierte schon am fünften Tag das Kap Comorin und vermutlich um den zehnten die angepeilte Reede von São Tomé. Doch unbeirrt behielt die Galeere ihren Kurs bei – die Stadt des Heiligen Thomas blieb unbeachtet an Backbord achteraus zurück. Anker geworfen wurde schließlich wenige Tage später hoch im Norden der Koromandelküste in Masulipatam. Doch auch Masulipatam (Machilipatnam) war nicht der Endpunkt von Fernbergers Reise, sondern nur Zwischenstation.

Der kleine Hafen im Krishna-Delta gehörte zum Reich Golkonda und zählte nicht zum Einflußgebiet des portugiesischen *Estado*. Masulipatam war daher überdies gewissermaßen portugiesenfreie Zone: Keiner von ihnen siedelte hier und selbst als Kaufleute fanden nur wenige den Weg hierher.

Auch Georg Christoph Fernbergers Aufenthalt währte nur kurz: Am 8. September 1590 angekommen, verließ er den Hafen bereits zwei Tage später wieder. An Bord eines Segelschiffes, das ihn nun geradewegs ins birmesische Königreich Pegu tragen sollte, mit dem seine Schutzmacht zur Zeit nicht gerade freundschaftliche Kontakte unterhielt. Sollte, denn Fernbergers Abreisetag, der 10. September, war erfahrungsgemäß der allerletzte, an dem eine derartige Überfahrt möglich war, schon 24

Stunden später würde der umschlagende Wind alle Hoffnungen darauf zunichte machen. Doch dem unerschrokkenen Abenteurer war das Glück hold: Rasch und sicher ging die Passage vonstatten, den Wind immer von Achtern oder *„wie die Italiener sagen ‚in poppa'“*. Da die portugiesischen Konzessionsfahrten nach Pegu schon seit zwanzig Jahren ausgesetzt waren (und erst nach 1600 wieder aufgenommen werden sollten), hatte sich Fernberger für die Reise nach Hinterindien einem nichtiberischen Kommando anvertrauen müssen und augenscheinlich ein italienisches Schiff gewählt. Insbesondere Florentiner und Genuesen waren schon seit der Jahrhundertwende im Indienhandel präsent.

Auf den Boden der Tatsachen holte Fernbergers Reisejournal seine Leser erst wieder, als sich sein Schreiber selbst abermals auf sicherem Terrain befand, denn es übersprang derlei Details ebenso wie die gesamte Reise. Nach vierzehn ereignislosen Tagen also traf Georg Christoph Fernberger im Hafen von Cosmin ein, bereits weit im Landesinneren gelegen, aber dennoch das eigentliche *„Tor des Königreiches Pegu“*. Bis zu dieser Pforte hatte ein potentieller Besucher von Pegu zwar bereits einen Gutteil des westlichen Irrawadi-Deltas durchmessen, doch erst am Ende des langen Fjordes warteten Ankerplatz und Zollhaus auf die Handelsschiffe. In Cosmin (Puthein) wurden nun die Schiffsladungen gelöscht, einklariert und danach für den Weitertransport neu verstaut. Ein Schwarm kleiner Boote nahm hier sowohl die Waren als auch deren Besitzer auf und trug sie im Rhythmus der Gezeiten an ihren Bestimmungsort: Während der Flut hob die einsetzende Strömung die Boote den Flußlauf hinan, danach (*„wenn das Meer abnimmt“*) machte man wieder für sechs Stunden am Ufer fest – ringsum stets flaches fruchtbares Land, dessen Gehöfte mit allerlei Geflügel, Eiern, Milch, Reis und Früchten lockten.

Acht Tage später nahm die Fahrt am heute völlig in Vergessenheit geratenen Umschlagplatz Maccao (nicht zu verwechseln mit der portugiesischen Kolonie an der südchinesischen Küste, damals „Machao“ genannt) ein Ende. Wiewohl höchst angenehm verlaufen, von den Passagieren vermutlich freudig begüßt, denn nun war es nicht mehr weit bis zur Hauptstadt, dem eigentlichen Ziel der angereisten Kaufleute. Gleich ihnen wechselte auch Georg Christoph Fernberger hier am Ufer des Flusses Pegu sein Transportmittel, lud seine Habe auf Rinderkarren und bestieg selbst eine der bequemen Sänften.

In die Stadt Pegu zog es Kaufleute vor allem der exklusiven einheimischen Edelsteine wegen. Einträgliche Geschäfte und gute Gewinne vor Augen ließen die Händler daher einsichtig die wiederholten Zollkontrollen über sich ergehen, während sie – und Georg Christoph Fernberger mit ihnen – nun dem berühmten Warenumschlagplatz zustrebten. Zwei Tage später, am 3. Oktober 1590, erreichte der Troß schließlich die alte Königsstadt im birmesischen Tiefland.

War die Stadt auch nicht so groß, wie Fernberger vermutlich erwartet hatte, beeindruckte sie dennoch auf den ersten Blick: Neben dem alten Kern (in dem die Kaufleute siedelten und das Warenlager eingerichtet war) lag, planmäßig und geometrisch, großzügig und durchdacht die prunkvolle Neustadt, in ihrer Mitte der Königspalast als Herzstück. Helles Aufsehen erregte der Umstand, daß diese Kulisse unvergleichlich im Sonnenlicht schimmerte: Wachstationen ebenso wie Pagoden, Teile des Schlosses, ja selbst die Ställe der Lieblingselephanten des Königs waren mit Blattgold verkleidet.

Vom märchenhaften Reichtum und dem sagenhaften Glanz des birmesischen Königreiches hatte man inzwischen auch in Europa gehört. Ja, der König von Pegu gehörte, wenn Ost-Indien zur Sprache kam, selbstverständlich mit zu den Herrschern und Höfen, die im 16. und 17. Jahrhundert Berühmtheit erlangt hatten und in aller Munde waren. Georg Christoph Fernberger war ebenfalls nicht unvorbereitet hierhergekommen: Neben vagen Informationen, die in Europa kursieren mochten, hatten ihm jedenfalls seine Reisebegleiter auf der Fahrt nach Bengalen die Zeit mit allerlei ergötzlichen Details über Pegu („*wo es viele wundersame und bemerkenswerte Dinge gibt*") verkürzt. Gut möglich, daß diese Erzählungen ihn letztlich bewogen hatten, all das auch persönlich in Augenschein zu nehmen, nachdem seine Heimreise zunächst ins Wasser gefallen und schließlich endgültig geplatzt war.

Außer Frage stand, daß Fernberger als erster deutscher Reisender gilt, der sich je nach Hinterindien wagte, und der Zeitpunkt günstig war für einen derartigen Besuch: Pegu befand sich am Höhepunkt seiner Macht, herrschte über das weitläufigste Territorium seiner Geschichte und besaß mit seiner gleichnamigen Hauptstadt eine der beiden größten Städte ganz Hinterindiens (die andere war Ayutthaya, die Residenz des unmittelbaren Rivalen Siam). Wenige Jahre später hingegen sollten Reisende die Stadt zerstört und das Reich untergegangen vorfinden – gescheitert an der Überdehnung seiner Ressourcen, der Konkurrenz seiner Regionen und der Begehrlichkeit seines Nachbarn. Noch aber wurde einem Besucher seine Korrosion nicht einmal bewußt: Geblendet vom äußeren Schein, gewahrte Georg Christoph Fernberger nichts vom Keim der Zerstörung. Weder die Informationen, die Fernberger zur militärischen Schlagkraft erhascht hatte (unglaubliche eineinhalb Millionen Mann und viertausend Elefanten), noch der Augenschein deuteten auf den bevorstehenden Untergang – im Gegenteil.

Gerade ein Spaziergang durch die Hauptstadt Pegu war dazu angetan, frappierende Impressionen von Reichtum und Macht zu vermitteln: Hatte man erst den mit Krokodilen besetzten Wassergraben auf einer festen Brücke überquert und die Neustadt durch eines ihrer zwanzig Tore betreten, offenbarten sich sofort die Reize des am Reißbrett entstandenen Palastviertels. Im Schatten der Palmenreihen, die die schnurgeraden Straßen von großzügiger Breite links und rechts säumten, führte der Weg vorbei an Holzhäusern mit landestypischen Markisen weiter zur Burg aus Stein, wo ein ummauerter Platz zwischen vergoldeten Fassaden „*einen unermeßlichen Schatz*" barg – in Gestalt riesiger „*Götzenbilder aus Gold und Silber mit edelsteinbesetzten Kronen von unschätzbarem Wert*" (auch für Nichtbuddhisten ohne spirituellen Antrieb ganztägig und ohne Einschränkung durch Wächter zu besichtigen); wo sich nicht nur goldverzierte Täfelungen fanden, sondern auch *„so manches Zimmer voll mit Gold und Silber“*; wo ein mit Gold verkleideter Triumphwagen seines alljährlichen Auftritts harrte und wo zwei vergoldete Stallgebäude die beiden Lieblingselephanten des Königs (*„einen weißen und einen schwarzen“*) beherbergten.

Da selbst diesen Dickhäutern das Futter auf Gold- und Silberschalen kredenzt wurde, verstand es sich vermutlich von selbst, daß man im Schloß generell aus und mit Edelmetall zu speisen pflegte. Der ausdrücklichen Erwähnung wert hingegen schien, daß das Heer der hiesigen Elephanten mit Unmengen von Zuckerrohr bei Laune gehalten wurde. Denn während man in Pegu den Großteil der nationalen Produktion an die grauen Riesen verfütterte, versüßten sich in Europa nur die Spitzen der Gesellschaft damit den Alltag – so teuer, exklusiv und prestigeträchtig war sein Konsum im Unterschied zu den heimischen Alternativen wie Honig und Fruchtsirupen (und daß in Pegu selbst der Verputz der Pagoden mit Zucker angerührt wurde, warf vermutlich ein allerletztes bezeichnendes Licht auf seinen schier unermeßlichen Reichtum). Zum Status der beiden Lieblingselephanten des Königs mochte überdies erhellend beitragen, daß die umhegten Favoriten selbst als rare Kostbarkeiten galten: Um Kopfhöhe überragte der eine alle seine Artgenossen, der andere hatte aufgrund seiner weißen Haut Seltenheitswert – ein *„Naturwunder“*, das (nicht nur) der König *„wie einen Götzen verehrte“*.

Noch mehr beeindruckten Georg Christoph Fernberger die Dickhäuter allerdings zur Wunderwaffe umfunktioniert: drei Meter hoch, fünf Tonnen schwer, auf dem Rücken ein Holzverschlag (aus dem Lanzen, Wurfgeschosse und Flintenkugeln sprühten) und große Krummsäbel an den Stoßzähnen. Europäer begeisterten sich gewöhnlich spontan für diese unkonventionelle Waffengattung, konnte man doch davon ausgehen, daß Kriegselephanten *„alles, was ihnen in den Weg kommt, wie mit einer Sichel niedermähen“*. Allein der König von Pegu befehligte im Fall des Falles unglaubliche 4.000 dieser gefährlichen Exemplare – wenn ihm das Glück hold war: Entzogen sich die Tiere nämlich dem Kommando des schmächtigen Reiters in ihrem Nacken, war auch für das eigene Heer Gefahr im Verzug. Irritiert und aufgebracht gerieten die Kriegselephanten schnell zum entscheidenden Nachteil, wenn sie sich umwandten und blindwütig die eigenen Streitkräfte über den Haufen rannten. Für gewöhnlich hatte der Gegner dabei ein wenig nachgeholfen, mit Feuerwerkskörpern (*„bengalischem Feuer aus Pulver und Pech“*) etwa oder auch mit portugiesischen Granaten.

Während man in Europa die grauen Riesen allgemein für „Wundertiere“ hielt, wurde in der gesamten hinduistischen und buddhistischen Welt nur ein weißer Elephant, wie ihn der hiesige König sein eigen nannte, entsprechend verehrt. Als nach dem Untergang Pegus der Nachbar Siam seinen Platz einnahm, wechselte auch der weiße Elephant das Lager: Fortan ging der Regent von Siam als „König des weißen Elephanten“ in die Geschichte ein.

Georg Christoph Fernberger hatte in Pegu bisweilen Mühe, seinen Augen und Ohren zu trauen, so erstaunlich schienen ihm manche Facetten des Lebens hier zu sein. Übrigens hatte sich der Weltenbummler gleich bei seiner Ankunft auf einen längeren Aufenthalt eingestellt und in der Stadt häuslich niedergelassen: In einem jener Altstadthäuser, die die Kaufleute gewöhnlich für einen Monat (oder auch für eine ganze Saison, sprich: ein halbes Jahr) anmieteten, da die Einrichtung von öffentlichen Herbergen zu diesem Zweck nicht üblich war. Teilte sich Fernberger den Haushalt mit seinen italienischen Reisegefährten, profitierte er vermutlich von deren Ausrüstung, denn wer den erforderlichen Hausrat nicht mit sich führte, war gezwungen, die entsprechende Gerätschaft vor Ort zu erstehen. Eine Wohngemeinschaft hingegen könnte Fernbergers Ausgaben jedoch auf wenig mehr als eine eigene Bettstatt reduziert haben.

Was immer Fernberger nun auch gekauft haben mochte – die Rechnung beglich er weder in Gold noch in Silber (Edelmetalle galten hier als Handelsgüter und unterlagen dementsprechend Preisschwankungen), noch in einer anderen im Indischen Ozean gängigen Währung. Die Landeswährung „Ganza" bestand in einer speziellen Blei-Messing-Legierung. Ihre Münzen waren extrem massiv, *„so schwer, daß ein Mann gerade vierzig davon tragen kann"*, und ihr außergewöhnlich hoher Nennwert war offenbar auf Pegus Exportartikel Nummer eins hin konzipiert: atemberaubende Edelsteine.

Anders als im „Land der grünen Steine", wie Indien wegen seiner im südlichen Himalaya abgebauten Smaragde und Opale auch genannt wurde, schürfte man in den Minen Hinterindiens neben Gold, Silber und blauen „Korunden" (Saphire) vor allem rote Juwelen: Spinelle und Rubine. Als die schönsten dieser Steine galten jene feuerroten Rubine aus Pegu, die unter dem Attribut „taubenblutfarben" im Handel waren und teurer als die kostbarsten Diamanten vertrieben wurden. Zudem war in Pegu auf heimische Edelsteine grundsätzlich kein Zoll zu bezahlen.

Offensichtlich schlug das Königreich genug Profit aus seiner aktiven Handelsbilanz, denn importiert wurden außer einigen Konsumprodukten (vor allem Gewürze und pharmazeutische Substanzen) nur vereinzelt Luxusgüter wie Perlen und sündteure Textilien. Pegus Exporte hingegen schienen das Land selbst in die Lage zu versetzen, das Blattgold, das allerorten an den Pagoden glänzte, im Zyklus von zehn Jahren zu erneuern.

Auch angesichts der Peguaner selbst geriet Georg Christoph Fernberger ins Staunen: *„Die Menschen in diesem Reich tragen alle dieselbe Kleidung, und einen Unterschied zwischen Adel und Volk macht dabei nur die Kostbarkeit der Stoffe."* Wie sollte man nun auf den ersten Blick erkennen, wer denn eigentlich den eigenen Weg kreuzte? Eines Europäers, dessen Welt mittels augenfälliger Unterschiede in der Kleidung – und entsprechender Verordnungen, die von der Schuhschnalle bis zum Kopfputz jedem Stand den ihm zustehenden Rahmen vorschrieben – solche „Lesbarkeit" garantierte, mußte sich ob dieser unverständlichen Nivellierung der sozialen Hierarchie Verwirrung bemächtigen. Gekrönt wurde Georg Christoph Fernbergers Befremden von der Feststellung: *„Sie reiten auch mit bloßen Füßen."*

Auch sonst gab die ortsübliche Tracht weidlich Blick auf nackte Haut frei. Den Männern dienten weiße Baumwollkleider als Hemden und bunte Tücher als Hosen, was erlaubte, die Beine des Trägers in Augenschein zu nehmen; allerhand Sehenswertes aber zeigten insbesondere die peguanischen Frauen: Ein *„überaus feines Hemdchen"* reichte ihnen kaum bis zum Nabel, der anschließende Wickelrock umspielte gerade das Knie und schwang überdies bei jedem Schritt zurück – *„und zwar so weit, daß die Frau beim Gehen trotz aller Bemühungen die entsprechenden Körperteile nicht bedecken kann"*.

Intime Details wie diese waren Fernbergers Mentalität und Erziehung gemäß nicht für die Öffentlichkeit bestimmt. Als unschicklich, wie die nackten Tatsachen beim Namen zu nennen, meinte Fernbergers Schamempfinden daher beispielsweise auch Hochzeitsbräuche ägyptischer Christen mißbilligen zu müssen, die am nächsten Morgen das (blutbefleckte) Nachthemd der Braut zu präsentieren geboten.

Doch in Pegu war, was Grund zum Anstoß gab, nur eingeführt worden, um Ungehörigkeiten ganz anderer Art zu unterbinden: Allein der traditionellen *„Sünde der gleichgeschlechtlichen Unzucht"* der Männer hielten die Frauen hier ihre Reize entgegen. Da der Erfolg trotz augenfälliger Argumente ein beschränkter geblieben war, hatte man die Kampagne zur Wiederherstellung eines sittlichen Lebenswandels empfindlich forciert: *„Man stellt aus Metall eine sehr feine Hohlkugel in der Größe eines Handballs her, in deren Innerem in einen erstaunlichen vierteiligen Mechanismus ein vergoldetes Bronzekügelchen eingefügt ist, das einen dumpfen, an Becken erinnernden Klang erzeugt. Diese Kugel wird nun, nachdem die Vorhaut des Penis eingeschnitten wurde, an das Fleisch gelegt. Anschließend wird die Haut wieder darübergezogen und verheilt."* Was der Frauen Wunsch erfüllte, ließ für Männer Geschlechtsgenossen, „verbotene" Körperteile und Hunde aus Gründen der Inkompatibilität fortan unattraktiv erscheinen. Nicht nur die Ernährungsgewohnheiten der Peguaner (nebst Schlangen auch Laub) machten damit unmißverständlich deutlich, daß sich *„in ganz Indien ... außer den Kannibalen kein Volk von so bestialischer Natur"* fand.

Dennoch: Die kleine Operation, die die tönenden Implantate an den vorgesehenen Platz beförderte, schilderte Fernberger sachlich und mit dem kühlen Blut eines Chirurgen. Andere Zeitgenossen hingegen überkam das nackte Grauen: Derartige Praktiken wurden als grausam, ja sadistisch eingestuft und als perfide Art von Mißhandlung wahrgenommen. Sowohl in Ost- als auch in Westindien sahen sich europäische Männer mit abscheulichen Finessen konfrontiert, fassungslos bis konsterniert für Geschlechtsgenossen zuhause kommentiert. Dennoch erlag die Mehrheit der Männer, die als Eroberer, Kaufleute oder Vergnügungsreisende mit Frauen aller Herren Länder in Kontakt kamen, reihenweise den Reizen der exotischen Weiblichkeit.

Die erotischen Abenteuer der forschen Entdecker zogen bald ungeahnte Konsequenzen nach sich, denn nach der Fahrt des Christoph Kolumbus verbreitete sich auch eine neue Seuche über die Alte Welt: die Syphilis. Und binnen kürzester Zeit vermittelten die Europäer die „venerische Krankheit“ aus Westindien nach Ostindien. Im Fernen Osten vor der Ankunft Vasco da Gamas im Jahr 1498 unbekannt, griff die Syphilis in Asien ebenso rasend schnell um sich wie in Europa. Die Portugiesen hatten die neue Seuche zwar eingeschleppt, bei ihrer Verbreitung wurden sie allerdings von den autochthonen Seeleuten nach Kräften unterstützt: Zumindest zehn Jahre bevor das erste portugiesische Schiff in die Bucht von Kanton einlief und ganze drei Jahrzehnte bevor die Portugiesen die japanische Küste erreichten, sollte dort bereits die Syphilis grassieren. Dennoch verbreitete sich, was Europäern als „Franzosen“, *Morbus galllicus*, „neapolitanische“ oder „Krankheit des Heiligen Hiob“ bekannt war, im Indischen Ozean schon im zweiten Jahrzehnt des 16. Jahrhunderts zweifelsfrei unter der Bezeichnung *For Franchi*, war also eindeutig von den „Franken“ eingeschleppt.

10. Kapitel

Ans Ende der Welt

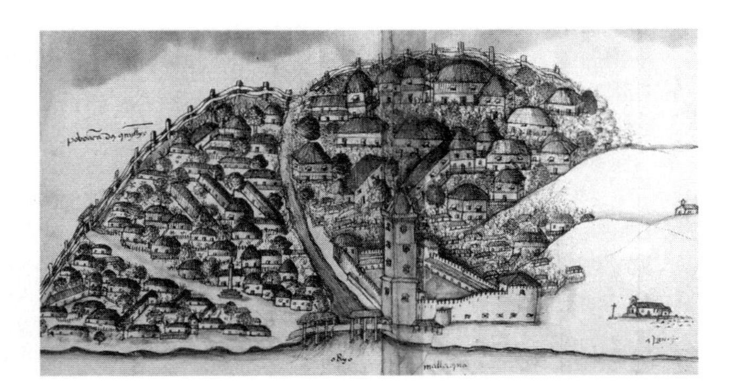

Sechs Wochen hielt sich Georg Christoph Fernberger inzwischen in Pegu auf. Als sich Ende November 1590 offensichtlich eine entsprechende Gelegenheit bot, faßte Fernberger den Entschluß abzureisen. Inzwischen hatte auch der Wintermonsun wieder eingesetzt und so herrschte mäßiger, aber steter Nordostwind: Einer Fahrt zurück an die indischen Küsten bei heißem, trockenem Reisewetter stand nichts mehr im Wege. Dennoch hatte Fernberger nun ein anderes Ziel vor Augen: Er wollte nach Malakka. Ohne Vorwände oder Ausflüchte, die das Unternehmen rechtfertigen hätten können, stellte Fernberger seine Routenplanung vor. An seine Pilgerfahrt dachte er im Moment offenbar nicht – und mehr als zwei Jahre nach seinem Aufbruch in Konstantinopel rückte sie jetzt mehr denn je in weite Ferne. Nüchtern betrachtet, hatte Fernberger inzwischen beinahe ein Viertel des Erdballs als Distanz zwischen sich und das Heilige Land geschoben – und zwar nicht nur in horizontaler, sondern auch in vertikaler Richtung.

Aller Wahrscheinlichkeit nach dürfte Fernberger gemeinsam mit seinen bisherigen Reisegefährten neue Pläne geschmiedet haben. Zumindest bedeuten die (so wie auf der gesamten Reise durch Pegu) ausschließlich in italienischen Meilen ausgewiesenen Distanzen auf der folgenden Etappe, daß wohl wieder Kaufleute von der Apenninenhalbinsel die Diktion beeinflußten.

Doch um tatsächlich nach Malakka zu gelangen, war es vorerst nötig gewesen, einen der Häfen des Reiches Pegu aufzusuchen. Während Cosmin den Handelsverkehr nach Westen abwickelte, dienten die beiden Häfen Martaban (Môktama) und Mergui (Myeik) als Sprungbrett für den Gütertransport von und nach Osten. Beide lagen auf der langen schmalen Landzunge, die in die Malaiische Halbinsel auslief. Fernbergers Ziel hieß Martaban, näher gelegen und von der Stadt Pegu aus leicht auf Kanälen zu erreichen.

Ähnlich wie im Golf von Cambay erzeugten die Gezeitenströme auch im Golf von Martaban steile Flutwellen, die hier mit bis zu 25 km/h in die Flußbette des Binnenlandes einbrachen. Erfahrene Seeleute steuerten eigens konstruierte Boote durch das *maccareo* genannte Wüten der Elemente: Während im Wechsel der Tidenströme gerudert wurde bzw. der Anker fiel, wenn ihr Umschwung bevorstand (an Landungsplätzen, die buchstäblich „Haus hoch" über dem Niveau des Kanals lagen), bot sich dem Passagier *„eines der erstaunlichsten Naturschauspiele"*. Er hörte bei Einsetzen der Flut ein fürchterliches Tosen näherkommen, fühlte die Erde beben und sah im selben Moment die steilen Wogen auf sein Schiff zulaufen und über ihm zusammenschlagen. *„Ich glaube, man kann in der ganzen Welt nichts Vergleichbares sehen"*, kommentierte Georg Christoph Fernberger das nicht ungefährliche Spektakel, sich über die Ursachen desselben völlig im Unklaren. Ein derartiges Bekenntnis beschwor den Geist der Neuzeit herauf. Für das Mittelalter war bezeichnend gewesen, daß Wissenslücken nicht offen gehalten, sondern getilgt wurden: Anders als Fernberger, der angesichts des physikalischen Phänomens auf die Naturwissenschaft verwies (die vermutlich anders als er solches zu ergründen imstande sein mochte), überbrückten mittelalterliche Reisende ihre mangelnde Sachkenntnis stets sofort mithilfe von Mythologie und *interpretatio christiana*.

Nachdem Georg Christoph Fernberger am 4. Dezember 1590 heil in Martaban angekommen war, machte er sich mit den Distanzen vertraut, die auf der nächsten Etappe auf ihn zukommen sollten: 800 „welsche" Meilen zählte man von Martaban nach Malakka, geradewegs der Küste entlang, der im Abstand von 200 „welschen" Meilen die Inselkette der Andamanen vorgelagert war. Die Fahrt war zwar lang, schien aber völlig ereignislos verlaufen zu sein. Zumindest überspringt sein Bericht die vierundzwanzig Tage auf See (einschließlich dem Weihnachtsfest unter tropischer Sonne) und setzt erst wieder bei der Ankunft im Zielhafen am 30. Dezember 1590 ein: Mit Sumatra und dem gefürchteten Reich von Aceh als Gegenüber und gesäumt von den Häusern jener Stadt, die als *„größte Handelsstadt der Portugiesen außerhalb Indiens"* galt.

Dank seiner strategisch günstigen Lage an der Südküste der Malaiischen Halbinsel war Malakka (Melaka) schon im 15. Jahrhundert zum bedeutendsten Warenumschlagplatz im West-Ost-Handel avanciert. Im Jahr 1511 eroberten die Portugiesen die Stadt und bauten sie ihrer Stellung gemäß zu einer der mächtigsten Festungen Südostasiens aus. Sie kontrollierte die Malakkastraße und damit den gesamten Handelsverkehr zwi-

schen Südchinesischem Meer bzw. Javasee und Indischem Ozean: Jedes Schiff bezahlte für die Passage mit Durchgangszöllen auf seine Ladung.
Selbst weitgereiste und an tropische Gefilde gewöhnte Europäer stöhnten gewöhnlich über das äquatoriale Klima von Malakka: *„Am zweiten nördlichen Breitengrad* [2° 12' n. Br., 102° 13' ö. L.] *gelegen, wo man weder den Nord- noch den Südhimmel richtig sehen kann“*, bildete in Malakka Regen einen ständigen Begleiter. Brach hingegen die Sonne durch, war es nicht nur feucht, sondern überdies glühend heiß. Georg Christoph Fernberger zeigte sich vom schlechten *„Wetter“* wenig beeindruckt und brachte sechs offensichtlich recht erfreuliche Wochen in Malakka zu; fasziniert vom merkantilen Trubel der Stadt, die als *das* Sprungbrett in den Fernen Osten fungierte.
Als Schützling des regierenden Gouverneurs Manuel de Sousa Coutinho könnte Fernberger als Gast beim portugiesischen Kommandanten Quartier bezogen haben. Zumindest sammelte er während seines Aufenthaltes hier einschlägige Informationen über die Landstriche an den Grenzen des *Estado da Índia*: Äthiopien, Mosambik und Madagaskar kamen dabei ebenso zur Sprache wie Cochinchina (Südvietnam), die Philippinen, der malaiische Archipel und natürlich China und Japan.
Zumindest als aufmerksamer Zuhörer hatte Georg Christoph Fernberger bislang sein Interesse für das Reich der Mitte bekundet. Hier in Malakka den berühmten Reichen im Osten ein gutes Stück näher gerückt, vertiefte er sein Wissen über Marco Polos „Katai“ und „Zipangu“. Vor 50 Jahren, 1542/43, hatten portugiesische Schiffe erstmals die japanischen Inseln erreicht, bald danach wurden rege Handelsbeziehungen mit dem Silberlieferanten aufgenommen und zugleich diplomatische Kontakte geknüpft. Längst hatte auch die Mission Fortschritte gemacht, erst *„jüngst“* (im Jahr 1582) war etwa eine japanische Delegation mit *„drei ihrer jungen Prinzen“* beim Papst gewesen.
Mit „Katai“ hingegen waren die Portugiesen nicht unmittelbar in Kontakt getreten, schließlich hatte die mongolische Herrschaft in China Mitte des 15. Jahrhunderts mit dem Aufstieg der Ming-Dynastie ein Ende gefunden. Obwohl für Georg Christoph Fernberger vermutlich eine Neuigkeit ersten Ranges, hatte er sich widerstandslos dem Sprachgebrauch seiner Gewährsleute angepaßt und unterschied ebenfalls zwischen Chinesen in „Tezina“ und Mongolen im nördlich angrenzenden „Katai“. China galt als hochzivilisiertes und hochkultiviertes Land. Es faszinierte auf den ersten Blick. Für Europäer war der Eindruck der unbeschreiblichen Fülle überwältigend: Sie staunten ob der ungeheuren Menge an Menschen, dem außerordentlichen Reichtum an Flüssen und dem schier unbegrenzten Angebot an Lebensmitteln. Das Schlüsselwort in ihren Schilderungen war *abundantia* (Überfluß).
Im Jahr 1509 standen Portugiesen und Chinesen einander erstmals im Hafen von Malakka gegenüber. In den folgenden Jahren setzte man die Kontakte zaghaft fort. Die Portugiesen tasteten sich zunächst weiter nach Osten vor, 1514 sichteten die ersten portugiesischen Seefahrer die südchinesische Küste in der Nähe des heutigen Hongkong,

und schließlich ging man daran, auch diplomatische Beziehungen zu knüpfen: 1517 erreichte die erste offizielle Gesandtschaft mit einem Schreiben des Königs von Portugal an den „König von China“ die Bucht von Kanton.
Das Wunderland im fernen Osten war – zumindest im Dunstkreis der Entdeckernation Portugal – bald in aller Munde. In Ländern wie dem Heiligen Römischen Reich Deutscher Nation dagegen, die sich nicht direkt an den kolonialen Abenteuern beteiligten, hielten (ebenso wie beim Indienbild) die traditionellen Vorstellungen länger stand. So protokollierte Georg Christoph Fernberger im Indischen Ozean begierig seine – offensichtlich – neuartigen Erkenntnisse zu diesem Thema: Buntschillernde Erzählungen von sagenhaftem Wohlstand, in denen die in Europa gängigen Maßstäbe zu vernachlässigbaren Größen verkamen („*Diener ... haben nämlich mehr Geschäfte und Rücklagen als bei uns zuweilen die Kaufleute*“) zeichnete er auf, ebenso wie eine lange Liste an wertvollen Handelsgütern, die China – das überdies „*als einziges Land jene Gefäße aus Flußspat* [liefert], *die man Porzellan nennt*“ – sowohl über die Seidenstraße als auch auf dem Seeweg exportierte. Und obwohl manch einer mutmaßte, daß es „*auf der ganzen Welt kein Reich mit größerem Handel*“ gäbe, so riefen die paradiesischen Verhältnisse, die die Schilderungen beschworen, doch ungläubige Skepsis hervor: „*Es heißt auch, daß man in diesem Land weder von Hungersnot noch Seuchen jemals etwas gehört hat. Wenn es aber von diesen ... Übeln befreit ist, kann man es mit Recht ein glückseliges Land nennen.*“
Nach einigen Zwischenfällen und einem als ungebührlich empfundenen Verhalten seitens der Portugiesen hatten die Chinesen die gegenseitigen Beziehungen im Jahr 1522 überdies abgebrochen (in Form eines kaiserlichen Ediktes, das die Portugiesen von der chinesischen Küste verbannte). Dennoch waren die Handelsgeschäfte aus ökonomischen Überlegungen nordöstlich von Kanton, in der Provinz Fukien, bald wieder aufgenommen worden, und auch die Küstenstriche im Ostchinesischen Meer erwiesen sich weiterhin als durchlässig. Gegen Ende des 16. Jahrhunderts war die Hafenstadt Kanton hingegen zur Sperrzone erklärt worden („*Heute darf kein bewaffneter Portugiese Kanton betreten oder in der Stadt übernachten*“), und wenige Jahrzehnte später mutete der Wunsch nach einer Chinareise schon illusorisch an. Inzwischen hatte sich das Land fast hermetisch abgeschottet.
Für die lukrativen Geschäftsbeziehungen allerdings hatte sich um die Mitte des 16. Jahrhunderts eine befriedigende Lösung gefunden: 1554 wurde der Handel für die Portugiesen offiziell erleichtert und drei Jahre danach gestattete man ihnen sogar, sich in Macau, westlich des heutigen Hongkong, häuslich einzurichten. Wie so viele Stützpunkte des *Estado da Índia* befand sich auch diese Niederlassung auf einer kleinen Insel vor der Küste, zweieinhalb Tagesreisen von Kanton entfernt. Im Lauf der Zeit entwickelte sich Macau zu einem bemerkenswert unabhängigen Territorium. Die Portugiesen setzten – entgegen der sonstigen Verwaltungspraxis im *Estado da Índia* – hier keinen eigenen Kommandanten ein (sodaß bis 1623 der Inhaber der Konzessionsfahrt Goa-

Macau-Japan während der Handelssaison als offizielles Organ der Krone fungierte), und auch die chinesische Provinzverwaltung, der Macau unterstand, operierte in dieser Angelegenheit weitgehend unabhängig von Peking: Vermutlich wurde der Kaiser jahrelang selbst über die Existenz der portugiesischen Enklave in seinem Reich im Unklaren gelassen, um nicht mit einem strikten Gegenbefehl die lukrativen Geschäfte unterbinden zu können.

In Malakka hatte Georg Christoph Fernberger seinen Horizont um die zweite Hälfte der Welt bereichert: Von den Inselreichen im Osten *„steht der Meeresweg offen nach Amerika oder Neuspanien oder Westindien, wie immer man es nennt, und von da wiederum nach Portugal und in unser Spanien"* und *„so kann man in nur drei Jahren eine Reise rund um die Welt vollenden"*. Von hier aus stand ihm die gesamte Welt offen. Wohin also sollte der nächste Schritt im neuen Jahr 1591 führen? Es ist kaum vorstellbar, daß (obwohl er seine Sehnsüchte diesmal mit keinem Wort preisgab) Fernberger nun nicht daran gedacht hatte, Macau anzulaufen, von dort unter Umständen übers Südchinesische Meer zu den Philippinen und/oder Japan überzusetzen und vielleicht anschließend gar weiter in die Neue Welt zu fahren. Obendrein, wo seit kurzem die Möglichkeit bestand, daß Einzelreisende ein derartiges Unternehmen gewissermaßen nach Fahrplan und ausnahmslos an Bord von europäischen Schiffen absolvieren konnten. Die letzte bestehende Lücke zwischen den etablierten Schiffahrtsrouten der Spanier und Portugiesen war unlängst durch die Errichtung einer neuen portugiesischen *„Linie von Malakka zu den Manilischen Inseln, die sie Filipinas nennen"* geschlossen worden, und die Weiterfahrt von dort nach Osten organisierten die Spanier: Zunächst mittels jener Schiffsverbindung über den Pazifik, die unter der Bezeichnung „Manila-Galeone" mexikanisches Silber von Acapulco nach Westen verschiffte, auf der Rückfahrt nach Osten vollbeladen mit chinesischer Seide, und danach durch die Magellanstraße innen an Feuerland vorbei in den Atlantik und zurück nach Europa.

Doch auch wenn der Gedanke zum Greifen nah sein mußte – diesmal erlag Georg Christoph Fernberger keiner weiteren Versuchung. Vermutlich war der eigentliche Grund für Fernbergers Rückzieher ganz banal: Ende Dezember in Malakka eingetroffen, sah er sich noch auf Monate hinaus mit dem Nordostmonsun konfrontiert – was wohl eine Fahrt nach Westen, aber keine nach Osten erlaubte und bedeutete, daß die entsprechenden Schiffsverbindungen frühestens wieder Ende April/Anfang Mai zur Verfügung stehen sollten.

Als Ersatzprogramm für die entgangene Gelegenheit zur Weltreise bot sich immerhin die Chance, in Malakka die Zusammenhänge des weltumspannenden Handels zu studieren. Also ging Georg Christoph Fernberger – und zwar offensichtlich mit Feuereifer – daran, in akribischer Kleinarbeit einen umfassenden Warenkatalog aller nennenswerten Produkte zu erstellen, die rund um den Erdball auf christlichen, heidnischen oder moslemischen Schiffen transportiert wurden, und kein anderer Ort hätte sich besser dafür eignen mögen als dieser West-Ost-Umschlaghafen ersten Ranges.

In erster Linie vervollständigte Fernberger jetzt sein fortlaufend gesammeltes Wissen. Präsentiert wurde das mehrseitige Ergebnis, das primär intellektuellen Anspruch erhob und Ansätze von profunden naturwissenschaftlichen Erkenntnissen ebenso zeigt, wie es eine Fülle zeitgenössischer Irrtümer (gleichermaßen abstrus wie märchenhaft) mit handfesten ökonomischen Fakten verwob, mit folgendem Geleit: *„Ich hielt es nicht für verfehlt, ein wenig zusammenfassend über die verschiedenen wichtigen Produkte Indiens hinzuzufügen, da in dieser gewaltigen Handelsstadt Malakka aus fast allen Teilen des Orients Waren zusammenfließen. Ich will aber nicht ihre Eigenschaften beschreiben, was ich den Medizinern überlasse, noch wie die einzelnen erworben werden, sondern werde nur weniges über ihren Ursprung ... in aller Kürze andeuten.“*

Nach getaner Arbeit, eineinhalb Monate nachdem er in Malakka angekommen war, bestieg Georg Christoph Fernberger am 15. Februar des Jahres 1591 schließlich wieder ein Schiff. Wortlos kehrte er der Stadt den Rücken, nahm ebenso wortlos von der verlockenden Weite des Ostens Abschied und machte selbst von seinen weiteren Reiseplänen kein Aufhebens. Der Monsun-Saison gehorchend, führte die Fahrt nun nach Westen, und nachdem die Malakkastraße passiert und das Land schließlich an beiden Seiten hinter den Horizont zurückgewichen war, umfing erneut der offene Ozean den ungenannten Segler.

Einige Tage danach machte man unversehens Bekanntschaft mit Kannibalen. Bei leichter Brise und strahlendem Wetter war das Schiff auf eine Gruppe von Eilanden zugelaufen und in die als *Canal do Sombreiro* verzeichnete Durchfahrt zwischen den heute „Katchall“ und „Little Nicobar“ genannten Inseln eingeschwenkt. Wieder war Georg Christoph Fernberger bei den Andamanen gelandet. Schon einmal hatten sich hier dramatische Szenen abgespielt, doch rief das Reisetagebuch die Erlebnisse vor eineinhalb Jahren nicht in Erinnerung. Ein Winkel des Golfs von Bengalen, den man sich augenscheinlich ungern vergegenwärtigte – angesichts der Tatsache, daß auf den Inseln *„nackte Kannibalen“* hausten.

Waren Fernbergers Gedanken auch kurz in die Vergangenheit abgeschweift (zu einem Resümee von anthropophagen Sitten und Gebräuchen), so erforderte plötzlich die Gegenwart seine volle Aufmerksamkeit, *„als zwei Boote dieser Urwaldbarbaren auf uns zuhielten“*. Aber auch diesmal sollte Fernberger mit dem Schrecken davonkommen, denn die kleinwüchsigen Wildbeuter (obwohl angeblich ununterbrochen damit beschäftigt, Krieg gegen Nachbarn zu führen und gefangene Feinde aufzuessen) winkten schon von weitem und bedeuteten den Vorbeifahrenden, die Segel zu streichen. *„Bisweilen“* nämlich pflegten selbst jene, die grundsätzlich *„keine Handelsbeziehung zu welchem Volk auch immer“* unterhielten, sich in kaufmännischer Absicht Schiffen zu nähern. Das angepeilte Fahrzeug hatte inzwischen bereitwillig die Segel eingeholt und eine Schleppleine ausgeworfen, an der nun die beiden schwimmenden Marktstände wie Nußschalen nahe der Bordwand schaukelten.

Mit bemerkenswerter Inkonsequenz hielt Fernberger das Bild des „schrecklichen Kannibalen“ aufrecht: Selbst wo jene offenkundig Angst vor den Europäern zeigten (und immer einen Sicherheitsabstand einhielten), während diese ihre Furcht völlig ablegten, als es ans Geschäftemachen ging (und das zögerliche Gebaren belustigend fanden), änderte das nicht das Geringste am kanonischen Topos. Ebensowenig machte man sich ernsthaft Gedanken darüber, daß die „Urwaldbarbaren" böse übervorteilt wurden, wenn sie unbedarft Bananen, Kokosnüsse und gekochte „Ignames" (Yamswurzeln), ja oft sogar kostbaren Amber gegen zerschlissene Stoffreste tauschten. Gerade der dunkelgraue Amber – von den Zeitgenossen als Spielart des Bernsteins eingestuft und (noch) nicht als Absonderung aus Pottwaldärmen erkannt – wurde wahlweise als Aphrodisiakum oder als Desinfektionsmittel bei Seuchengefahr zum Einsatz gebracht und war an jedem anderen Ort im Indischen Ozean ein Vermögen wert.

Die Begegnung mit den Menschenfressern sollte die einzig nennenswerte Abwechslung auf dieser Seereise nach Westen bleiben. Danach sah Georg Christoph Fernberger für einen ganzen Monat lang nur Wind und Wellen und keine Veranlassung, den monotonen Schiffsalltag auf hoher See zu Papier zu bringen. Wenig anregend schien diesmal auch die Gesellschaft an Bord zu sein, denn bei früheren Gelegenheiten hatten willkommene Gespräche nicht nur Zerstreuung bedeutet, sondern auch kurzweilige Exkurse, die sich Seite um Seite im Reisetagebuch niedergeschlagen hatten. So verdankte Fernberger etwa seine Kenntnisse über Ceylon – das sich erst als Ziel der Fahrt entpuppt, als das Schiff dort am 20. März des Jahres 1591 vor Anker ging – schon vorab jener Erkundungsreise, die ihn eineinhalb Jahre zuvor hier vorbei in Richtung Bengalen geführt hatte.

Nun aber harrte die Insel ihrer eigentlichen Besichtigung. Aller Wahrscheinlichkeit nach war Georg Christoph Fernberger im Hafen von Colombo gelandet, wo die Portugiesen im Jahr 1505 erstmals versucht hatten, auf der (zufällig entdeckten) Insel Fuß zu fassen, und wo sie später (1517/18) mit einem Fort und einer *feitoria* (Faktorei) eine dauerhafte Herrschaft etabliert hatten. Durch seine Lage war Colombo (Kolamba) prädestiniert als Handelsplatz und Ausfuhrhafen für Ceylons wichtigsten Exportartikel: Zimt, der hier in der Waldregion des Südwestens gedieh. In Europa war Zimt schon seit der klassischen Antike bekannt und gleichermaßen als Duftmittel wie als Gewürz begehrt.

Vier Tage sollte Fernbergers Zwischenstopp auf Ceylon dauern. Vier Tage, die verblüffend einem modernen Kurzurlaub ähnelten. Möglicherweise gab es dabei Gelegenheit, Lokalkolorit in Form der beliebten öffentlich inszenierten Tierkämpfe (Mungo respektive „Pharaonenratte" gegen Giftschlange) zu konsumieren, angenommen aber hatte Fernberger auf jeden Fall ein anderes Veranstaltungsangebot der Insel, das im März und April auf dem Programm stand: Er erntete Zimt. Offenbar führte ein Ausflug ins Hinterland Fernberger in die Wälder um Colombo, in denen bis auf 900 Meter Seehöhe die Zimtbäume, *„sehr zart, niedrig und dem Lorbeer sehr ähnlich"*, wuchsen. Noch nicht auf eigenen Plantagen kultiviert (die sollten erst im 18. Jahrhundert angelegt werden), sondern wild. Vermutlich Seite an Seite mit den einheimischen Arbeitern schritt Fernberger nun ebenfalls zur Tat, schnitt systematisch die Rinde ein und zog sie mit eigenen Händen vorsichtig ab. In der Sonne trockneten die abgeschälten Stükke, rollten sich ein und ergaben so Zimt, *„wie wir ihn kennen"*.

So verbuchte der passionierte Vergnügungsreisende des späten 16. Jahrhunderts eine unvergeßliche Urlaubserinnerung. Zimternte als Fremdenverkehrsattraktion – auch wenn sie hier ansonsten nur niedrigen Bevölkerungsschichten vorbehalten, ja namentlich Sklavenarbeit war.

Für Georg Christoph Fernberger aber war die Zimternte ein Vergnügen, ebenso wie die ganze Reise. Wohin er sich auch wandte und welche *„Gefahren ... Strapazen und Schwierigkeiten"* er dafür auch auf sich nahm, stets tat er es nicht nur *„nicht ohne Vergnügen"*, sondern faktisch ausschließlich mit dieser Absicht. Letztlich verfolgte seine Reise tatsächlich keinen anderen Zweck. Der Typ des weltenbummelnden Individualreisenden, des Touristen, der um des Reisens willen reiste, war aber kein zeitgenössisches Konzept. Der Leidenschaft des Reisens verfallene Zeitgenossen finden sich in dieser Epoche überall auf der Welt, Georg Christoph Fernberger aber hatte seine Passion zur Gesinnung erhoben und reiste zweckfrei, auf eigene Kosten und um des eigenen Vergnügens willen um den halben Globus: Ende des 16. Jahrhunderts verkörperte er bereits den Typ des modernen Touristen.

Der kurze Aufenthalt in Ceylon hatte Fernberger unterdessen intime Kenntnisse beschert, die weit über die damals in Europa kursierenden Vorstellungen hinausgingen. Im allgemeinen galt das antike Taprobane in der Frühen Neuzeit als Paradebeispiel für den sagenhaften Reichtum Indiens, und selbst als die phantasievollen Gerüchte langsam von nüchternen Informationen verdrängt wurden, umgab Ceylon weiterhin ein märchenhafter Schimmer. *„Aus Gründen der Kürze"* (und wohl weil das Thema zum gängigen Bildungsrepertoire zählte) sah sich Georg Christoph Fernberger jedoch angehalten, die augenfälligen Reichtümer der Insel nur zu streifen.

Kein Wunder, daß ein so paradiesisches Fleckchen Erde europäische Besucher immer deutlicher an den biblischen Garten Eden gemahnte. In den Reisebeschreibungen des 17. Jahrhunderts sollte die christliche Überlieferung bereits den Ton angeben, korrelierend mit einer neuen Wallfahrtskultur, die sich inzwischen fest etabliert hatte. Wer nun nach Ceylon kam, besichtigte statt der Zimtwälder die deutlich sichtbaren „Fußstapfen" Adams auf dem höchsten Berg der Insel. Andächtig standen fromme Christen vor dieser göttlichen Offenbarung, mehr oder weniger überwältigt von der Schlußfolgerung, die sich zwangsläufig ergab, wenn das tatsächlich Adams „Fußabdruck" war: Auf Ceylon lag das „irdische Paradies".

Schon beizeiten nämlich hatte sich dem gläubigen Christen die Frage gestellt, ob denn das verlorene Paradies noch auf Erden existiere. Und wenn man den biblischen Garten Eden tatsächlich als realen Ort verstehen und geographisch dingfest machen konnte (was die meisten Kirchenväter bejahten), wo lag er? „Irgendwo im Osten", war die einhellige Antwort des christlichen Mittelalters gewesen. Ein Standpunkt, der nicht nur wegen seiner Unschärfe unbefriedigend geblieben war, sondern auch wegen des traditionellen Nachsatzes, das Paradies wäre nach dem Sündenfall Adams und Evas ausschließlich himmlischen Freuden vorbehalten und für Sterbliche nicht mehr erreichbar. Selbst wenn es also gelingen sollte, den *locus divinae amoenitatis* auf Erden zu finden, würde ein unüberwindliches Hindernis den unwürdigen Menschen den Zugang verwehren: Lag es auf einem Berg, dann war dieser wohl unglaublich hoch (mit einer Spitze, die bis zum Mond reichen mochte); lag es auf einer Insel, so hatte diese wohl unzugängliche Küsten. Als Alternative zu Ceylon bot sich jedoch auch eine eigene „Paradies-Insel" weit draußen im Indischen Ozean an, die bis zum Ende des 16. Jahrhunderts auf manchen Karten als fabelhaftes Stück Land unter realen Inseln eingetragen war, angesiedelt irgendwo zwischen Ceylon und Sumatra.

Weit entfernt vom fraglichen Paradies befand sich unterdessen Georg Christoph Fernberger, der das strittige Thema hier gar nicht erst aufgenommen und Ceylon nach vier Tagen stillschweigend den Rücken gekehrt hatte. Das Ziel der Fahrt erreichte sein Bericht in einem Satz, Fernberger selbst dagegen erst zweieinhalb Wochen später, nach einer neuerlichen Reise entlang der Malabarküste (die sich offensichtlich kaum von der des Vorjahres unterschied und eine wiederholte Besprechung erübrigte): Möglicherweise hatte sein Schiff diesmal auch an keinem der portugiesischen Versorgungsstützpunkte festgemacht, ehe es am 10. April des Jahres 1591 in Goa einlief.

Seit der Abfahrt von Malakka hielt Fernberger seine Äußerungen sehr knapp, offenbar brachte er nur mehr die Rückreise zu Ende und hatte längst neue Ziele vor Augen. Und spärlich kommentiert blieb auch das weitere Geschehen: Angesichts dieser Stadt ohnehin nie sonderlich gesprächig, schloß Fernberger das Kapitel „Indien" kurzerhand mit dem Datum der Ankunft und dem Tag seiner Abreise.

Dabei überschlugen sich die Ereignisse nun förmlich: Als Georg Christoph Fernberger zum vierten Mal in Goa an Land gegangen war, suchte er vermutlich zunächst Ferdinand Cron auf, ein Höflichkeitsbesuch bei Manuel de Sousa Coutinho mochte gefolgt sein. Bei dieser Gelegenheit müßte Fernberger auch erfahren haben, daß das Schiff für die Rückreise des Gouverneurs noch immer nicht eingetroffen war, vielleicht hatte de Sousa sein ursprüngliches Angebot nun sogar neuerlich bekräftigt. Auf die freie Passage zurück nach Portugal zu warten (wieder vergeblich womöglich) schien wenig verlockend, zumal Ende des Monats der Wind umschlagen würde. Ließ Fernberger die letzten Ausläufer des Wintermonsuns ungenützt verstreichen, würde er den Sommer über in Indien gefangen sein. Die Aussicht auf einen zweiten derartigen Aufenthalt wirkte vermutlich nicht unbedingt einladend, die Chance, daß die erwartete *Bom Jesus* in den nächsten Tagen eintreffen könnte, wenig vielversprechend. Fernberger handelte schnell: Binnen achtundvierzig Stunden hatte er einen Segler ausfindig gemacht, der gerade die letzten Vorbereitungen traf, um noch nach Hormuz auszulaufen, sich seine Passage gesichert und Abschied genommen. Dann bezog er sein neues Quartier, am Abend des 13. April lösten sich bereits die Ankertaue, und schon trieb sein Schiff auf den Indischen Ozean hinaus. Mochte Fernberger seine Entscheidung vielleicht im selben Moment wieder bereut haben (das Auslaufen war unplanmäßig vonstatten gegangen, denn ein aufkommender Sturm hatte die Trossen losgeschlagen), so war sie – im Nachhinein – zweifellos die richtige gewesen: Den freundlichen Vorschlag von Gouverneur Manuel de Sousa Coutinho anzunehmen, hätte hingegen Fernbergers unmittelbares Ende bedeutet. Die portugiesische Karacke *Bom Jesus* nämlich, die im Mai 1591 tatsächlich in Goa eingetroffen war, den neuen Vizekönig an Land setzte und daraufhin den vormaligen Gouverneur mit seiner Gemahlin, seinen Söhnen und einer Schar von Edelleuten zur Rückreise nach Lissabon an Bord nahm, sollte auf dieser Fahrt spurlos verschwinden: „Man hörte nie wieder von ihr", ist das Letzte, was die offiziellen Schiffslisten über die *Bom Jesus* berichten.

Für Georg Christoph Fernberger, der von diesem Unglück wohl kaum mehr gehört hatte, war im Moment jedoch nur eines von Bedeutung: Sein Schiff trieb ohne Anker auf dem Ozean. Die Einschätzung der Situation war schwierig, und die Meinungen an Bord gingen darüber auseinander, die ganze Nacht lang wurde beratschlagt. Als der Morgen graute, besserte sich die Stimmung langsam, zumal es sich überdies um den Ostersonntag handelte: *„Auch am folgenden Tag waren wir* [zunächst] *im Zweifel, ob wir nach Indien zurückkehren sollten (wozu viele rieten) oder nicht, bis endlich der Kapitän, von den Argumenten des Steuermannes überzeugt, beschloß, seine Fahrt nach Hormuz im Namen Gottes fortzusetzen."*

Die Tatsache, daß die Fahrt dennoch glücklich enden wollte, veranlaßte Fernberger, die ersehnte Ankunft in Hormuz in seinem Bericht vorzuziehen: Anders als bei seinem ersten Heimreiseversuch vor genau einem Jahr hatte zwar wieder *„nur wenig gefehlt ..., daß ich abermals nach Indien hätte zurückkehren müssen"*, diesmal allerdings konnte die Sturmfront das Unternehmen nicht zum Scheitern verurteilen. Seine Erlebnisse auf dieser Reise trug Fernberger anschließend in geraffter Form nach, wie nunmehr üblich, von allem überflüssigen Ballast befreit.

Auf Gewichtiges konzentrierten sich unterdessen die Überlegungen an Bord von Fernbergers Schiff, denn Anker wie Notanker lagen im Schlamm der Reede vor Goa. Auf hoher See wog der Verlust naturgemäß gering, für den Landfall hingegen und im Notfall aber würde man einen Ersatz benötigen. Die Seeleute entschieden sich für eine wuchtige Kanone, adaptierten das gute Stück und trafen wohl auch alle Vorkehrungen, sie ebenso rasch und sicher wie einen Anker fallen lassen zu können. Selbst solchermaßen gerüstet *„war dies eine ganz abenteuerliche und unerhörte Sache, nämlich daß ein Schiff aus Indien ohne Anker über den weiten Ozean bis nach Arabien segelt"*.

Trotz der anfänglichen Schwierigkeiten verlief die Weiterreise nun problemlos. An der Hochseefahrt selbst fand sich auch diesmal nichts, was der Berichterstattung wert gewesen wäre. Man kann wohl getrost annehmen, daß sich den vielen eintönigen Tagen auf See, die Fernberger inzwischen erlebt hatte, nur noch etliche weitere hinzugesellten. Das eigentliche Wesen der Überfahrt kommt in Reiseberichten nie zur Sprache, denn ebenso wie bei einer Reise über Land blieb die Fortbewegung an sich als leere Zeit ohne Handlung zwischen ihren Angelpunkten Abreiseort und Zielort unbeschrieben. Naturgemäß ist eine ruhige Überfahrt nur schwer wiederzugeben, weil es keine Geschichte zu erzählen gibt, und vor 1700 sind Versuche in diese Richtung überhaupt nur sehr spärlich gesät.

Als Georg Christoph Fernberger nach Ablauf von mehr als sieben Wochen endlich wohlbehalten in Hormuz eintreffen sollte, endete damit nicht nur seine „Indische Reise" sondern auch sein Leben als Seefahrer. Schon allein die Beschaffenheit des *Estado da Índia* hatte Fernberger gezwungen, sich während dieser Zeit vorwiegend an Deck eines Schiffes auf dem Indischen Ozean aufzuhalten: Er kannte nicht nur den Persischen Golf, sondern hatte mehrmals das Arabische Meer durchquert, den Stürmen im Golf von Bengalen getrotzt und wußte selbst um die Geheimnisse der fernen Andamanensee.

Lange Hochseefahrten wie diese zeichneten sich allein durch Eintönigkeit und mannigfache Gefahren aus: Tagelang oft wochenlang bekam Fernberger dabei kein Land zu Gesicht, weder Gesellschaft noch Beschäftigung wechselten, und selbst das Essen wurde nicht nur täglich dürftiger, sondern manchmal auch sehr knapp. Piraten, Untiefen, Flauten und Stürme machten den Ausgang jeder seiner Seereisen zumindest ungewiß, und zusätzlich tauchten immer wieder technische Probleme, wie gebrochene Masten und Rahen, zerfetzte Segel und leckgeschlagene Rümpfe auf. Doch so leicht war Georg Christoph Fernberger nicht abzuschrecken gewesen: Nie hatten ihn widrige Erlebnisse ernsthaft davon abgehalten, eine neue Fahrt zu wagen. Im Gegenteil: Wohl wissend, daß er die gleiche Strecke retour würde absolvieren müssen, war er immer weiter und weiter nach Osten gesegelt.

Wer sich die Sehnsucht auf die Fahnen geheftet hatte, dem blieb jedoch keine andere Wahl. Dreißig dieser ersprießlichen Tage sollte Georg Christoph Fernberger für die erste Etappe seiner Rückfahrt benötigen, dann erreichte sein ankerloses Schiff die ostafrikanische Küste im *„oberäthiopischen Reich Melinde"*. Offensichtlich hatte der Navigator also einen Kurs abgesetzt, der den Nordostmonsun noch voll nützte, um weit nach Westen zu segeln, danach sollte mit dem auf Südwest gedrehten Wind im Rücken die Fahrt nach Norden fortgesetzt werden. Das gleichnamige Zentrum des Reiches, Malindi, war jahrzehntelang der nördlichste Stützpunkt der Portugiesen an der ostafrikanischen Küste gewesen und betrieb schon im Mittelalter schwunghaften Handel mit Arabien und Indien. Es herrschte also bereits reges Treiben und ein Kommen und Gehen von Kaufleuten verschiedenster Nationalitäten, als eines Tages im April des Jahres 1498 Vasco da Gama nach geglückter Umsegelung des Kaps der Guten Hoffnung hier Anker geworfen hatte. Der Empfang beim König war damals durchaus „freundschaftlich" ausgefallen, und die Freundschaft erwies sich als dauerhaft: 86 Jahre später charakterisierte Georg Christoph Fernberger den *„König dieses Reiches"* herzlich als

„Bundesgenossen des Königs von Portugal und ... Waffenbruder".
Der sogenannten „Costa de Melinde" nach Norden folgend, segelte das Schiff vorbei an einigen maurischen Häfen, danach brachte ein einziger Schlag über den Golf von Aden Fernbergers Schiff zu den Kuria-Muria-Inseln vor der Arabischen Halbinsel und weiter in die Bucht von Macyra (Masirah), wo erneut ein barbarisches Volk der Antike hauste: *„Hier wohnen die Ichtyophagen* [„Fischesser"], *die auch die Flotte Alexanders des Großen sah. Sie ernähren sich nur von Fischen und Palmen, ein nacktes und armes Volk."*
Ohne weiteren Aufenthalt ging nun die Fahrt der Küste entlang weiter, und als Fernbergers Schiff den Golf von Oman ansteuerte, lag der Wendekreis des Krebses bereits hinter ihm. Wenig später landete Fernberger endlich im Hafen von Hormuz: *„wohlbehalten"* und *„glücklich"* und volle zwei Jahre, nachdem er die Insel verlassen hatte. Man schrieb den 2. Juni des Jahres 1591, es war Pfingsten.

(1) Galeone der „Karawane von Alexandria"

(2) Fernberger und Teufel bei den Pyramiden von Gizeh
(3) Wappen der Familie Fernberger von Eggenberg

(4) Nilpferde
(5) Krokodil
(6) folgende Doppelseite: Weltkarte von Hondius (1625)

NOVA TOTIUS TERRARUM ORBIS GEO
VER
TERRA
AUTUMNUS
IGNIS
AMERICA SEPTENTRIONALIS sive MEXICANA
MAR DEL ZUR
MAR DEL NOR
Tropicus Cancri
Circulus Æquinoctialis
Tropicus Capricorni
MARE PACIFICUM
AMERICA MERIDIONALIS sive PERUANA
Fretum Magellanicum
Fretum Lemaire
Sinus Mexicanus

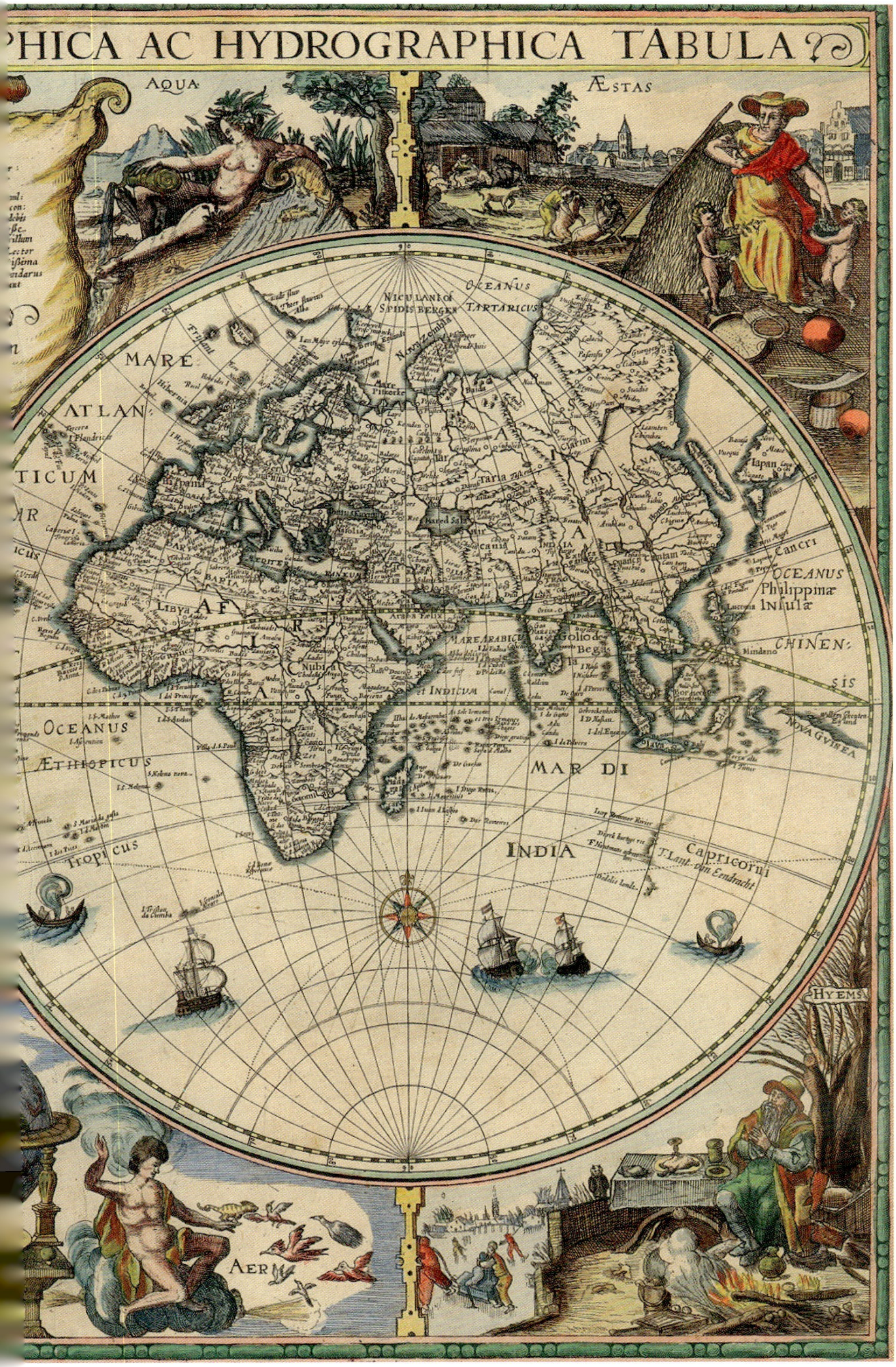

PHICA AC HYDROGRAPHICA TABULA

AQUA

ÆSTAS

OCEANUS TARTARICUS

MARE ATLANTICUM

AFRICA

ASIA

OCEANUS ÆTHIOPICUS

MAR DI INDIA

Tropicus Capricorni

OCEANUS CHINENSIS

HYEMS

AER

(7) Wegen der Hitze wurden die Mahlzeiten in flachen Wasserbecken eingenommen.

(8) Plan von Goa

(9) Fernberger und Teufel beim Turm zu Babel

(10) Walfisch

(11) Portugiesen in Goa
(12) Witwenverbrennung in Indien
(13) rechts: Kokospalme

ocos oder
appers Nuß
Cocos oder
Klappers Bau

(14) Zeitgenössische Münzen aus Indien und dem Fernen Osten
(15) Bezoar auf Silbersockel

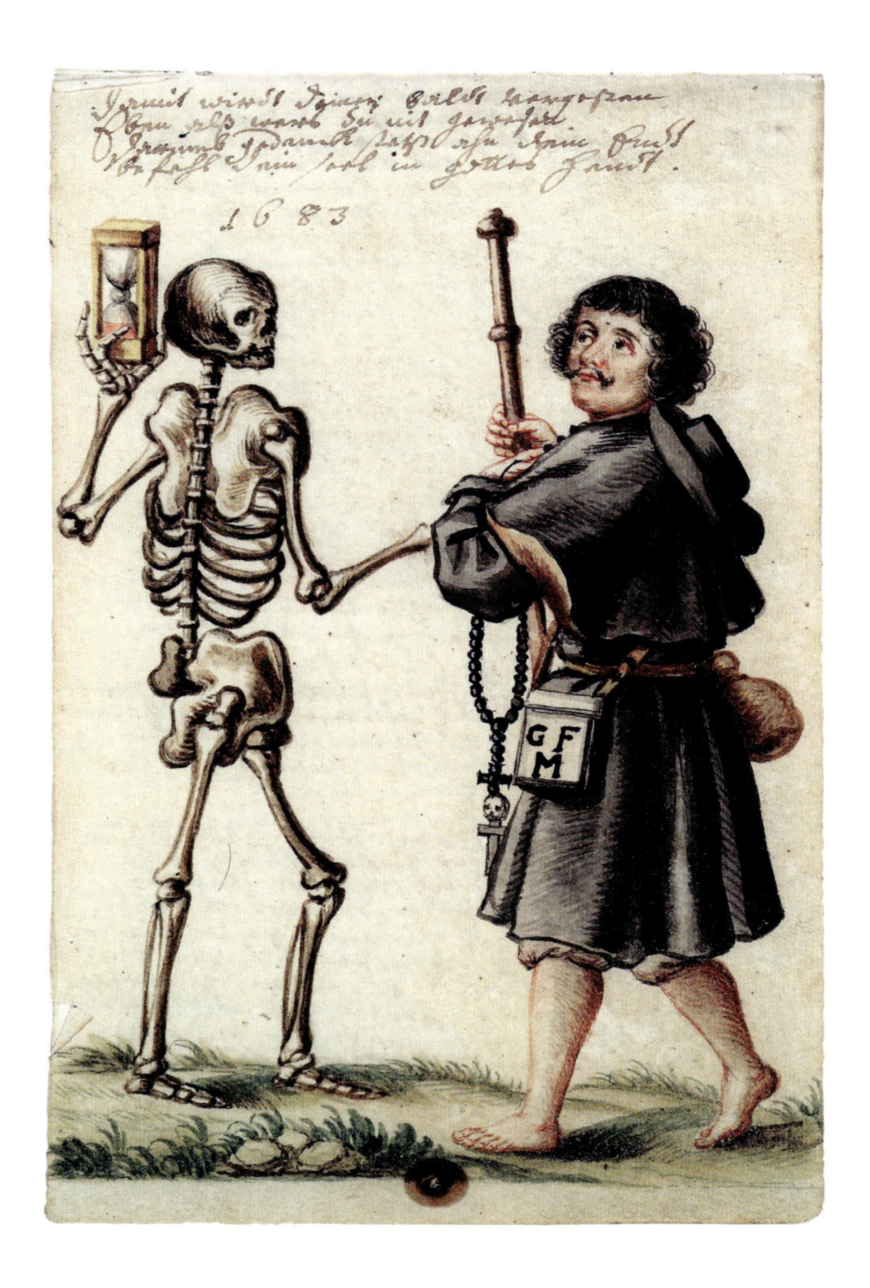

(16) Memento mori

(17) Indische Boote
(18) Indische Sänfte

(19) Kannibalen
(20) Heidnische Kulte

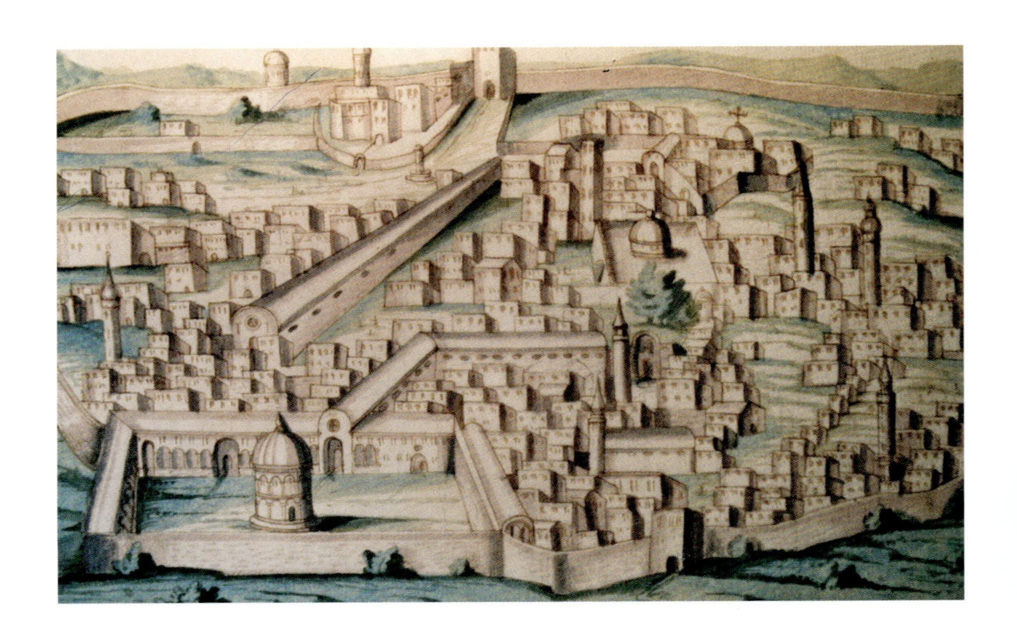

(21) Ansicht von Jerusalem

11. Kapitel

Durch Persien

Nach fünfzig Tagen auf See führte Georg Christoph Fernbergers Weg in Hormuz vermutlich geradewegs in die Kirche. Nicht nur, um Gott inständig zu danken, sondern auch, um das Abendmahl zu feiern, wie es Lutheraner und Calvinisten außer am Pfingstsonntag nur noch dreimal im Jahr (Ostern, Herbstbeginn und Weihnachten) zu tun pflegten.

Wenig später aber stellte sich Fernberger schon wieder am Hafen ein und stach erneut in See. Ein kurzes Wiedersehen mit dem portugiesischen Kommandanten von Hormuz hatte offenbar genügt, um einen vielversprechenden Ausflug zu arrangieren: Fernberger schiffte sich nun auf einer jener beiden Galeeren ein, die nach Bahrein abkommandiert waren, um dort das Perlenfischen im Namen des portugiesischen Königs zu überwachen, und genoß daraufhin mit großem Vergnügen die Gelegenheit, nach endlosen Erzählungen auch endlich mit eigenen Augen beim Perlentauchen zuzusehen.

Nachdem sich Georg Christoph Fernberger diesen Abstecher vergönnt und sich wieder in Hormuz eingefunden hatte, begann er jedoch unverzüglich mit den Vorbereitungen für die Weiterreise. Von seinen Plänen machte Fernberger kein Aufhebens, auch wenn er diesbezüglich offensichtlich schon einen festen Entschluß gefaßt hatte: *„Ich ... tauschte meine portugiesische Kleidung gegen persisches Gewand ... rasierte meinen Kopf und wickelte einen Turban* *aus bemaltem Stoff darüber.*" Solchermaßen ausstaffiert wurde deutlich, daß Fernberger, bevor er noch auf den Spuren Jesu im Heiligen Land zu wandeln gedachte, Hans Christoph Teufel nachfolgen und das Reich des Schahs besuchen wollte. Auch Teufel hatte den Umständen Rechnung getragen und zu seinem Schutz bei einem landesüblichen Kostüm Zuflucht gesucht, Fernbergers Sicherheit sollte überdies durch einen einflußreichen Beistand gewährleistet sein, denn *„da gerade der persische Abgesandte zugegen war, dem ich vom portugiesischen Kapitän empfohlen wurde, machte ich mich in dessen Gefolgschaft auf den Weg ...*".

Auch abseits nützlicher Kontakte von seiten der Portugiesen eignete sich Hormuz ideal als Ausgangspunkt für diese Reise: Am gegenüberliegenden Festland nahm die Karawanenstraße ihren Anfang, deren Infrastruktur auf leidlich ausgetretenen Pfaden auch Touristen einigermaßen programmgemäß vom Süden in den Norden Persiens schleuste. Etwa Mitte Juli 1591 machte sich Georg Christoph Fernberger auf den Weg.

Zunächst einmal war die Überfahrt zum Festland zu bewältigen. Eine entsprechende Bootsverbindung von der Insel bestand fast täglich, und bei gutem Wind dauerte die Fahrt kaum mehr als zwei Stunden. Für jemanden, der inzwischen über respektable Erfahrungen auf Hochseetörns verfügte wohl ein Spaziergang und mehr eine launige Segelpartie als eine ernstzunehmende Etappe, und so übersprang Fernberger in seinem Reisetagebuch ohne weiteres die ganze Angelegenheit. Gegenüber, am persischen Ufer, erwartete die Fahrgäste ein kleines Dorf samt Hafenanlage, das allen Reisenden in verballhornten Versionen seines portugiesischen Namens geläufig war: Camaram.

Bislang aber hatte sich ohnehin nur eine Handvoll Abendländer nach Persien gewagt, und Teufel und Fernberger zählen dabei zu den allerersten deutschsprachigen Reisenden, die dieses Abenteuer unternahmen. Das erste Wagnis war bereits bestanden, als Georg Christoph Fernberger auf den Rücken eines Dromedars geklettert und *„wie ein Affe herumgewirbelt*" worden war, als das Tier unerwartet schnell (und zuerst nur mit den Hinterbeinen) aufstand. Vom Deck eines Hochseeseglers auf den Rücken eines Wüstenschiffes zu wechseln, zog sicherlich neue Erfahrungen nach sich und Reflexionen über annehmliche und weniger bequeme Formen des Reisens. Gemeinsamkeiten bestanden jedoch durchaus: *„Übrigens sind die, die diese Reise durch die Wüste machen, ebenso wie Seereisende, gezwungen, sich mit den notwendigsten Dingen wie Zwieback, Schläuchen zum Wassertransport, Salz, Essig, Öl, Käse und ähnlichen Lebensmitteln einzudekken.*"

Überdies glich der wiegende Paßgang der Kamele manchmal wohl recht unangenehm dem Rollen eines Schiffes, und längst hatte Fernberger den Schritt des Dromedars als *„anstrengend*" und *„sehr beschwerlich*" ausgewiesen. Trotzdem galt es, von Camaram aus in einem Troß von 600 Kamelen neuen Zielen entgegenzureiten.

Spärlich kommentiert blieb in der Folge auch das eigentliche Karawanenleben, vielleicht auch deshalb, weil die wichtigsten Schlagworte dazu bereits zur Sprache gekommen waren, als Fernberger in

Ägypten, Kleinasien und Mesopotamien sowohl entsprechende persönliche Erfahrungen als auch Informationen aus zweiter Hand gesammelt hatte. Neu hinzu gesellte sich danach nur noch folgender Hinweis: *„Einen solchen Zug oder eine Gesellschaft von Händlern, die gemeinsam reisen, nennt man in Persien Cafila* [pers.: qafila] *und bei den Türken Carawana* [türk.: kârvan]. "

In langen Nachtmärschen zog die Karawane nun landeinwärts. Um der Hitze des Tages zu entgehen, brach man gewöhnlich erst nach Sonnenuntergang auf und hielt erst wieder an, wenn das Licht der Morgendämmerung ein geordnetes Lagern zuließ. Dann wurden die Zelte aufgeschlagen, die Tiere versorgt und endlich auch gekocht; wen hingegen in der Nacht der Hunger überfiel, war gezwungen, sich mit einem kleinen Imbiß aus den Satteltaschen abzuhelfen. Wenige Stunden der Erholung mußten genügen, dann hielt man sich erneut zum Aufbruch bereit, denn eine halbe Stunde, nachdem der Befehl zum Weiterziehen ausgegeben wurde, rief ein zweites Signal zum Beladen und Aufsteigen, und daraufhin setzte sich die Karawane schweigend wieder in Bewegung. Zwanzig bis dreißig Kilometer schaffte die Karawane dabei pro Etappe, alles im gemächlich schaukelnden Paßgang der Lastkamele. Gestoppt wurde der Zug nur, wenn jemand unterwegs verstarb: Dann hob man an Ort und Stelle ein Grab aus; verlorenes Gepäck oder ausgescherte Tiere hingegen sammelte eine Nachhut ein. Vierzehn Tage brachte Georg Christoph Fernberger in diesem Alltag zu, gefangen im eintönigen und endlosen Wechsel von Marsch und Lager, vermutlich ständig müde, staubig und mit zunehmend schmerzenden Gliedmaßen. Zumindest zweimal nämlich hatte Fernberger nicht die nötige Aufmerksamkeit an den Tag gelegt, als sein Kamel auf die Füße sprang und war (beide Hände nicht wie normalerweise hinter sich in den Sattel verkrallt) *„wie ein Spielball ... sehr schnell über den Kopf des Kamels ... geschleudert"* worden.

Gewöhnlich schlossen die Europäer keine allzu engen Beziehungen mit ihrem exotischen Reittier, allerdings existierte unbestritten *„kaum ein anderes Tier, das ... dem Menschen ... von größerem Nutzen ist als das Kamel"*. Ihm genügten minderwertiges Futter und fallweise salziges Wasser, und dennoch trug es willig Lasten von etwa 200 Kilogramm, über kürzere Entfernungen gar das Doppelte. Im Orient hielt man überdies wundersame Eigenschaften des sanften Gefährten hoch: *„Weil das Kamel ein so zahmes und dem Menschen nützliches Tier ist, sei ihm nach Meinung der Türken diese Gunst von Gott gegeben worden, daß jeder, der von ihm oder mit ihm stürzt, keinerlei Verletzung am Körper davonträgt."* Georg Christoph Fernberger verfügte zum einen offensichtlich über eine robuste Natur und zum anderen auch über diese aufschlußreiche Information, sodaß seine Stürze aus dem Kamelsattel immer glimpflich verliefen. Während er ansonsten derartigen Fabeleien zumindest skeptisch gegenüberstand, belehrten ihn in diesem Fall persönliche Erfahrungen eines Besseren. Die Ursache des Prinzips mochte ihm wohl schleierhaft geblieben sein, von seinem Wahrheitsgehalt aber war er spätestens nach einem weiteren folgenschweren Fall überzeugt: *„Auf meiner*

Rückkehr im Jahr 1592 durch Kleinasien vertraute ich allzu sehr auf mich und, obwohl ich aufgefordert wurde, mich an der Last, auf der ich saß, mit einem Strick festzubinden, wollte ich nicht. Ich wurde in einer Nacht von allzu tiefem Schlaf ergriffen und fiel dreimal rücklings vom Kamel, zog mir jedoch trotz des an meiner Seite befindlichen Schwertes keine Verletzung zu. Als ich in den Bergen Armeniens im vorhergehenden Jahr in einer Nacht gemeinsam mit dem Sattel von meinem kleinen Esel stürzte, nachdem ich in ähnlicher Weise vom Schlaf übermannt worden war, verletzte ich mir die Hand und die rechte Seite schwer."

Insgesamt verlebte Georg Christoph Fernberger gut ein halbes Jahr auf diese Art und Weise, in einem engen Verband mit Führern, Treibern, Kaufleuten und ihren Waren und den unverzichtbaren Hundertschaften von Tragetieren. Seine gesamte Persienreise sowie einen Teil seines weiteren Weges durch Kleinasien absolvierte der unermüdliche Tourist auf jenem Weg, der ihn auf erstaunlichen Umwegen nun endgültig seinem Ziel, dem Heiligen Land, entgegenführen sollte, abwechselnd im Gefolge von Kamel- und Eselskarawanen.

Nicht immer war es währenddessen nötig, das Lager im Freien aufzuschlagen, regelmäßig machte der Zug auch in dafür eingerichteten Karawansereien Station. In Persien liegen auf den Karawanenstraßen mehrere solcher Herbergen, die deutliche Spuren der ersten europäischen Reisenden tragen: Mehr oder weniger gehaltvolle Inschriften zieren dort noch heute die Wände, und manch Bildungsbewußter verewigte sich in fremden Landen durch eingeritzte lateinische Verse. Naturgemäß gab es zu diesem Zweck seit jeher prominentere Örtlichkeiten als eine abgelegene Karawanserei im Reich des Schahs, doch änderte das nichts am offensichtlich verbreiteten Bedürfnis nach Graffiti. Schon im Mittelalter schrieben fromme Wallfahrer ihren Namenszug an Wände: Mühsam ritzten, kratzten und meißelten die einen Buchstaben in den Stein, während, wer reich und vornehm war, es oftmals vorzog, sein Wappenschild aufzuhängen, auf Holz, Pergament oder Papier gemalt.

Egal ob an Wänden persischer Karawansereien oder in Steinquadern ägyptischer Pyramiden: Überall hinterließ der geltungssüchtige Wildwuchs Spuren, selbst direkt über dem Eingang zur Cheopspyramide hatte sich im 16. Jahrhundert ein besonders vorwitziger Zeitgenosse (der junge Hieronymus Beck von Leopoldsdorf bei Wien) verewigt. Anderswo suchte man das Streben offenbar zu kanalisieren und überließ die Bestimmung der geeignet erscheinenden Stelle nicht mehr dem Zufall – und nicht mehr dem Pilger. Im Katharinenkloster am Sinai etwa konzentrieren sich derartige Einträge auf wenige Wände und dort, wo man sich möglicherweise die größte Glückseligkeit davon versprechen mochte, in Jerusalem nämlich, war jegliches Beschriften und Bemalen der Heiligen Stätten generell untersagt.

Georg Christoph Fernberger sah davon ab, über derart persönliche Begehrlichkeiten Auskunft zu erteilen, ebenso wie sein Reisetagebuch nicht ans Licht bringt, was er sich von der nun angetretenen Reise versprach. Mittlerweile war seine Karawane bereits tagelang unterwegs. Der Weg von der Küste landeinwärts hatte zunächst über das Gebiet des Königs von Hormuz am Festland geführt („Cafristan") und dann weiter in das angrenzende Königreich von Lar („Carmania"): eins wie das andere *„größtenteils gebirgig, unfruchtbar und so heiß, daß an einem Tag ... vier Männer aus unserer Begleitung wegen der extremen Sonnenglut erstickt sind"*.

Auch abgesehen von unerfreulichen Erfahrungen wie diesen, vermittelte das Land einen ersten Eindruck, der wohl kaum Fernbergers Erwartungen entsprochen hatte. In Europa nämlich stand das zeitgenössische Persienbild kaum jenem von Indien nach: Die Vorstellung spiegelte antike Beschreibungen von Macht, Glanz und imperialer Herrlichkeit wider sowie die Anmut orientalischer Märchen. Überdies galt Persien allgemein als fruchtbares, blühendes und mit vielerlei Naturschätzen gesegnetes Land. Und da tatsächlich nur sehr wenige Europäer diese Region persönlich in Augenschein genommen hatten, wurde dieser Eindruck auch nicht korrigiert. So war Hans Christoph Teufel, bewaffnet mit gängigen Ansichten, im Juli 1589 erwartungsvoll an Land gegangen und sogleich bitter enttäuscht worden. Ernüchtert stellte er fest, daß das Land im Gegenteil unfruchtbar, gebirgig und (daher) ausnehmend häßlich war.

Georg Christoph Fernberger hingegen hielt offensichtlich auch jetzt seinen Wahlspruch aufrecht (*„Das alles muß man geduldig in Kauf nehmen und ertragen."*): Er lamentierte nicht über herbe Enttäuschung und harsches Umfeld, sondern ging entschlossen seinen selbstgesteckten Zielen nach – wie schon bisher ungeachtet der äußeren Umstände. Ein aufmerksamer Beobachter war Fernberger aber dennoch: Er registrierte in der Folge sehr wohl Gegenden mit einer ausreichenden Versorgung mit Trinkwasser, Getreide, Lebensmitteln, Wein und Obst sowie immer wieder einmal Landhäuser und Gärten mit Baumbestand. Anders als Teufel stieß er sich auch nicht daran, daß selbst die großen Städte des Landes nur Ziegelbauten aufwiesen (und das, obwohl die Einwohner Steine genug im Land hätten, wie Teufel sich ausdrückte). Mochte auch der erste Eindruck nicht unbedingt der beste gewesen sein: Sichtlich verblaßte er in den nächsten Wochen.

Nach vierzehn Tagen hatte Fernberger die unwirtliche, ja lebensfeindliche erste Reiseetappe bewältigt, nicht wissend, daß ihm erneut ein langer Marsch durch *„enge Schluchten und schwierige Bergpässe"* bevorstand, gefährlich überdies, da dort *„ständig Angriffe durch Räuber zu fürchten sind"*. Irgendwann in der letzten Juniwoche traf seine Reisegesellschaft endlich in Laar (Lâr) ein. Unzählige schlanke Minarette prägten die Silhouette der Stadt auf einer Paßhöhe inmitten des Zagros-Gebirges. Am Hang wachte eine Bergfeste über die Hauptstadt des gleichnamigen Königreiches. Georg Christoph Fernberger präsentierte sich ein bedeutender Markt und einer *der* Umschlagplätze für den persischen Binnenhandel im 16. Jahrhundert. Abseits von merkantilem Flair fesselte jedoch Martialisches das Augenmerk des Besuchers: *„Zweihundert Köpfe von Portugiesen an einer Säule mitten auf dem Hauptplatz der Reihe nach befestigt und eingemauert"*, zählte Fernberger, gleich den bleichen Schädeln Zeuge einer Sitte, die sich nichtmuslimischer Kontrahenten auf diese Weise annahm. In diesem Fall stammten die Trophäen von einem Massaker, das zwei Jahre zurücklag, als Piraten des Persischen Golfs die Portugiesen überrascht und die *„Blüte der adligen Offiziere ... niedergemetzelt"* hatten. Dem Ende seiner Blütezeit sah auch Lâr entgegen, denn nur ein Jahrzehnt, nachdem Fernberger die Stadt wenige Tage später mit einer zweiten Karawane verlassen hatte, sollte das kleine Reich seine Unabhängigkeit an den großen Nachbarn verlieren: Schah Abbas I. verleibte es im Jahr 1602 Persien ein. Schon auf dem Weg zur Grenze gewöhnte sich Georg Christoph Fernberger vermutlich vollkommen an seine neue Reisebegleitung. Offensichtlich hatten zwar nicht die Menschen gewechselt, aber die Tiere, und anstelle von 600 Kamelen war die Last nun auf 1300 Esel verteilt. Fernberger dürfte in Lâr jenes kleine Muli erstanden haben, das ihn in der Folge nicht nur quer durch Persien, sondern weiter bis ins Heilige Land begleiten sollte. Im Augenblick aber führte der Weg neuerlich Richtung Nordwesten. Noch vier volle Tagesreisen weit erstreckte sich das Territorium von Lâr. Dann hatte der Zug das nächste Etappenziel erreicht: einen Bach, der die Grenze des Königreiches markierte. Am anderen Ufer begann Persien.

Auf welcher Seite die Karawane nun lagerte, sollte für das Ereignis der kommenden Nacht jedoch keine Bedeutung haben. Gegen sieben Uhr abends ging an diesem 6. Juli 1591 der Mond über dem Süden Persiens auf – doch stand nicht der erwartete Vollmond am Himmel: Von Osten her verfinsterte ein Schatten die blaßgelbe Scheibe. Etwa eine dreiviertel Stunde später hatte der Mond sein Antlitz dann vollkommen verdunkelt: kupferrot schimmernd in der stockdunklen Nacht. Mehr als eineinhalb Stunden sollte das Schauspiel dauern, währenddessen die Mondbahn durch den Kegel des Erdschattens lief und nur indirektes, von der Erdatmosphäre gebrochenes Licht auf den Erdtrabanten traf. Auch das Ende dieser totalen Mondfinsternis blieb nicht unbeobachtet, am Beginn der zweiten Nachtwache hatte sich der Mond wieder vollkommen von seinem Schatten gelöst. Ein zusätzlicher Kommentar erübrigte sich wohl – über die Bedeutung einer Mondfinsternis wußte sich Georg Christoph Fernberger eins mit seinen Zeitgenossen. Himmelszeichen dieser Art, darüber herrschte allgemeiner Konsens, waren durchwegs nicht als interessantes astronomisches Ereignis zu sehen. Im Gegenteil lösten sie vielmehr Unruhe aus, bildeten auf jeden Fall Anlaß zur Sorge und riefen manchmal regelrechte Panik hervor.

Immerhin lag es einem Naturverständnis, das die Schöpfung als göttliches Werkzeug verstand, am nähesten, in außergewöhnlichen Himmelserscheinungen ebenso wie in Naturkatastrophen die Stimme Gottes zu vernehmen – der damit auf das Verhalten seiner Schäfchen reagierte, in der Regel also deren Sünden strafte oder eindringlich warnte. War auch dieser Punkt über jeden Zweifel erhaben, so bedurfte es einer zusätzlichen Orientierungshilfe, um die göttliche Ankündigung exakt zu dechiffrieren: Dafür konnte man innerhalb eines komplexen Zeichensystems die einzelnen Naturerscheinungen miteinander in Beziehung setzen. So kündigte ein kosmisches Zeichen wie ein Komet, ein Nordlicht, eine

Mond- oder Sonnenfinsternis immer ein weiteres schreckliches Ereignis an: Dürren oder Überschwemmungen beispielsweise, Pestepidemien ebenso wie gesellschaftliche oder politische Umstürze. Obwohl seit dem Spätmittelalter das unerschütterliche Vertrauen in die Deutung von Naturereignissen schwer in Mitleidenschaft gezogen worden war, griff auch die Frühe Neuzeit immer wieder auf dieses Zeichensystem zurück, das im Gegensatz zu den Naturwissenschaften – noch in den Kinderschuhen und noch nicht in der Lage, alternative Lösungen zu bieten – zumindest den Vorteil bot, eindeutig und berechenbar zu sein.

Darüber, wie lange seine eigenen Gedanken nun um die Mondfinsternis kreisten, deren unfreiwillliger Zeuge er an der Grenze zu Persien geworden war, schwieg sich Georg Christoph Fernberger beharrlich aus. Aller Wahrscheinlichkeit nach verhieß sie nichts Gutes, doch mochte der feste Glauben an göttliche Ordnung und Weitsicht letztlich dazu beigetragen haben, Zweifel und innere Unruhe zu überwinden. So machte sich die Karawane wie vorgesehen wieder auf den Weg.

Auch nach der Grenze engten weiterhin Berge den Blick ein. Erst allmählich wurden die Formen sanfter, und schließlich führte der Weg durch einen urbaren Landstrich, der wieder mit Gärten, Bächen und dunkelgrünen Zypressen aufwartete. Nach einer Woche erreichte die Karawane ihr Ziel: die erste große Stadt auf persischem Reichsgebiet und überdies traditionsreich und berühmt. Der erste Höhepunkt auf Georg Christoph Fernbergers Reise durch das Reich des Schah hieß Schiraz. Für unvoreingenommene Besucher mochte die Stadt einen überraschend traurigen Anblick bieten („*Der Umfang der Stadt ist immer noch groß, aber die aus Ziegeln bestehenden Mauern sind fast vollständig eingestürzt. Im Inneren befindet sich ein gewaltiger Haufen von Schutt und eingebrochenen Bauwerken, und so ist die Stadt mehr verwüstet als bewohnt.*“), nicht jedoch für jemanden, der wie Fernberger mit der vorgefaßten Meinung in die Runde blickte, es handle sich dabei um das einstige Persepolis („*der berühmte Königssitz der Perser ..., den Alexander der Große* [330 v. Chr] *in Brand steckte*“). Unterdessen hatten sich jedoch dringlichere Probleme aufgedrängt: Schon während der letzten Etappe ständig mit der Furcht vor Räubern im Nacken unterwegs, hörte man in Schiraz von den unsicheren Verhältnissen, die vor den Reisenden lagen. Für das nächste Teilstück der Karawanenstraße empfahl sich daher dringend militärischer Begleitschutz.

Für die Unruhen im Reich des Schah waren Provinzstatthalter verantwortlich, die sich der absoluten Zentralgewalt zu entziehen versuchten und den Aufstand probten. Schah Abbas hatte diese Altlast aus der Regierungszeit seines Vaters übernommen, befand sich aber schon auf dem besten Weg, die Mißstände zu beseitigen und das Staatsgefüge wieder zu festigen. Im vorliegenden Fall nun war der Aufrührer zwar seines Amtes enthoben worden, machte aber noch gemeinsam mit seinen Anhängern als gesetzloser Rebell die Gegend unsicher. Selbst von großen Karawanen ließen sich Straßenräuber wie diese gewöhnlich nicht abschrecken, schließlich waren von den 500 Mann jener Karawane, die Fernberger nach

Schiraz gelotst hatte, die wenigsten bewaffnet gewesen: Nur manche trugen Pfeil und Bogen, und Schußwaffen besaßen überhaupt nur die kaum 50 armenischen Kaufleute. Während sich einige Besucher bitter über die Reisebedingungen beschwerten und andere wie Hans Christoph Teufel hier selbst überfallen wurden, übte sich Fernberger weder in Klagen noch Kleinmut, sondern in harscher Kritik am Gebaren der Karawanenführer: *„Dies schien mir höchst befremdlich und tadelnswert, nämlich daß persische Kaufleute, welche die Schwierigkeiten und Gefahren der Reise sehr wohl kannten, so unvorbereitet und schutzlos unterwegs waren."*

Den persischen Streitkräften andererseits stellte Europa gewöhnlich ein gutes Zeugnis aus: In Flugschriften, Denkschriften und *Newen Zeytungen* wurde die Schlagkraft dieses Heeres gerühmt und die Kampfkraft seiner Soldaten unterstrichen, sodaß man sich beruhigt wußte über die Macht des mit dem Osmanischen Reich ebenfalls verfeindeten Schah. Von vitalem Interesse geleitet waren deshalb auch die Beobachtungen, die europäische Reisende im Land selbst anstellten, wo allerdings die Realität desillusionierte und der Optimismus über einen potenten Bündnispartner fehl am Platz schien. Zumindest Taktik und Waffengattungen mußten nach europäischen Gesichtspunkten unzeitgemäß erscheinen: *„Die ganze Durchschlagkraft der persischen Armee besteht nämlich in ihrer Reiterei. Größere Kanonen haben sie nicht, wie sie auch keinen Wert auf viele Festungen oder Schanzen legen, sondern alles auf die Entscheidung im offenen Schlachtfeld setzen."*

Anders als Hans Christoph Teufel, der das Land im Kriegsjahr 1589 (Türkisch-Persischer Krieg von 1578–1590) durchquerte, konnte Georg Christoph Fernberger 1591 selbst keine Beobachtungen zum Gebrauch moderner Büchsen und Musketen anstellen. Offenbar endete seine Reise auf der Karawanenstraße also ohne nennenswerte Zwischenfälle, und auch in jenem Heerlager, an dem er wenige Wochen später vorbeiziehen sollte, wurde sichtlich nicht geschossen.

Als er schließlich wieder aufbrechen sollte, tat er dies mit einem neuen Troß von 4.000 Eseln, denn Fernbergers Reisegesellschaft hatte in Schiraz aus Sicherheitsgründen die Ankunft einer zweiten Karawane abgewartet. Einige Tage später war der Verband dann aufgebrochen, offenbar bot die beeindruckende Größe allein nun Schutz genug vor eventuellen Wegelagerern. Bis es aber soweit sein sollte, hatte Fernberger noch jede Menge Zeit, Schiraz ausgiebig zu besichtigen, denn nach den Datumseinträgen im Reisetagebuch verstrichen von der Ankunft bis zum tatsächlichen Abmarsch nicht weniger als fünfunddreißig Tage. An Attraktionen schien es dieser Zeit dabei ebenso zu fehlen wie der Stadt selbst, denn außer den am Markt feilgebotenen Früchten fand Fernberger hier nichts der Erwähnung wert.

In der Folge wechselten Marsch und Lager erneut in ermüdender Eintönigkeit, und zu schreiben fand sich wenig: Die nächste Etappe führte Fernberger in ein Provinzstädtchen namens Mayn (Ma'in), der fünfte darauffolgende Halt wurde bei einem Kastell eingelegt, das – auf einem Hügel gelegen – aus der darunterliegenden Ebene schon während der

letzten sechs Stunden auszunehmen gewesen war.
Weder das spärliche Geschehen noch der strapaziöse Lebensrhythmus mochten vermutlich dazu angetan sein, täglich Buch zu führen, sodaß Georg Christoph Fernberger nun offensichtlich dazu übergegangen war, seine Erlebnisse gerafft und in größeren zeitlichen Abständen zu Papier zu bringen: Zum einen weist dieser Abschnitt auffällig wenige konkrete Datumsangaben auf, und Struktur erhält der Bericht nur über die Anzahl der Stationen zwischen namhaften Siedlungen.
Eine davon hieß Asbahan, sie war eine sehr große Stadt und das Ziel von Fernbergers Karawane gewesen: Isphahan. Das antike Aspadana entpuppte sich als bedeutender Handelsumschlagplatz, weithin gerühmt und in besserem Zustand als Schiraz – zumindest stachen Fernberger hier offenbar keine Schuttberge ins Auge. Eine rege Bautätigkeit müßte sich dennoch bemerkbar gemacht haben, denn seit einem Jahr investierte Schah Abbas in den Ausbau und die Verschönerung der Stadt, die schließlich 1598 seine Hauptstadt werden sollte.
Die 4.000 Esel, mit denen Georg Christoph Fernberger vermutlich in einer Karawanserei untergekommen war, hatten hier ihren Bestimmungsort erreicht, und auch die beiden Karawanen, die sich in Schiraz verbunden hatten, sollten ab jetzt wieder ihrer eigenen Wege gehen. Ein Teil der Kaufleute (offenbar immer noch jene Reisegesellschaft, der sich Fernberger in Hormuz angeschlossen hatte) stellte daraufhin einen neuen Zug aus 300 Kamelen zusammen und gruppierte zu diesem Zweck sicherlich auch die Waren neu. Als sich der Troß in dieser Besetzung nach etwa einer Woche wieder in Bewegung setzte, schrieb man vermutlich Mitte September 1591 – Georg Christoph Fernberger aber griff anläßlich des Auszugs aus Isphahan nicht eigens zur Feder.
Auch den anscheinend ereignislos verlaufenden, jeweils mehrtägigen Distanzmärschen widmete er in der Folge keine Zeile, nur die Oasenstädte dazwischen sind als Konzentrat der etwa zweiwöchigen Partie in Fernbergers Kommentar erhalten und ziehen dort in schneller Folge vorüber: Cassan (Kâshân), schon im Mittelalter Kunstgewerbe- und Produktionszentrum von Teppichen, Textilien, glasierten Fliesen und Keramiken, Kum (Qom), das für seine Waffenschmiede und die Verarbeitung von Eisen zum inzwischen auch in Europa berühmten „Damaszenerstahl" mit seiner mosaikartigen Struktur bekannt war, und Saba (Saveh), bloß eine *„kleine von Mauern umgebene Stadt"*.
Unterdessen hatte die nächste Reiseetappe auf der Straße nach Nordwesten Georg Christoph Fernberger schon bis vor die Tore der Hauptstadt des persischen Reiches gebracht: Kaszwin (Qazvîn). Auf Fernberger, der inzwischen von Wien bis Pegu und von Konstantinopel bis Kairo viele Metropolen zu Gesicht bekommen hatte, machte die persische Residenz wenig Eindruck. Zwar mochte man ihr die Anwesenheit des Schahs und ihren *„riesigen"* Durchmesser zugutehalten, ansonsten aber *„gibt es* [in dieser Stadt] *mit Ausnahme des bunt bemalten und reichlich vergoldeten Königspalastes, der die königlichen Gärten und eine Moschee mit vier grünen, oben vergoldeten Türmen umfaßt, und mit Ausnahme*

der großen Plätze, die aber in allen türkischen und persischen Städten zu sehen sind, nichts, was der Erwähnung wert wäre".

Im Jahr 1591 regierte *„Schah Habbas* [Abbas I.], *der König der Perser"* in Kaszwin. Georg Christoph Fernberger wandte seinen Blick auf die Amtsführung des Schah und verfaßte einen Bericht, der staatstragenden Interessen gerecht wurde: aus der Perspektive des ehemaligen Gesandtschaftssekretärs in Konstantinopel, der über Abbas I. (trotz seiner Jugend von noch nicht dreißig Jahren streng aber gerecht) als potentielles Objekt der habsburgischen Bündnispolitik ein diplomatisches Dossier anfertigte.

Alles in allem unterhielt Schah Abbas viel lebhaftere Beziehungen zu Europa als seine Vorgänger, auch wenn das eine oder andere Audienzansuchen eines Reisenden ohne diplomatischem Auftrag abgelehnt wurde: Selbst ein Empfehlungsschreiben des portugiesischen *Capitão* von Hormuz hatte diese Tür für Hans Christoph Teufel nicht öffnen können. Georg Christoph Fernberger, der sicherlich ein gleichartiges Papier mit sich führte, konnte sich nicht dafür erwärmen, den erfolgten oder nicht erfolgten, erfolgreichen oder nicht erfolgreichen Gebrauch dieses Dokuments bekanntzugeben und berichtete statt dessen, daß ein antikes persisches Hofzeremoniell auch dem Schah gegenüber noch zur Anwendung kam: *„Ich konnte beobachten, daß die Perser einen uralten Brauch bewahren: Sie beten nämlich nicht nur die Person des Königs an, sondern das Volk, das am Palast vorbeizieht, wirft sich auch noch vor dem Portal auf das Gesicht nieder und erbittet für den König alles Glück. Höhergestellte Personen verneigen sich nur."*

Jeder (aus der potentiellen Zielgruppe von Fernbergers Manuskript) wußte, daß schon Alexander der Große an diesen Ausdrucksformen Gefallen gefunden und die Proskynese (dem eigentlichen Wortsinn nach ein verehrungsvolles „Zuküssen") auch für sich selbst reklamiert hatte. Ob nun in eigener Person oder nur als Zuschauer – zumindest indirekt hatte Georg Christoph Fernberger an Abbas' Hofzeremoniell ebenso teil wie an dessen Regierungsprogramm: Denn gleichermaßen traditionsbewußt wie aufgeschlossen, arbeitete der junge Schah auch unausgesetzt an der Verbesserung der Infrastruktur in seinem Land, ließ entlang der Handelswege vermehrt Karawansereien errichten und ersetzte die staubigen Karawanenpfade sukzessive durch Pflasterstraßen.

So ging Persien einer neuen Blütezeit entgegen, während sich Fernberger wieder für die Weiterreise rüstete. Als Europäer im Reich des Schah unterwegs zu sein, hatte sich als weit weniger heikel erwiesen als vermutet, denn die Perser verhielten sich Christen gegenüber viel freundlicher als erwartet und waren auch freundlicher als ihre sunnitischen Glaubensbrüder im Osmanischen Reich. Ansonsten ließ sich allerdings wenig Positives vermerken. Mochte auch zuhause die Vorstellung kursieren, die Perser seien ein starkes, tapferes Volk, zivilisiert und höflich, so entwickelte man im Land selbst bald eine ungeschönte Typologie: Hans Christoph Teufel (hier selbst Opfer eines Straßenräubers) gewann den nachhaltigen Eindruck eines diebischen Gesindels und vermißte darüber hinaus die grundlegendsten Kennzeichen von

Kultur: Weder alte Kunstschätze noch die eigene Geschichte hielt man hier in Ehren.
Unverständlich vom Standpunkt einer umfassenden klassischen Bildung, die das Selbstverständnis nachhaltig mitprägte. Gerade dem humanistisch geschulten Auge eröffneten sich aber umgekehrt neue Einblicke: Die Perser mochten zwar ein altes Kulturvolk sein, zeigten aber Charaktereigenschaften, die ihre Geschichte schlagartig verständlich machten – *„gedankenlose Leichtfertigkeit"* war keine tragfähige Basis für ein dauerhaftes Reich. Für Fernberger, der anders als Teufel das Land ohne unliebsame Zwischenfälle bereiste, lag zwar offensichtlich kein Grund vor, das gängige Bild von den *„Sitten der Perser"* zu korrigieren, andererseits flossen seine persönlichen Eindrücke sehr wohl in eine sach- und zeitgemäße Bestandsaufnahme des Volkscharakters ein.
Unterdessen hatte sich auch der Charakter der Landschaft gewandelt: Nach dem steppenhaften Zentralpersien war Georg Christoph Fernberger in Gilan (Gîlân) eingetroffen, einer fruchtbaren Küstenebene am Südwestrand des Kaspischen Meeres, eingerahmt von den Hängen der Gebirgsausläufer und durchsetzt mit üppigen grünen Wäldern. Es war längst nicht mehr so unerträglich heiß wie im Süden des Landes, die zahlreichen Quellen lieferten Trinkwasser und bewässerten die Böden. Für die Kaufleute war Gilan als das Zentrum der persischen Seidenproduktion von Interesse. Für jemanden, der erst im Schlepptau der merkantilen Interessen anderer Mobilität erlangte, öffnete Gilan überdies neue Perspektiven: *„Von dort gibt es eine vierzigtägige Überfahrt nach Hagiter Han, allgemein Astrachan genannt, eine Stadt und Festung der Tartaren unter Moskowitischer Herrschaft, wo der Fluß Wolga in das genannte Meer mündet. Die Kaufleute fahren über diesen Fluß stromaufwärts durch die nördliche Tartarei nach Kazan, und gelangen bis nach Moskau, dem Sitz des Königs der Moskowiten."*
Unvermutet war eine neue Versuchung aufgetaucht und unwillkürlich gab Fernberger ihr offenbar nach. Über die Kaspisee setzen und Moskau besichtigen ... In die Wirklichkeit zurückgeholt wurde Fernberger vermutlich von der Information, daß seine Traumreise ins Wasser fallen würde (inzwischen schrieb man schon Anfang Oktober, und die Wolga war nur im Sommer schiffbar) oder auch bloß vom Zeichen zum neuerlichen Aufbruch. So blieb Georg Christoph Fernberger seiner ursprünglichen Reiseroute treu, packte am „Hyrcanischen Meer" seine Habseligkeiten zusammen, belud seinen Esel und machte sich bereit, wieder in die Berge aufzubrechen. Dabei war schon allein das Kaspische Meer ein Abstecher gewesen, in dessen Genuß weder frühere noch spätere Reisende gekommen waren – ungeachtet der Tatsache, daß sich das schlanke Oval auf zeitgenössischen Karten immer noch fälschlich in West-Ost-Richtung erstreckte, wie es die Quellen der Antike vorgaben.
Gewöhnlich nutzten die Karawanen von alters her eine zehntägige, fast schnurgerade verlaufende Passage für die Weiterreise von Kaszwin nach Täbriz, Ende des 16. Jahrhunderts aber war dieses Gebiet durch die Einfälle der Osmanen zu unsicher geworden. Wegen *„der gewaltigen Furcht vor Räubern"* nahmen

die Kaufleute daher einen langen und unbequemen Umweg in Kauf, mit der Gewißheit, dafür Leben und Ware zu behalten. Als sich im 17. Jahrhundert die Grenzen jedoch konsolidiert hatten, schwenkten auch die Karawanen sofort wieder auf die herkömmliche und kürzere Verbindungsstraße um. Sie war Teil jenes klassischen Handelsweges, auf der der Gewürzhandel mit Europa abgewickelt wurde: Von Hormuz aus führte die Strecke über gut 3.000 Kilometer zunächst bis Täbriz, weiter nach Aleppo und von dort schließlich in die Umschlaghäfen an der syrischen Küste. Im Herbst des Jahres 1591 aber hatte ein Teil jener Kamelkarawane, der Fernberger und sein Esel angehörten, in Kaszwin den üblichen Weg verlassen, war vermutlich nach Nordwesten weitergezogen, nach etwa drei Tagen auf ein querendes Flußbett getroffen und mit ihm im rechten Winkel zum Kaspischen Meer abgebogen. Nun ging es seiner Flanke entlang nach Norden und anschließend quer über die Kämme des Talysch-Gebirges nach Erdouil (Ardabîl). Acht Tagesmärsche später hatte sich die Karawane endlich über dieses unwegsame Teilstück im Schatten der mehr als dreitausend Meter hohen Gipfel gequält. Auch wenn man die *„äußerst unwegsamen kaspischen Berge"* nun bezwungen hatte – nach Täbriz war es noch einmal so weit. So wurde der Handelsumschlagplatz Ardebil (der sich im 16. Jahrhundert überdies erfolgreich auf die Imitation von chinesischer Blau-Weiß-Keramik verlegt hatte) keines Blickes gewürdigt und die dortige Bastion (als rühmliche Ausnahme des persischen Festungsbaus) kaum gestreift, schon ging es offensichtlich weiter.

Mit jedem weiteren Reisetag näherte sich Georg Christoph Fernberger unaufhaltsam dem Ende aber auch dem Höhepunkt seiner Persienreise: *„Nachdem ich nun das ganze Reich der Perser in seiner vollen Ausdehnung von Süden bis nach Norden in Etappen durchwandert hatte, betrat ich endlich am 25. Oktober* [1591] *wohlbehalten die Stadt Tauris* [Täbriz], *die früher Ekbatana hieß, wo ich mit größtem Erstaunen die Anlage dieser einst gewaltigen und immens reichen Königsstadt am Fuße der Berge erblickte."* Diesmal allerdings saß Georg Christoph Fernberger einem kapitalen Irrtum auf: Täbriz war mitnichten die altpersische Residenzstadt Agbatana bzw. jenes Ekbatana, in das Alexander der Große eingezogen war – ja es lag nicht einmal in der Nähe. Dennoch hatten sich gegen Ende des 16. Jahrhunderts die Schicksale beider Städte unverhofft verquickt. Fernberger war keineswegs der einzige europäische Reisende, für den sie zum Verwechseln ähnlich sahen, und zeitgenössische Karten haben diese Ansicht sogar graphisch fixiert.

Nun liegen aber gut 400 Kilometer zwischen dem heutigen Hamadan im westlichen Iran und Täbriz im Nordwesten des Landes – offensichtlich hat die Gleichsetzung der zwei Städte ihren Ursprung also nicht aus einer relativen Nähe genommen. Vielmehr dürfte sie auf Ähnlichkeiten der beiden beruhen: Sowohl Ekbatana als auch Täbriz waren als Residenzstädte bekannt, in der einen hatten einst die Achaimenidenkönige bevorzugt ihr Sommerquartier genommen, in der anderen sowohl die mongolischen Ilchane als auch die Safawidenschahs geherrscht. Beide waren überdies Hochlandstädte: eingerahmt von mächtigen Gebirgszügen und jeweils unmittelbar im Schatten eines Dreitausenders gelegen. Darüber hinaus existiert noch eine weitere Schiene, über die eine logische Verknüpfung zweier völlig verschiedener Handlungsfäden quer durch Zeit und Raum zustandegekommen sein mochte: Im 16. Jahrhundert lag Täbriz an der Transitverbindung „Gewürzroute", Jahrhunderte zuvor aber hatte die wichtigste Handelstraße Asiens über Ekbatana geführt – die „Seidenstraße". Auf welchem Weg sich nun ein Reisender wie Georg Christoph Fernberger auch immer wähnte: Unbestritten folgte er einer großen Durchzugsstraße mit Anschluß nach Osten quer durch den Orient in die Levante.

Für Besucher von Täbriz, die sich Ende des 16. Jahrhunderts hier gleichermaßen in Ekbatana wähnten, eröffneten sich durch diesen Blickwinkel ganz neue Perspektiven. Man mochte Ausschau gehalten haben nach den dortigen Spuren der Antike (allen voran vermutlich dem Palast des Kyros, den sieben verschiedenfarbige und mit Gold verfugte Mauerkreise einst in den Rang eines Weltwunders erhoben hatten), freilich vergeblich: Was einmal die Zier der persischen Könige gewesen war, *„liegt nun, zunächst von innen her und dann durch offene Kriege verwüstet, zur Gänze zerstört und verfallen darnieder"*. Während der türkisch-persischen Kriege der letzten sechs Jahrzehnte schwer in Mitleidenschaft gezogen, präsentierte sich Täbriz inzwischen abschnittsweise als Geisterstadt. Kaum ein Straßenzug ohne große Baulücken, die schiitischen Moscheen verlassen, die Plätze verödet. Als Georg Christoph Fernberger im Oktober 1591 in Täbriz eintraf, befand sich die Stadt gerade wieder fest in türkischer Hand, aus gut informierten Kreisen war auch in Erfahrung zu bringen gewesen, daß ihr früherer Kommandant eben erst das Amt des Großwesirs in Konstantinopel übernommen hatte.

Selbst in Friedenszeiten wie diesen aber kam das Leben innerhalb der Stadtmauern von Täbriz nicht völlig zur Ruhe, denn an der Glaubensfront schwelte der Konflikt weiter. Unversöhnlich standen sich dort türkische Sunniten und persische Schiiten gegenüber, sich wechselseitig der Ketzerei bezichtigend. Europäische Beobachter nahmen zwar die Symptome des Bruderzwistes wahr, drangen aber selten tiefer in moslemische Glaubenswelten vor – zumal es sich als schwierig erwies, Näheres über die Problematik in Erfahrung zu bringen.

Für gewöhnlich beschränkten sich die Autoren von Reisetagebüchern auf die bloße Feststellung, jene glaubten an „Mohammed", während diese dem „Pseudopropheten Aly" (seinem Neffen und Schwiegersohn) anhingen, und verliehen ihren Berichten Farbe mit Bemerkungen wie jener, daß Perser selbst an Christen grüne Hosen litten, was Türken streng unter Strafe stellten, oder daß weißbeturbante Osmanen ihre schiitischen Widersacher mit den roten „Binden" verächtlich „Rotköpfe" oder einfach „Ketzer" hießen.

Wenige Tage nachdem seine Karawane Täbriz nach einer Nacht wieder in Richtung Norden verlassen und einen reißenden Fluß (diesmal korrekt als Araxes der Antike identifiziert) passiert hatte, war Georg Christoph Fernberger in der armenischen Provinzstadt Gulfa

(Džul'fa) eingetroffen. Die dort ansässigen nestorianischen Christen hatten sich wenige Jahrzehnte zuvor wieder mit Rom uniert (waren damit rechtgläubig geworden), und deshalb eine Erwähnung wert. Anschließend folgte die Karawane nun dem Flußbett des Arax.

Zwei Tage stromaufwärts fand Georg Christoph Fernbergers Ausflug in die armenischen Berge schließlich sein krönendes Finale: Mit Nachtchivan (Nachičevan) war nicht nur der nördlichste Punkt der Fahrt erreicht, als Kulisse für die Stadt, die durch die Mongolenstürme einiges von ihrer Bedeutung als Handelszentrum eingebüßt hatte, diente unvergänglich ein atemberaubendes Gebirgsmassiv. Schon seit die Karawane die engen Bergtäler hinter Džul'fa verlassen und die weite Hochebene erklommen hatte, beherrschte der *Mons Gordiaeus* den Horizont. Ebenso übermächtig bannte er den Blick. Wegen seiner herausragenden Größe, seiner bizarren Formation und seines vergletscherten Gipfels hielt man ihn leicht für ein *„bewundernswertes Meisterwerk der Natur"*, doch Beachtung schenkte man ihm noch vielmehr wegen seiner tragenden Rolle in der Menschheitsgeschichte: als Ararat, auf dem die Arche Noah aufsetzte. In Summe war es *„ein wunderbares Vergnügen"*, den erloschenen Vulkan trotz einer Entfernung von rund 100 Kilometern Luftlinie ganz nah und klar vor Augen zu haben, sowohl am Weg nach als auch am Weg von Nachičevan.

Vom weiten Hochplateau führte der Weg drei Tage später wieder in die Berge. Fernbergers Karawane war in Richtung Süd-West gebogen und querte nun einen weiteren Zug von Dreitausendern. Abweisend wie der Fels, aus dem sie gehauen war, erschien unvermittelt eine Stadt: Von Mauern umgeben, von einem trotzigen Kastell bewacht und strotzend vor schweren Kanonen beherrschte Van das Ostufer eines weitläufigen Sees. Hier wurde Halt gemacht und eine kurze Erholungspause für Mensch und Tier eingelegt. Während die einen im Vansee Sardellen fingen, nützten andere die freien Tage offenbar zu einem Streifzug ins Hinterland. Georg Christoph Fernberger schloß sich der zweiten Gruppe an.

Vermutlich wiesen Ortskundige den Weg zu jenen drei Plätzen, wo der nackte Fels eine erstaunliche Entdeckung barg. Die eindrucksvollste dieser Stellen bestand in einem direkt aus dem gewachsenen Stein gehauenen Tor, über und über mit eingemeißelten Zeichen bedeckt. Von dieser Schrift, *„die heute kein Mensch mehr lesen oder verstehen kann"*, hieß es unter Einheimischen, sie stamme *„aus der Zeit von Tamerlan, den sie hier Lantè Tamur nennen"*, also dem Mongolenführer Timur Leng, der Ende des 14. Jahrhunderts weite Teile Zentralasiens unter seine Kontrolle gebracht hatte. Fernberger kopierte eine Passage der Felsinschrift (*„so gut ich konnte"*) und machte sich seinen eigenen Reim darauf: Er hielt die Zeichen für wesentlich älter, ohne Angabe von Gründen allerdings und ohne eine anderslautende Theorie zu formulieren. Vielleicht schien allein die Vorstellung, eine Reiterhorde hätte hier zivilisatorische Leistungen wie Architektur und Schrift hinterlassen, absurd (genossen die Mongolen in Europa doch den Ruf blindwütiger Zerstörer), vielleicht schien der Duktus keilförmiger Striche aber auch nur viel zu archaisch, um erst zweihundert Jahre alt zu sein.

Zuguterletzt betrachtete Fernberger vermutlich stolz seinen gelungenen Entwurf und fügte ihn später seinem Reisebericht als Ausbeute eines veritablen Abenteuers bei. Eine kleine persönliche Entdeckungsgeschichte in einem Jahrhundert, das sich vollkommen der Entdeckung der Welt verschrieben hatte. Fernberger selbst nahm nicht an dieser „großen" Entdeckungsgeschichte teil, obwohl er sich – anders als viele seiner Zeitgenossen – aufgemacht hatte, den Spuren der Entdecker zu folgen und die neuen Welten nicht nur in Augenschein, sondern auch für sich persönlich „in Besitz" zu nehmen. Doch der Versuch, hier in Van eine verwitterte, unleserliche, mysteriöse Inschrift aufzuzeichnen und den Fund zuhause publik zu machen, war ein achtbarer Beitrag zur Entdekkung der Welt im 16. Jahrhundert. Fernberger hatte zwar keine neuen Territorien gefunden, gleichwohl aber den geistigen Horizont um jene krakeligen Spuren einer versunkenen Zivilisation erweitert.

Hätte das Reisetagebuch Fernbergers eine größere Verbreitung erfahren beziehungsweise überhaupt einen gewissen Grad an Öffentlichkeit erreicht, wäre der Name Georg Christoph Fernberger darüber vermutlich in die Wissenschaftsgeschichte eingegangen. So aber verstaubte die sorgsam angefertigte Schriftprobe in einem lange Zeit in Vergessenheit geratenen Manuskript, und heute gilt allgemein das Verdienst, die ersten Keilschriftproben nach Europa gebracht zu haben, Pietro della Valle. Der Römer hatte in den Ruinen von Persepolis Keilschrifttafeln kopiert und im Jahr 1621 die gelehrte Welt in der Heimat damit bekannt gemacht. Hatte die Keilschrift damit nun endgültig in die Geistesgeschichte Europas Eingang gefunden, so gab sie ihr dennoch lange Zeit nur Rätsel auf. Für die Gelehrten des 17. und 18. Jahrhunderts blieben die Zeichen ein Mysterium, obwohl sie bereits begonnen hatten, ganze Inschriftenkomplexe zu publizieren. Erst in der ersten Hälfte des 19. Jahrhunderts, also etwa zeitgleich mit der Entschlüsselung der Hieroglyphenschrift, gelang es schließlich einem kleinen Kreis von Forschern, die überdies unabhängig voneinander gearbeitet hatten, die Keilschrift zu entziffern.

Am Schauplatz des ergebnislosen Erstkontaktes hatte Georg Christoph Fernberger mehr als 300 Jahre zuvor seine Arbeit unterdessen beendet und war nach Van zurückgekehrt. Bereits vorinformiert über die weitere Route der Karawane (sie sollte hier über den See setzen), traf jeder wohl noch die nötigen Vorbereitungen für die vierundzwanzigstündige Schiffahrt, dann nahm die Reise ihren Lauf. Am 10. November 1591 legten die Fähren (angesichts einer Karawane von dreihundert Kamelen vermutlich mehrere) ab und tags darauf traf Fernberger bereits in der Stadt Bitlis ein.

Von Bitlis führte die Reise baldigst weiter, durch enge Täler und an mehreren Kastellen, die die Bergkämme krönten, vorbei immer weiter nach Südwesten. Nach wie vor bewegte sich die Karawane durch ein Hochland voller erloschener Vulkane und Seen, Becken und Hochplateaus. Seit einiger Zeit sprudelten dann und wann sogar Mineralquellen aus dem Fels. Fernberger probierte von den „Sauerbrunnen", fand sie ansprechend, gab auch noch über eine Lokalsage sein Urteil ab und ging erquickt seiner Wege. Es dürfte um die Mitte des Monats gewesen sein, als die Karawane schließlich an einer imposanten Steinbrücke Halt machte. Der Fluß, den sie überspannte, hieß *„Tigris, dort Batman genannt"*. „Dort" meinte an der Grenze von Armenien, und das wiederum hieß, daß am anderen Ufer der lange Arm des osmanischen Sultans wieder nachdrücklich zu spüren sein würde. Auch in Fragen der Etikette. Demnach war nun eine Korrektur des äußeren Erscheinungsbildes vonnöten: *„Hier mußten wir unsere Turbane ablegen, die wir seit Hormuz durch ganz Persien und Armenien ungestört getragen hatten. In der Türkei ist das keinem Christen oder Juden erlaubt, mit Ausnahme der Armenier, die sie innerhalb der Grenzen Armeniens tragen dürfen."* Die Krux an dieser Vorschrift war, daß die Christen damit schon von weitem als solche identifiziert werden konnten – und man unter anderem genau das mit einer Reiseverkleidung zu verhindern suchte. Fernberger war sich bewußt, daß er als der, der er war, hier nicht ungestört unterwegs sein würde. Um vorhersehbaren Zwischenfällen zu entgehen, entledigte sich Fernberger seiner Maskerade nicht, sondern korrigierte sie nur um den unstatthaften Turban. Allein mit armenischer Tracht angetan reiste er weiter. Und wieder funktionierte das Spiel der optischen Täuschungen einwandfrei: Das geringfügige Manöver sollte vollauf genügen, um ihn vor aller Welt als Armenier auszuweisen, und so setzte Fernberger seine Reise unbehelligt bis nach Jerusalem fort.

Mochte Georg Christoph Fernberger nun auch unerkannt und sicher durch türkische Lande ziehen – auf welchen Wegen er dies tat, ist dagegen schon weniger gewiß. Die Ungereimtheiten werden offenkundig, gleich nachdem die Karawane drei Tage später die nächste Stadt erreicht und Fernberger deren Anlage bewundert hatte. Was *„aus der Ferne einen wunderschönen Eindruck"* machte, idyllisch über einem Flüßchen im Tal gelegen war und mit vielen Türmen glänzte, kann unmöglich gleichzeitig *„Carahemit, einst Haran genannt ... und ... das alte Carrae der Römer"* gewesen sein. Alle Traditionen, die Fernberger mit seinem aktuellen Aufenthaltsort verknüpft hatte (einschließlich jener, die hier Abrahams Wohnort wissen wollte), weisen zwar auf das türkische Harran, nicht aber auf eine potentielle Station an der Karawanenstraße namens Carahemit, das viel eher mit dem heutigen Karacadağ oder dem nahegelegenen Karakeçi zu identifizieren sein dürfte.
Die nächste Stadt, in der nach einem mehrtägigen Marsch durch teils wüstenhafte Landstriche Halt gemacht wurde, entpuppte sich wiederum als Kleinod: Orffa (Urfa) thronte ebenfalls erhöht über einem schmalen Flußlauf und hatte neben allerköstlichsten Weinen, die die hiesigen Christen kelterten, ebenfalls Spuren Abrahams – hier türkisch „Ibrahim Pegambar" genannt – zu bieten. Nur noch zwei Tage, dann sollte Georg Christoph Fernberger den Euphrat erreichen, just an jener Stelle, an der er zwei Jahre zuvor zum ersten Mal über den Fluß gesetzt hatte. Danach kehrte er *„am 18. Dezember* [1591] *... heil und gesund nach Aleppo zurück, Gott lobend*

und preisend, der mich auf dieser so langen und schwierigen Reise aus so großen Gefahren zu Wasser und zu Land gnädig errettet hat".

12. Kapitel

Im Heiligen Land

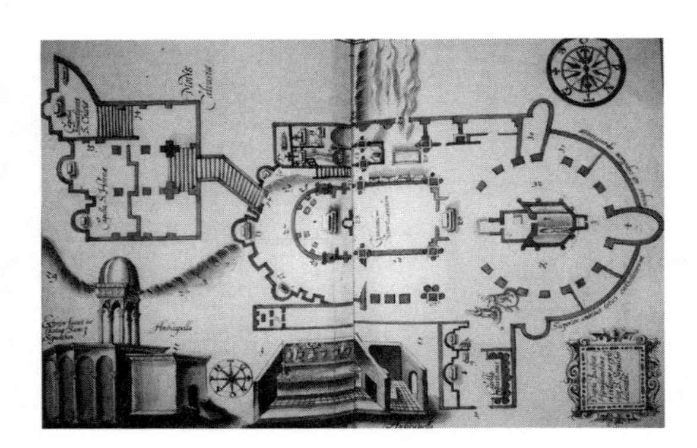

„Nun war es endlich an der Zeit, die schon lange heftig ersehnte Reise ins Heilige Land zu unternehmen. ... Aber da meine ganze Reise nur dieses Ziel hatte und hauptsächlich wegen dieser Pilgerfahrt ins Heilige Land unternommen und begonnen wurde, lohnt es die Mühe, diese etwas ausführlicher zu behandeln und alle Stationen und Orte unter Angabe der Etappen sowie alles, was aus alter Zeit oder an heiligen Reliquien dort noch vorhanden ist, zu beschreiben." Nach diesem programmatischen Auftakt sollte die „schon lange heftig ersehnte" Pilgerfahrt also endlich Wirklichkeit werden. Mehr als drei Jahre nach Fernbergers Abreise aus Konstantinopel und nachdem seine ursprünglichen Pläne bislang stets von unstillbarer Neugierde vereitelt worden oder unglücklichen Umständen zum Opfer gefallen waren. Nun aber stand deren Ausführung offiziell nichts mehr im Wege.

Obwohl sich Fernberger recht überschwenglich zur bevorstehenden Besichtigungstour äußerte, dürfte die Pilgerfahrt (die nun beinahe wider Erwarten doch noch stattfinden sollte) für ihn nicht den absoluten Höhepunkt seiner Reise bedeutet haben. Und auch wenn sein Bericht diesen Eindruck stets zu vermitteln sucht, so spricht sein gegenteiliges Verhalten doch Bände. Tatsächlich war der einstigen Absichtserklärung, das Heilige Land zu besuchen, eine überbordende Fülle anderer, interessanterer Bestimmungsorte gefolgt – vielleicht mehr oder weniger bewußt von dem Wissen geleitet, daß das Wanderleben ein Ende nehmen würde, wenn das definierte Vorhaben erst einmal erfüllt war.

Das selbstgesteckte Ziel nun unmittelbar vor Augen, verraten Fernbergers Aufzeichnungen zwar ein hartnäckiges Bestreben, möglichst detailliert zu berichten, jede der Heiligen Stätten entsprechend festzuhalten, mit seiner Schilderung der Heiligen Stadt und ihrer Bedeutung gerecht zu werden, aber trotz allem fehlt dem Text die Lebendigkeit und Begeisterung, die zuvor im Korsett ernsthafter Formalismen zwischen den Zeilen spürbar war. Vermutlich lagen die wahren Sensationen für Georg Christoph Fernberger inzwischen längst anderswo: irgendwo in den Weiten des Ostens, in üppigen Landstrichen, exotischem Gepränge, zwischen unschätzbaren Reichtümern – kurz: irgendwo in Indien. Die Pilgerfahrt ins Heilige Land dagegen geriet zu einem Pflichtprogramm. Unbestritten widmete sich Fernberger der neuen Aufgabe mit der geforderten Hingabe. Doch bis zu einem gewissen Grad erfüllte er nun einen gesellschaftlich legitimierten Anspruch, nachdem er sich zuvor seine eigenen Träume erfüllt hatte.

Allerdings bildete Georg Christoph Fernberger in dieser Hinsicht keine Ausnahme: So wie sich seine Motive im Verlauf der Reise gewandelt hatten und er letztlich eine abenteuerliche Fahrt um die halbe Welt anstelle der ursprünglich geplanten Pilgerschaft absolvierte, hatten sich in der Frühen Neuzeit auch die Wünsche an eine solche Reise verändert. Generell wurde das Verlangen, eine Fahrt ins Heilige Land zu unternehmen, seit der Mitte des 16. Jahrhunderts zunehmend von dem Ziel überlagert, dem Orient einen Besuch abzustatten. Jerusalem und das Terrain der biblischen Überlieferung bildeten zwar weiterhin einen Fixpunkt in diesen Rundreisen, waren aber nicht mehr das allein Seligmachende. Noch in den Pilgerschriften des Spätmittelalters konnte man von brennendem Bußverlangen lesen, von unstillbarer Sehnsucht, jenes Land zu sehen, das die Wiege der Christenheit war und in dem sich die Ereignisse der Heiligen Schrift zugetragen hatten – nun jedoch übten unverhohlen die Faszination des Orients, die alten Kulturen des Morgenlandes, die Stätten und Überreste der historischen Vergangenheit magische Anziehungskraft aus.

Fast zwei Jahre nachdem er damals die Stadt in Richtung Mesopotamien verlassen hatte, war Georg Christoph Fernberger wieder im syrischen Handelsumschlagplatz Aleppo eingetroffen. Wenige Tage vor den Weihnachtsfeiertagen im Jahre 1591 und voller Pläne für die Zukunft. Kaum war das neue Jahr angebrochen, nahm auch Fernbergers Pilgerfahrt ihren Anfang. Inkognito in einer Gruppe armenischer Pilger machte er sich am 5. Jänner 1592 bereit, die heiligen Stätten der Bibel aufzusuchen. Geführt wurde die Herde frommer Schäfchen durch einen berufenen Hirten, hatte sich der Troß doch der Gesellschaft eines armenischen Bischofs angeschlossen.

Als höchst unerfreulich erwies sich hingegen die Anwesenheit der moslemischen Mitreisenden: Zum Nachtlager wies man den Christen nämlich die Tür, nachdem der hochrangige türkische Finanzbeamte, der in Begleitung seiner Gemahlin samt „Anhang“ reiste, die ins Auge gefaßte öffentliche Herberge erfolgreich für sich allein reklamiert hatte. Um nie wieder bei Ungläubigen im Dorf um Quartier bitten oder wie einige gar unter freiem Himmel übernachten zu müssen, trachteten die Pilger danach, die anmaßenden Weggefährten abzuschütteln. Es war noch bitterkalt und dunkel, als man eigens früher aufbrach, doch letztlich lohnte das einsame Gasthaus, das man schließlich nach Sonnenuntergang erreichte, alle Mühe.

Gewöhnlich war im Osmanischen Reich bestens für die Bedürfnisse von Reisenden gesorgt: Als Herberge boten sich entweder Karawansereien (*Han* oder *Chan* genannt) an, die zumindest an den großen Durchzugsrouten im Abstand von einem Tagesmarsch die Straße säumten, oder fromme Stiftungen in Form eines *Imareth*, ebenfalls ungeachtet von Herkunft, Stand und Religion öffentlich zugänglich. Ein festes Dach über dem Kopf für die Nacht und ausreichend Wasser für Mensch und Tier boten beide, in einem *Imareth* fand ein Gast überdies ein Bad und drei Tage lang kostenlose Verpflegung vor – *„zur Ehre Gottes und zum Seelenheil des Stifters, wie sie selbst glauben"*. Nach einigem Zögern nahmen auch erstaunte Europäer die mildtätigen Gaben an und sahen schließlich ein, daß ein Trinkgeld zu geben hier unstatthaft war, ebenso wie die angebotenen Almosen aufgrund mangelnder Bedürftigkeit abzulehnen.

So lobend die *Imareths* in den Berichten hervorgehoben werden, so schmählich urteilten verwöhnte Reisende über die Unterbringung in Karawansereien. Man vermißte die Annehmlichkeiten eines ordentlichen Wirtshauses: Karawansereien hatten weder Küche, noch Zimmer oder Betten. Bessere Ställe seien es, jede Strohhütte zuhause würde mehr Bequemlichkeit bieten, lautete daher der allgemeine Tenor. Abseits aller Klischees erwies sich eine Karawanserei als solides rechteckiges Gemäuer, dessen zumeist gewölbtes Dach einen einzigen hohen Raum überspannte. Parallel zur Außenwand verlief dort eine zweite Mauer, etwa drei Meter von der ersten entfernt und gut einen Meter zwanzig hoch. In diesem umlaufenden Korridor brachte man die Hundertschaften von Pferden, Kamelen und Eseln unter, während die Menschen es sich im eben zur Einfassung aufgeschütteten und gepflasterten Innenraum bequem machten. Hier wurde Feuer gemacht, gekocht und auf ausgerollten Teppichen geschlafen.

Georg Christoph Fernberger dürfte diese Art der Unterbringung ebenfalls kaum für standesgemäß erachtet haben: Zumindest bemerkte er, während der gesamten Etappe von Hormuz bis Aleppo stets unter freiem Himmel geschlafen zu haben, selbst wenn in den großen Städten eine Karawanserei zur Verfügung gestanden wäre. Erst ab November hatten ihn die zunehmend kalten Nächte dann aber offensichtlich doch ins Innere der ungeliebten Herbergen getrieben.

Über all diese Unannehmlichkeiten war er inzwischen dem Heiligen Land ein gutes Stück näher gekommen. Neun Tage nach seiner Abreise aus Aleppo erreichte er am 14. Jänner des Jahres 1592 schließlich die Stadt Damaskus. Seit jeher hatten christliche Pilger hier ein lohnendes Ziel gefunden, doch während diese gewöhnlich bei den dort residierenden italienischen Konsuln Unterschlupf gefunden hatten, nahmen Fernbergers Reisegefährten anscheinend im *Imareth* außerhalb der Stadt Zuflucht.

Die *„riesige"* Anlage, gestiftet von Sultan Süleiman II. dem Großen (dem Belagerer von Wien), blickte von Norden auf das Häusermeer der Stadt am Fuß der Berge, davor erstreckte sich eine weite Ebene, wiederum von Höhenzügen umrahmt gleich einem Amphitheater.

Diese Kulisse gepaart mit einer verschwenderischen Ausstattung an frischem Wasser aus Flüssen und Bächen und die davon gespeisten üppigen Gartenanlagen inmitten eines ansonsten wüstenhaften Landstrichs übte den eigentlichen Reiz von Damaskus aus. In der Stadt selbst lockten ein wehrhaftes Kastell, die gut erhaltenen Reste der alten Stadtmauer, stattliche Moscheen, insbesondere jene, die Helena, Mutter von Kaiser Konstantin, einst als Kirche gestiftet hatte (allerdings für ungläubige Augen nicht freigegeben), sowie eine Vielzahl von Bädern zur Besichtigung. Wie überhaupt öffentliche Gebäude, Märkte und reiche Haushalte hier generell über den Luxus von eingeleitetem Fließwasser verfügten. Zwischen all diesen augenfälligen Schönheiten gingen die Tage hin mit dem eigentlichen Besuch der örtlichen Heilsstätten, zu denen die eingeweihten Christen vor Ort die angereisten Pilger lotsten: Szenen aus dem Leben des Heiligen Paulus erstanden dabei ebenso lebendig wie die Vita des Heiligen Gregor (der sich von hier aufgemacht hatte, um den damals in Beirut hausenden Drachen zu töten) und – inspiriert von der idyllischen Natur – die Erinnerung an das verlorene Paradies.

Nachdem sich der zehntägige Aufenthalt in Damaskus bereits so erfreulich gestaltet hatte, brach die Gruppe erneut auf. Auf schlechten, steinigen Straßen führte ihr Weg unaufhaltsam nach Süden. Bald überquerte man den Jordan zwischen Meromsee und dem See Genezareth, durchwanderte sodann Galiläa und gelangte endlich ins Land Samaria. Binnen einer Woche erreichten die Pilger schließlich die Heilige Stadt selbst.

Als sich die lang ersehnten Hoffnungen endlich erfüllten, schrieb man den 2. Februar 1592. Georg Christoph Fernberger bezahlte am Stadttor die erforderliche Summe, gab sein Schwert (gegen die Versicherung, es bei der Ausreise wiederzuerhalten) ab und trennte sich offensichtlich von seinen bisherigen Reisegefährten. Während diese daraufhin vermutlich zum armenisch-orthodoxen Patriarchat geführt wurden, ließ sich Fernberger von einem Dolmetscher zum Franziskanerkloster im nordwestlichsten Winkel der Stadt geleiten. Dem herzlichen Empfang dort folgte ein gemeinsames Gebet, anschließend wurde der Neuankömmling reichlich bewirtet. Nach gewohnter Sitte stand noch eine Fußwaschung durch die Ordensbrüder auf dem Programm, bevor Fernberger am Ende dieses langen Tages endlich den ihm zugewiesenen Schlafplatz aufsuchen mochte.

Der Besuch, den Georg Christoph Fernberger nun der Stadt Jerusalem abstatten sollte, hatte mit den üblichen Pilgerritualen begonnen: den genauen Kontrollen durch die Osmanen und der freundlichen Aufnahme bei den Minderen Brüdern (bis zur Mitte des 16. Jahrhunderts im Zionskloster am Berg, danach im Stadtkloster San Salvatore), nachdem die Formalitäten erledigt waren (wer sich die zwingend vorgeschriebene päpstliche Erlaubnis für die Pilgerfahrt nicht schon vorsorglich ausstellen hatte lassen, mußte das Dokument hier gegen Gebühr nachträglich erstehen, andernfalls stand die Exkommunizierung an und die Besichtigung der Heiligen Stätten fiel ins Wasser). Was folgte, war ein ebenso vorgezeichnetes Gebaren: bis ins Detail geplante, gut organisierte und von routinierten Patres geführte Besichtigungstouren auf mäandernden Schleifen in und außerhalb der Stadt.

Mit auf den Weg bekamen die Pilger überdies noch strikte Verhaltenssregeln, die eindringlich vom *Guardian*, dem Hausoberen eines Franziskanerklosters, verkündet worden waren – dem durchwegs gemischten Publikum entgegenkommend zweisprachig (und zwar gewöhnlich in Latein und Italienisch, bei Bedarf übersetzten Mitpilger weiter in andere Nationalsprachen). Neben Ermahnungen, den religiösen Eifer beim Erwerb von Reliquien zu zügeln (sprich: nicht überall unstatthaft Steine abzuschlagen), folgte der Hinweis, der „Veranstalter" Franziskanerorden sei nicht haftbar, also für Unbill nicht verantwortlich zu machen, darüber hinaus wurden keine Zweifel hinsichtlich des einem Pilger geziemenden Benehmens offengelassen und der konfliktträchtige Umgang mit den Türken (und deren Frauen) im Alltag besprochen, um Ärger gleich im Vorfeld zu verhüten.

Solchermaßen präpariert und voll frommer Erwartung begann für die Pilger nun das Abenteuer *terrae sanctae*. Den Auftakt bildete dabei die Grabeskirche, nur 250 Meter vom Erlöserkloster entfernt im westlichen Teil der Stadt: die wichtigste Sehenswürdigkeit Jerusalems, die inzwischen auch ganzjährig zur Verfügung stand, denn zuvor hatten sich, bis zum Ende des 15. Jahrhunderts, die Türen der Basilika nur zweimal jährlich für den Pilgerstrom geöffnet. Fernberger bezahlte den horrenden Eintritt (den die osmanischen Beamten einstreiften) ohne zu murren, schrieb Georg Christoph Fernberger von Egenberg und Ulrich Fernberger von Egenberg (den Namen seines Vaters) ins Besucherregister und betrat das Labyrinth der über- und aneinandergebauten Kapellen im Kirchenschiff.

Wenig davon wird aus dem Folgenden deutlich: Für moderne Leser lassen die zeitgenössischen Beschreibungen von Sakralbauten meist zu wünschen übrig. Von Größe und Materialien ist zwar die Rede, aber von Grundriß und Aufriß bekommt man keine klare Vorstellung, wohl wird die Abfolge der Altäre penibel geschildert, aber kaum je die eigentliche Gestalt einer Kirche. Offenbar löste sich – zumal für fromme Pilger an einer Heiligen Stätte – die Form völlig im Gehalt der Funktion auf.

Im Anschluß an die Grabeskirche ging es nun daran, die Heiligen Stätten reihum abzuklappern: bergauf und bergab, von morgens bis abends. Wer diese Rundgänge absolvierte, wandelte dabei unaufhörlich auf den Spuren der Bibel: Mit nahezu jedem Schritt stolperte man über Szenen aus der Heiligen Schrift, von denen hier, dort, da drüben oder geradewegs voraus noch ein Mauerrest, ein Brunnen, ein Abdruck im Fels, ein Loch im Boden, ein Stein, ein „uralter" Baum usw. kündeten. Den zum Anschauungsobjekt passenden Bibelvers führten wohl die bewanderten geistlichen Reiseleiter auf den Lippen, obwohl die geführten Schäfchen selbst mit einer intimen Kenntnis der Heiligen Schrift aufwarten konnten. Zusammen mit den allerorts gewährten Ablässen (dem von der Kirche gewährten Nachlaß von zeitlichen Sündenstrafen) wurden diese Zitate einem ungeschriebenen Gesetz gehorchend in den Reisetagebüchern penibel aufgelistet festgehalten. Offenbar dienten sie nicht nur dazu, die Besichtigungstour zu dokumentieren, sondern beglaubigten sie darüber hinaus.

Georg Christoph Fernberger machte im Jahr 1592 keine Ausnahme und reihte sich willig in die Schar seiner Vorläufer ein. Erkleckliche 85 Heilige Stätten besichtigte er in den folgenden Tagen, denn nachdem die Jerusalem-Tour abgehakt war, machte man sich auf in die unmittelbare Umgebung der Stadt, wo weitere Gedenkstätten der Pilger harrten. Genaugenommen unterschied sich das Besichtigungsprogramm, das die Pilger hier Ende des 16. Jahrhunderts durchliefen, nicht im geringsten von profanen Touristenarrangements heutiger Tage. Auch damals stand komprimierte Information im Vordergrund, wandten sich die Augen aller auf Geheiß des Reiseleiters abwechselnd nach links und rechts und war die Enttäuschung groß, das eine oder andere lohnende Ziel nicht gesehen zu haben (nicht weil „derzeit geschlossen", aber weil *„in den Händen der Ungläubigen"* befindlich, und deshalb nicht zugänglich). Mit dem Unterschied freilich, daß das Tempo damals gemächlicher war und anstelle eines dieselgetriebenen, vollklimatisierten Busses mit Panoramaverglasung der kurze Schritt eines Esels den Takt vorgab.

Angelaufen war das Geschäft mit den Pilgern im Heiligen Land bereits im ausgehenden 2. bzw. beginnenden 3. Jahrhundert n. Chr., auch wenn es zu dieser Zeit hier noch nicht viel zu sehen gab. Die Heiligen Stätten zu verehren war eines, sie zu identifizieren und zu markieren ein anderes. Erst der Palästinabesuch von Helena, der Mutter Kaiser Konstantins, im Jahr 326 n. Chr. sollte hier den Stein ins Rollen bringen: Systematisch wurden nun die eigentlichen *terrae sanctae* erschaffen, der Mythos „verortet" und für die Ewigkeit verankert. Nachdem die sakrale Topographie wiedererstanden und der Text der Bibel in Architektur übertragen war, vermochte der Augenschein überdies rückwirkend einen objektiven Beweis für den Wahrheitsgehalt der Heiligen Schrift zu liefern.

Vorbildlich verwirklicht war die umfassende Nutzung vielbegangener Wege im Heiligen Land zum Beispiel beim attraktiven Spaziergang von Jerusalem nach Bethlehem: Auf diesem Pfad über offenes Land, den praktisch jeder Pilger zumindest einmal benutzte, drängte sich eine bemerkenswerte Dichte an Heilsstätten, und da sich noch mehr Gnadenorte in der unmittelbaren Umgebung hatten identifizieren lassen, war der Ausflug schließlich als Rundgang konzipiert worden.

Georg Christoph Fernberger absolvierte das gesamte vorgesehene Programm. Allein der Hinweg verlief wie folgt: *„Wir verließen die Stadt in Richtung Bethlehem und trafen zunächst im Tal des Berges Zion auf den Ort, wo der Teich war, an dem Bathseba badete, in die sich König David, der sie von seinem Palast am Berg Zion aus erblickte, verliebte. ... Geht man dann nach Süden in Richtung Ägypten, sieht man die Stelle, wo der alte Simeon wohnte, der sagte: ‚Nun läßt du deinen Knecht ziehen'* [Lk 2,29]. *Von da* *nach ungefähr einer welschen Meile sieht man zuerst links das Matisili genannte Dorf, wo einst ein Dominikanerkloster stand, dann rechts einen Turm, der Turm des Propheten Zacharias genannt wird, weiters direkt auf dem Weg einen uralten Terebinthen-Baum, in dessen Schatten die heilige Maria auf ihrem Weg von Bethlehem nach Jerusalem und zurück öfters gerastet haben soll. Ein wenig weiter befindet sich am Weg eine Zisterne, wo den heiligen drei Königen der Stern zum zweiten Mal erschienen sein soll. Ein wenig höher abseits der Straße sieht man rechter Hand den Turm des Propheten Habakuk, und drei Meilen weiter befindet sich genau in der Mitte der Strecke zwischen Jerusalem und Bethlehem eine Kapelle, wo einst das Haus des Propheten Elias stand. ... Ganz in der Nähe rechter Hand ist in einem rohen Fels die Stelle, wo der Prophet Elias unter einem Wacholder schlief und vom Engel geweckt wurde, der ihm Aschenbrot und einen Becher Wasser reichte und dazu sagte, er solle essen, denn er müsse weiterziehen. ... Ein wenig höher rechts findet sich ein Fels, von dem aus man beide Städte, Jerusalem und Bethlehem, sehen kann. Hier ist die Hälfte des Weges erreicht, und es gilt septenarischer Ablaß. Wir gingen eine halbe Meile weiter und sahen den Turm bzw. das einstige Haus des Patriarchen Jakob rechts von der Straße, und etwas weiter noch das Grab der Rachel, der Frau Jakobs, die starb, als sie unterwegs den Sohn Benjamin gebar. Es befindet sich an einer Weggabelung, die nach Bethlehem und Hebron führt, wie es auch die Schrift bezeugt, wo es heißt: ‚Und Jakob begrub sie an einer Weggabelung‘* [Gen 48,7]. ... *In der Nähe von Bethlehem sieht man auf diesem Weg drei Zisternen, nach deren Wasser David verlangte, als er sich im Kampf gegen die Philister befand.*“

Mag der (durchschnittliche) moderne Leser vielleicht staunen ob der einst so profunden Bibelkenntnisse oder mag mit der Zeit auch die Geduld für eine derart akribische Erfassung und Aufbereitung des Stoffes abhanden gekommen sein – zumindest die überragende Gedächtnisleistung, die die seitenlangen Berichte nahelegen, klärt sich nachträglich durch folgende Hypothese: Vermutlich wurden sie allesamt gewissenhaft aus einschlägigen Pilgerführern exzerpiert. Zwar ist angesichts der schlechten Überlieferung solcher Hilfsmittel fraglich, ob sie (wie etwa für das Ewige Rom) tatsächlich je „fabriksmäßig“ hergestellt wurden, zweifellos aber kursierten zur selben Zeit jeweils mehrere Versionen von Reiseführern für das Heilige Land. Zum Leidwesen der Pilger, die aus ihnen nicht nur praktische Reiseinformationen entnahmen, sondern damit auch ihren eigenen Erlebnissen den letzten Schliff verliehen, wichen sie in ihren Angaben jedoch erheblich voneinander ab.

Wesentliche Elemente der Pilgerführer flossen außerdem in eine andere, im 16. Jahrhundert neu konzipierte literarische Gattung ein, die sich ausschließlich mit den vielgestaltigen Facetten des Reisens auseinandersetzte: Apodemiken. Im deutschsprachigen Raum entwickelt aus dem kosmographisch-geographischen Interesse des Humanismus, verstand sich die „Anleitung zur Kunst des Reisens“ als Instrument, das Umherschweifen seiner Anhänger fruchtbringender zu gestalten. Ihre Grundpfeiler verdankte die *ars apodemica* zwei Traditionen: Dem „Städtelob" der antiken Rhetorik bzw. ihrer arabischen Entsprechung sowie den ärztlichen Reiseregimina, die sich allen Fragen der Gesundheit auf Reisen widmeten und ebenfalls in beiden Kulturräumen fest verankert waren.

Einem zeitgenössischen Reisenden gaben die Apodemiken Denkanstöße mit auf den Weg, die philosophische Zusammenhänge offenbarten und zu systematischer Stoffsammlung und schematischer Gliederung erzogen. Ob es sich nun um ausformulierte Argumentationsketten über den Wert und die Nützlichkeit des Reisens handelte, um ethische Grundsätze, bis zu welchem Grad die auf Reisen durchwegs notwendigen Täuschungsmanöver moralisch vertretbar erschienen, um Instruktionen, die das Verhalten auf Reisen generell betrafen oder um Hinweise zum praktischen Umgang mit nautischen Instrumenten bzw. Diagrammen aus Disziplinen, die wir heute unter dem Begriff „Magie" subsumieren würden, um Anleitungen zum Kopieren von Inschriften oder um Empfehlungen hygienischer und diätischer Natur – mit Sicherheit erwiesen sich Apodemiken als zweckdienliche Orientierungshilfen.

Nach einem regelrechten Boom im Spätmittelalter wurde der Pilgerstrom im 16. Jahrhundert spärlicher (nachdem die Reformation und die ausgreifenden Eroberungszüge der Osmanen es kaum geboten erscheinen ließen, sich auf diese Reise zu begeben) und riß schließlich fast völlig ab. Inzwischen hatte sich ein Besuch des Heiligen Landes außerdem auf durchschnittlich zwei Wochen reduziert, nachdem zuvor mehrmonatige Aufenthalte üblich gewesen waren.

Auch in Jerusalem selbst war es gegen Ende des Jahrhunderts merklich ruhiger geworden: Offenbar hielt sich Georg Christoph Fernberger derzeit gar als einziger Gast im Franziskanerkloster auf, nahmen doch außer ihm keine anderen Pilger an den Führungen teil. Freilich befand man sich im Februar noch in der Vorsaison, traditionell fiel der größte Ansturm der Pilger in die Osterwoche. Das Fest der Auferstehung würde man in diesem Jahr erst in einigen Wochen feiern (am 29. März 1592 genauer gesagt), Georg Christoph Fernberger aber hatte sein Plansoll inzwischen erfüllt und beschloß daher abzureisen.

Doch erneut wurde sein Vorhaben von äußeren Umständen vereitelt: Die wenigen Pilger, die zu dieser Zeit unterwegs sein mochten, trafen vermutlich erst langsam in der Stadt ein, keiner hingegen verließ sie. Mit jedem Tag rückte das Osterfest näher, und die Wahrscheinlichkeit, noch Anschluß an eine abreisende Gruppe zu finden, sank. Unaufhaltsam steuerte Georg Christoph Fernberger nun auf Schwierigkeiten zu. Vergleichsweise einfach war es gewesen, eine Woche lang den Balanceakt zu vollführen, seine protestantische Gesinnung zu verbergen – sich durch die gesamte Karwoche und den Ostergottesdienst zu schwindeln, aber bedurfte sehr viel mehr Glücks und guten Willens.

Zwar war es durchaus keine Seltenheit, daß sich auch Protestanten hier an die Spuren Christi hefteten, doch hatten sie auf dem Weg gewöhnlich etliche katholische Hürden zu nehmen. Zuallererst mußte der lutherische Neuankömmling die Beichte nach Art der Katholiken ablegen und die Absolution erhalten, einem katholischen Gottesdienst beiwohnen und dabei die Kommunion nach katholischem Ritus empfangen, erst dann winkte auch ihm der ungetrübte Aufenthalt in der Heiligen Stadt. Für viele Protestanten war diese Vorstellung jedoch völlig abwegig. Außerdem gab es eine Möglichkeit, sich aus der Affäre zu ziehen: Man hatte ein dunkles Geheimnis. Die phantasievollen Geschichten, die man den Franziskanern (und den katholischen Reisegefährten) auftischte, kreisten um Mord und Totschlag bzw. unstatthaften weil unchristlichen Lebenswandel und gipfelten in der Feststellung, zunächst Buße tun zu müssen, bevor man sich wieder in die Schar der Gläubigen einreihen könne. Absolution und Kommunion standen daher derzeit nicht zur Debatte. Geständnisse dieser Art zogen zwar ein längeres Gespräch mit dem *Guardian* des Franziskanerklosters nach sich, mit einem Extradukaten Opfergeld aber war die Sache danach meist bereinigt.

Solcherart unbehelligt zu bleiben, mußte auch für Georg Christoph Fernberger erstrebenswert erscheinen. Welcher Methoden er sich hier bediente, um tagelang um Beichte und Kommunion herumzukommen, gibt sein Bericht nicht preis – und auch nicht, ob er dies überhaupt für nötig gehalten hatte.

Obwohl es diesmal sicherlich nicht seiner Absicht entsprach, sprengte nun auch sein Jerusalem-Besuch die Grenzen. So *„hatte ich fest vorgehabt, noch vor dem Osterfest wieder abzureisen"*, hielt er in seinem Manuskript fest – allein, es war anders gekommen: Letzten Endes wartete Fernberger vergeblich auf eine entsprechende Gelegenheit.

So zog der Frühling ins Land, und die Vorbereitungen für das Hochfest der Christenheit nahmen ihren Lauf. Neuneinhalb Wochen sollte Georg Christoph Fernberger insgesamt in der Heiligen Stadt verbringen, *„mit großer Freude"* wie er immerhin vermerkte, und er verbuchte es zudem als Gnade Gottes, die Rundgänge zu den *terrae sanctae* währenddessen gleich zweimal zu absolvieren. Viel anders konnte man sich die Zeit hier auch kaum vertreiben. Jerusalem selbst entpuppte sich bei näherer Betrachtung nämlich als ein recht langweiliger Ort: Es war eine reizlose Stadt, mit häßlichen Häusern und traurigen Vierteln.

Dem überlangen Aufenthalt verdankten sich aber auch exklusivere Vergnügungen: Ausflüge, die aus Zeitmangel nicht in einem Zwei-Wochen-Pauschalpaket inbegriffen sein konnten etwa oder Ausflüge, die nur in der Hochsaison zu Ostern angeboten wurden. Ausgangspunkt dieser Touren war neben Jerusalem selbst auch Bethlehem. Von hier aus führte beispielsweise ein Rundgang noch weiter nach Süden zu den Teichen Salomons, ein anderer geleitete die Pilger nach Nordwesten, in die Berge von Judäa, zur gotischen Kirche, die den Geburtsort von Johannes dem Täufer markierte, und über das georgische Kloster des Heiligen Kreuzes (erbaut an der Stelle, wo jener Baum stand, aus dem das Kreuz Jesu gefertigt wurde) wieder zurück nach Jerusalem.

Der bei weitem attraktivste dieser Streifzüge bedurfte umfangreicherer Vorbereitungen, mußte im voraus gebucht werden und schlug sich, im Gegensatz zu den anderen Spaziergängen, auch in der Reisekasse mit nennenswerten Unkosten nieder (bei Storno verfiel überdies die bei der verpflichtenden Anmeldung fällige Anzahlung von 50 Prozent der Summe). Allerdings waren die gebotenen Leistungen das Geld allemal wert: Die Liste umfaßte einen Abstecher zum Toten Meer, das obligate Bad im Jordan und die Möglichkeit, eine Extratour nach Jericho in Anspruch zu nehmen. Inkludiert war überdies eine stattliche Eskorte von türkischen Reitern, die (da in der Umgebung von Jerusalem gewöhnlich räuberisches Gesindel die Pilgerzüge umschwärmte) den Wallfahrern bei diesem Ausflug etwaige Scherereien vom Hals schaffen sollte. Zwar ließen solche Überfälle inzwischen nur mehr vereinzelt aufhorchen, dennoch hielt man ein bewaffnetes Geleit weiterhin für unabdingbar. Naturgemäß rechnete sich eine Schutztruppe lediglich bei entsprechender Teilnehmerzahl, sodaß den kleinen Pilgergrüppchen, die die Heilige Stadt unterm Jahr besuchten, Ausflüge in die weitere Umgebung meist erfolgreich ausgeredet wurden.

Rund um Ostern allerdings boten die Veranstalter das gesamte Rahmenprogramm an: Gemeinsam mit Gleichgesinnten („*Männer und Frauen, sogar mit Kindern*") brach Georg Christoph Fernberger daher des Abends auf und erreichte bei Sonnenaufgang zunächst das Tote Meer. Das „Meer von Sodom" gab neben einem intensiven Geruch nach Schwefelwasserstoff auch „Erdpech" (Teer) in großen Mengen frei, was ihm den Namen *Asphaltites lacus* eingebracht hatte. Treulich begleitet von seinem üblen Dunst marschierte die Pilgerschar weiter zum Jordan, wo knapp oberhalb der Mündung Halt gemacht wurde. Der Tradition gemäß stiegen alle frommen Wanderer nun ins Wasser, badeten (in einem Hemd, das später als Sterbekleid dienen würde) und füllten die mitgebrachten Flakons mit seinem wundertätigen Naß: Jordanwasser galt nicht nur als unverderblich und war zu vielerlei Wunderkuren zu gebrauchen, sondern galt unter Edelleuten auch als unentbehrlich für die Taufe ihrer Kinder.

Die geistlichen Reiseleiter beobachteten das Geschehen im Wasser streng. Wie üblich wurde Ärger meist durch die straffe Regie der Tour im Keim erstickt. Da die Strömung reißend war und der Grund mit Gestrüpp durchsetzt, untersagte der Veranstalter eisern das Hinüberschwimmen ans andere Ufer. Außerdem wiesen die Patres die Pilger nach Ablauf einer gewissen Frist an, den Fluß zu verlassen. Unterstützt wurde diese Forderung in der Regel durch Trommelschläge, fruchtete das akustische Signal nicht, wurden Peitschenhiebe eingesetzt. Wieder am Ufer, hatte man einen vollkommenen Sündenablaß erlangt.

Nachdem das abschließende Gebet gesprochen war, machte sich der Großteil der Pilger auf den Rückweg nach Jerusalem, jene der römisch-katholischen Konfession aber brachen auf zum nächsten Programmpunkt: Über Jericho (dessen Mauern sich gemäß Jos. 6,20 als längst verfallen erwiesen) gelangte man nun – offenbar hatte sich Fernberger den „Papisten" unbefangen angeschlossen – durch die Wüste zum biblischen Berg der Versuchung. Der Aufstieg zum *Mons Quarantanae* („Berg der vierzig Fastentage") erwies sich zwar als sehr schwierig und gefährlich, doch belohnte oben der Blick in jene Felshöhle, in der Christus vierzig Tage und Nächte gefastet hatte. Danach ging dieser Ausflug auch für die Katholiken zu Ende. Erst spät nach Einbruch der Nacht trafen die letzten Pilger schließlich wieder im Franziskanerkloster in Jerusalem ein.

Genaugenommen mochten zwar Fernbergers Gedanken schon seit Tagen um das Bad im Jordan kreisen, tatsächlich stattfinden aber sollte die Fahrt erst nach den großen Feierlichkeiten, am Abend des Ostermontags. Inzwischen hielten sich an die 3.000 Pilger in Jerusalem auf, die Stadt brodelte förmlich: Auf den Straßen wogte eine bunte Menge, durchsetzt von ortsansässigen Christen, Juden und Moslems, die Trachten und Gesichter von Armeniern, Abessiniern, ägyptischen Kopten, griechisch-orthodoxen Dalmatinern, Bulgaren, Walachen und Russen, katholischen Italienern und Franzosen, syrischen Nestorianern, Maroniten, Jakobiten und „Gürtelchristen" prägten das Straßenbild. Moslems, die die Stadt ebenfalls „heilig" oder *Kuds mübarek* nannten, pilgerten auf dem Rückweg von Mekka ebenfalls in Scharen hierher. Die Luft schwirrte von Lauten in den verschiedensten Sprachen, sonderbare Musikinstrumente schickten den Klang ihrer Heimat über die Dächer.

Mitte der Karwoche begannen endlich die ersten Konfessionen mit ihren Osterzeremonien. Wie die meisten anderen der christlichen Glaubensgemeinschaften begaben sich auch die „Franken" (die Römisch-Katholischen) bereits am Mittwoch Abend in die Grabeskirche. Die Lampen in der Grabkapelle selbst waren gelöscht worden, ihr Tor verschlossen und versiegelt. Jeder Pilger brachte der Tradition gemäß eine Nacht in der Kirche zu, tat Buße und fastete. Georg Christoph Fernberger kannte das Prozedere bereits. Aller Wahrscheinlichkeit nach hatte der *Guardian* des Franziskanerklosters auch an diesem Mittwoch den Pilgern wieder strikte Anweisungen mit auf den Weg gegeben. Verhaltensregeln, die erneut gebührliches von ungebührlichem Betragen schieden und speziell auf die Grabeskirche zugeschnitten waren. Selbst wenn sich jeder daran gehalten hätte (also keiner Steine abschlug, noch Wände – mit dem eigenen Wappen etwa – bemalte, niemand aus dem Zug ausscherte und auch nicht die eigenen Habseligkeiten auf dem Kirchenboden verstreut herumliegen ließ), würde sich wenig geändert haben: Üblicherweise und gerade in der Karwoche ging es am heiligsten Platz der Christenheit zu wie auf einem Jahrmarkt. An die Fersen der Pilger geheftet, hatten sich Krämer und Händler ebenfalls ins Kirchenschiff gedrängt und boten nun in aller Ruhe allerlei Reliquien, Kruzifixe und Rosenkränze, aber auch Schmuck und kostbare Tuche sowie Obst, Gemüse und Lebensmittel zum Verkauf. Während nun die einen schliefen, feilschten die anderen ausgelassen. Sie hatten eigens Vorräte mitgebracht, aßen und tranken gemeinsam und unterhielten sich bestens, auch wenn man dabei schon einmal heftig in Streit geraten mochte.

Gingen gewöhnlich nur einzelne Nächte auf diese Weise hin, so dehnte sich das Geschehen zu Ostern über mehrere Tage. Ausreichend Gelegenheit also, Ruhm zu ernten und Träume zu verwirklichen: beispielsweise die Ritterwürde vom Heiligen Grab zu erlangen (wenn auch inzwischen etwas aus der Mode gekommen) oder – für die Geistlichen unter den

Pilgern – einmal selbst eine Messe in der Grabeskirche zu zelebrieren. Nicht nur das Tor zur Grabkapelle, auch die Eingänge zur Kirche selbst blieben dabei die ganze Zeit über verriegelt. Lediglich am Karsamstagnachmittag schwappte noch einmal eine Welle von Pilgern in die Basilika. Nachdem sich damit auch die letzte der christlichen Glaubensgemeinschaften eingefunden hatte, konnte das Fest der Auferstehung beginnen.

Der Auftakt war unbestritten spektakulär, wurde von den Katholiken (und den Protestanten, die sich inkognito unter sie gemischt hatten) aber mit größter Skepsis verfolgt: Es handelte sich um eine Zeremonie *„mit dem Heiligen Feuer, wie sie sagen“*, in deren Verlauf sich alle anderen christlichen Pilger in der dunklen Rotunde versammelten, singend und betend, bis unvermittelt ein heller Feuerschein aus dem Grab drang. Nun sprang die Tür auf, Geistliche mit brennenden Kerzen in den Händen traten heraus und verbreiteten die geweihte Flamme, *„worauf man gleichsam mit einem Schlag die ganze Kirche im Feuerschein erstrahlen sieht“*. Die Römisch-Katholischen hatten sich bislang im Hintergrund gehalten, leise spöttelnd über diese *„Verblendeten, umfangen vom Dunkel des Wahns und Aberglaubens“*, von denen – ungeachtet dieses Kultes – keiner das „wahre Licht“ zu sehen vermochte. Jetzt aber rüsteten sie zu ihrem großen Auftritt und stellten sich (wie es ihnen der Tradition gemäß zukam) an die Spitze der Prozessionen, die im Anschluß vonstatten gingen. Danach folgte erneut eine Nacht der Buße, diesmal offensichtlich ernstlich *„zur Gänze mit dem Begehen von heiligen Handlungen und Feiern von Messen zugebracht“*. Alles nach dem Ritus der jeweiligen Konfession und von den anderen stets mit scheelen Blicken beäugt. Am Morgen des Ostersonntags schließlich fand das feierliche Hochamt statt und erneut wurden Prozessionen in der festgelegten Reihenfolge abgehalten. Dann öffnete man das Kirchentor, das Fest war vorbei. Die bunte Pilgerschar strömte erlöst ins Freie und verlief sich wieder.

Vermutlich hatte Georg Christoph Fernberger inzwischen längst die üblichen Souvenirs erstanden und hielt auch das begehrteste Dokument der Stadt bereits in Händen. Andernfalls bemühte er sich wahrscheinlich in den nächsten Tagen um dieses Mitbringsel: Das gefragte Besuchspatent, das die ehrfürchtige Visitation der Heiligen Stätten bescheinigte, holte man sich in der Kanzlei des Franziskanerkonvents ab, wo die Urkunden (in Latein auf Pergament und mit aufgeprägtem Siegel des Klosters) bereits vorsorglich auf den Namen jedes anwesenden Pilgers ausgestellt worden waren.

Profane Andenken und Reliquien hingegen waren an jeder Straßenecke zu haben. Für gewöhnlich standen Objekte und Artikel religiösen Inhalts ganz oben auf der Wunschliste der Pilger: Dornen aus der Umgebung von Jerusalem, Steine von den Heiligen Stätten, Nägel aus den Kirchen der Stadt, Streifen Leinwand von der Länge des Heiligen Grabes ebenso wie kalkweiße Erde aus der Mariengrotte in Bethlehem (*„sie soll nicht nur für die Frauen, sondern auch für das Vieh ... von Nutzen sein, um die Bildung von Milch ... anzuregen“*), Kiesel vom Zionsberg, vom Ölberg, aus dem Josaphattal und vom Blutacker. Daneben wurden Kopien der Abdrücke der Fußspur Christi angeboten, Rosenkränze aus Bethlehem und Gethsemane, Kruzifixe aus Zedernholz und *Agnus Dei* (geweihte Wachs- oder Steintäfelchen mit dem Bild des Osterlamms), Rosen von Jericho und fallweise „unschuldige Kindlein" von Bethlehem (abortierte Kinderleichen, die der Sultan hier in klingende Münze verwandelte, wie man hörte).

Überdies investierte so mancher sein Geld in wertvolle Teppiche, kostbare Seiden- und Baumwollstoffe, Schuhe, Juwelierarbeiten, Straußeneier, Einhornhörner und Kokosnüsse. Mit einem ganz besonderen Offert wartete man später in Bethlehem auf: Wagemutigen wurde hier im 17. Jahrhundert eine Tätowierung verpaßt, indem eine von sechzig Schablonen mit Nadeln in den Arm gestochen und dann ein Brei aus Ochsengalle, kleingestampfter Kohle und fettem Lampenruß in die Haut gerieben wurde. Zur Auswahl standen dabei christliche Motive wie das fünffache Jerusalemkreuz, das Heilige Kreuz, die Kreuzlegung Christi, Mariä Verkündigung, die *Via dolorosa* usw. ...

In der Zwischenzeit war die Heilige Stadt nach den Osterfeierlichkeiten allmählich wieder zur Ruhe gekommen. Georg Christoph Fernberger hatte sich währenddessen darangemacht, seine Abreise aus Jerusalem voranzutreiben. Jetzt herrschte kein Mangel an Aufbruchswilligen, und Begleiter konnte man unter Angehörigen aller christlichen Konfessionen wählen. Fernberger entschied sich für eine Gruppe bestehend aus zwei Franzosen, drei Franziskanern und „*andere*[n] *Christen*", deren gemeinsamer Weg zum Hafen Jaffa führte. Keiner wollte diese Reise zu Fuß unternehmen, also griff jeder tief in seine Reisekasse und mietete einen Esel. Georg Christoph Fernberger mußte sich ebenfalls wieder um ein adäquates Reittier bemühen, hatte er doch das kleine Maultier aus Persien inzwischen den Mönchen in Bethlehem als Almosen vermacht. So sollten jetzt alle gleichermaßen unter den zudringlichen arabischen Eseltreibern leiden, die für gewöhnlich mit unlauteren Methoden Trinkgelder erpressten (die sie lautstark auf italienisch einforderten), mitunter kleinere Gepäcksstücke stahlen und vielfach Weinflaschen zerschlugen. Nachdem man einem Anbieter den Zuschlag gegeben hatte, mußte man allerdings noch einmal losziehen, um Steigbügel zu kaufen – allerdings zumeist hölzerne, da eiserne regelmäßig gestohlen wurden.

Am 7. April 1592 waren endlich alle Vorbereitungen getroffen: Um die Mittagszeit des nächsten Tages begab sich Georg Christoph Fernberger vermutlich ins Refektorium des Klosters San Salvatore, schon vollkommen reisefertig. Wie es der Tradition entsprach, wurde nun jeder Pilger noch einmal von den Franziskanern zum Essen geladen und anschließend zum Abschied mit allerlei Reliquien bedacht – freilich nicht ohne zuvor dem Konvent eine Spende überlassen zu haben. Zwar gab dabei jeder nach seinem Vermögen und Gutdünken, doch für gewöhnlich wurden auf jeden Fall einige Golddukaten erwartet. Mit merklich erleichtertem Beutel empfahl sich wohl auch Georg Christoph Fernberger, schwang sich danach auf den Rücken eines Esels und verließ Jerusalem.

Die Straße nach Jaffa war zwar nicht mehr jener vielbegangene Pilgerpfad wie noch 100 Jahre zuvor, dennoch hatte ihre einstige Infrastruktur für den Fremdenverkehr überlebt. Nach einer kurzen Nacht in einer alten Pilgerherberge erreichte der kleine Trupp bereits am nächsten Tag Jaffa.

Ebenso wie auf dem Weg von Jerusalem hierher, warteten an Ort und Stelle (*„hier ist das Ende des Heiligen Landes“*) wiederum einige ausgewählte Heilsstätten auf die Pilger. Andererseits bot die Hafenstadt selbst Ende des 16. Jahrhunderts aber ein Bild der Verwüstung: Wo früher Legionen von europäischen Wallfahrern an Land setzten, einklariert und sogleich vom *Guardian* der Franziskaner in Empfang genommen wurden, registrierte Fernberger ausnahmslos zerstörte Häuser. Nur die osmanischen Beamten wohnten passabel in zwei neuerrichteten Türmen. Kaum mehr als eine zerborstene Mauer von „uralter“ Bauart erinnerte an die lange Geschichte dieses Hafens, der heute als einer der frühesten der Welt gilt bzw. im Sprachgebrauch des 16. Jahrhunderts für älter als die biblische Sintflut gehalten wurde.

Angesichts des aktuellen Zustandes zeigten sich Besucher vermutlich am ehesten daran interessiert, ohne Umschweife eine Weiterreise zu arrangieren. Georg Christoph Fernberger kehrte Jaffa binnen zwei Tagen den Rücken und bestieg am 11. April 1592 ein Transportschiff levantinischen Typs. Der Segler folgte der Küste nach Norden, und nur kurze Zeit, nachdem Jaffa bzw. *„Jopen, das heute Zaffo* [Japho] *heißt“* außer Sichtweite geriet, tauchte mit *„Caesarea Stratonis ... heute Zisair* [Qeisari]“ schon wieder eine berühmte Stadt am Horizont auf. Die nächsten 72 Stunden vergingen wie im Flug: Tags darauf zog um die Mittagszeit schon *„Ptolemais ... heute Acre ... und einst auch Caesarea Philippi genannt* [Akkon]“ an der Steuerbordseite vorbei, gegen Abend wurde *„Tyros ... heute Sor* [Sur]“ angesteuert und zuguterletzt passierte man rechterhand noch *„Sidon, heute Saida* [Syda]“ ebenso wie *„Beritum ... heute Bachruti* [Beirut]“, bevor das Schiff in seinen Bestimmungsort Tripoli einlief.

Tripoli hatte seinen Namen stets behalten und entbehrte daher der Orientierungshilfen in Fernbergers Zeitraster. Der Hafen blickte auf eine kurze Glanzzeit zurück (ab dem Jahr 1587 steuerten die verbliebenen Pilgerschiffe nicht mehr Jaffa, sondern gewöhnlich Tripoli an), war aber inzwischen wieder verwaist. Gegenwärtig wurde der gesamte Pilgerverkehr über den weiter nördlich gelegenen Hafen von Scanderona (Iskenderun) abgewickelt, nachdem sich die europäischen Reeder kurzerhand entschlossen hatten, dem vermessenen Auftreten und der *„unersättlichen Habgier“* der hiesigen Zoll- und Steuerbehörde zu weichen.

Vom Meer war es nur ein kurzer Weg in die eigentliche Stadt. Georg Christoph Fernberger durchquerte mit seiner Reisegesellschaft einen flachen Küstenstrich und genoß dabei sichtlich den Ausblick auf zauberhafte Gärten mit üppigen Obst- und Maulbeerbaumkulturen. Tripoli selbst schmiegte sich an eine Flanke des Libanongebirges und verzichtete auf Befestigungsanlagen: Während die Wohnhäuser bereits allerorten die Stadtmauer überwucherten, thronte am Berg nur eine ausrangierte Kreuzritterburg.

Von Tripoli aus unternahmen Besucher üblicherweise einen Streifzug ins Gebirge, um die berühmten Zedernwälder zu besichtigen. Georg Christoph Fernberger schloß sich zu diesem Zweck einigen Italienern an. Offenbar hatte er sich längst von seiner ursprünglichen Reisegruppe getrennt und daher wohl beim Vertreter der *Signoria* Unterschlupf gesucht, denn binnen eines Tages war dieser Ausflug mit oder von den „Welschen" organisiert worden. Zunächst hielten die Esel (samt den vermutlich angeheuerten Führern) dabei geradewegs auf ein weites Hochplateau zu, wo wieder Olivenhaine, Weinberge und Obstgärten den Weg säumten. Danach wurde das Gelände steiler und mühevoller. Vier Stunden später hatte die Gruppe allerdings gut 3.000 Höhenmeter überwunden und war bis zu den Schneefeldern am Bergkamm vorgedrungen. Viele Zedern fanden sich dort oben zwar nicht mehr, dennoch wurde der Anblick als Erlebnis verbucht.

In den Restbeständen der ehemals ausgedehnten Zedernwälder erschöpften sich die Sehenswürdigkeiten des Libanon-Gebirges aber keineswegs. Deshalb brach die Gruppe erneut auf und kämpfte sich durch extrem schwieriges Terrain weiter: Sieben Stunden, eine tiefe Schlucht und einen neuerlichen Anstieg später hatte man vermutlich einigermaßen erschöpft das Etappenziel inmitten der Einöde erreicht. Hier, *„von der Außenwelt vollkommen abgeschirmt"*, lebte in einem Kloster, das sich unter den Fels duckte, der Patriarch der Maroniten. Die christliche Splittergruppe, die sich aus der Anhängerschaft des Heiligen Maron entwikkelt hatte, war nicht nur in Syrien, sondern auch in Ägypten und auf Zypern vertreten und längst nicht mehr als Sekte einzustufen (ein Großteil der Maroniten war bereits im 12., der Rest im 15. Jahrhundert wieder in den Schoß der Amtskirche in Rom zurückgekehrt). Nach einer Nacht im Kloster brachen die Besucher wieder auf, ausgeruht und (vermutlich aus dem eigenen Ranzen) gestärkt, denn die Mönche hatten ihr Leben am Berg der Askese verschrieben (*„Sie essen kein Fleisch und fasten viel"*). Der Rückweg nach Tripoli sollte den ganzen Tag in Anspruch nehmen. Neuerlich ging es zunächst steil bergab, und nur langsam wurde die unwirtliche Umgebung wieder freundlicher.

Georg Christoph Fernbergers letzter Abend in Tripoli wurde vermutlich noch einmal mit dem köstlichen Wein begossen, den die Maroniten in den Bergen kelterten und in der Stadt verkauften. Er fand ihn hervorragend, zog aber sicherheitshalber noch das Urteil der Italiener zu Rate. Doch sogar diese mußten eingestehen, daß er sich durchaus mit kretischem Wein messen konnte. Vermutlich kam das erlesene Getränk einer angeregten Unterhaltung zugute, die sich wohl auch ein letztes Mal um die absonderlichen Geschöpfe dieses Landstrichs drehte. Neben den vom Rest der Welt abgeschiedenen Christen lebten um Tripoli überdies sonderbare kleine Tiere, die ihre übergroßen Augen ruckartig rollten, sich von Luft ernährten und ihre Farbe dem jeweiligen Untergrund anpaßten. Das Fabelwesen en miniature trug den Namen „Chamäleon" und war nicht leicht auszumachen gewesen.

Am nächsten Morgen neigte sich der Landgang dem Ende zu. Georg Christoph Fernberger verließ das Haus und begab sich auf den Rückweg zum Hafen. Offensichtlich in Begleitung, auch wenn sich deren Zusammensetzung durch die kümmerliche Bemerkung: *„Am 17. April bestiegen wir wieder unser Schiff"* nicht erhellt. Wieder draußen am Meer setzte der Segler dann seine Fahrt entlang der Küste nach Norden fort. Abermals zogen mit Laodicae Syriae (Latakia) und Seleucia Piera (Samandag) *„einige der einst hochberühmten Städte der östlichen Mittelmeerküste"* in Sichtweite vorüber. Auf der Höhe eines Kaps, das die türkischen Seeleute blumig „Schweinskopf" nannten, geriet man allerdings in einen schweren Seesturm. Das Unwetter machte dem kleinen Schiff fürchterlich zu schaffen, Fernberger sah erneut dem Tod auf dem Meer ins Auge (und wähnte sich diesem gegenwärtig sogar näher denn je zuvor). Es war nicht weit bis zum rettenden Land, doch umso gefährlicher, es unter solchen Umständen anzusteuern. Zuguterletzt gelang das Wagnis, und man war seinem Schicksal noch einmal *„durch die Gnade Gottes ... entkommen"*. Am folgenden Tag fand die Reise dann ihr vorherbestimmtes Ende: Scanderona war nicht nur die Anlaufstelle für alle europäischen Pilger, die sich ins Heilige Land begeben wollten, sondern auch eine Perle unter den in der Antike so „hochberühmten Städten" der hiesigen Küste. Nach seinem Sieg bei Issos gründete Alexander der Große an der gegenüberliegenden Seite des Golfs eine Stadt mit Namen Alexandreia. Aus dem „kleinen Alexandria" wurde später Alexandrette, dann das Iskenderun der Osmanen und das Scanderona der europäischen Besucher.

Dankbar dafür, wieder festen Boden unter den Füßen zu haben und zufrieden über die Bildungsreise, zu der sich diese kurze Seefahrt entwickelte hatte, stand Georg Christoph Fernberger nun am Kai von Iskenderun, so mochte man meinen. Dennoch fand sich Grund zur Klage: Vom „kleinen Alexandria" waren, ebenso wie von den meisten anderen der begutachteten Städte an der Küste, nur mehr Ruinen geblieben. Teilweise bewohnt zwar, aber dennoch eher als verwüstet einzustufen. So galt auch für Scanderona jenes Sprichwort, *„das die Türken über sich selbst sagen"* und das da lautete: *„Osmanlü bastigü ierü otbitmes"* [Osmanlı bastığı yerde ot bitmez], *was soviel bedeutet wie: ‚Unter den Füßen der Osmanen wächst kein Gras.' Denn diese Ungeheuer kamen nicht, um etwas zu bauen, sondern um zu zerstören, was andere gebaut haben."* Andere europäische Reisende schätzten die Situation ebenso ein. Egal ob in Ungarn, am Balkan oder in Kleinasien: Überall verfielen die Städte, seit die Türken sie besetzt hatten. Fehlendes Straßenpflaster wurde nicht ersetzt, mürbe Mauern wurden nur provisorisch gestützt, undichte Dächer nicht repariert, rauchgeschwärzte Wände nicht getüncht. Kaum daß es einem je gelang, das Grundprinzip dahinter zu verstehen (in Hinblick auf die Endlichkeit des irdischen Daseins zeugte es von Hochmut, mit prunkvollen Bauten der Vergänglichkeit trotzen zu wollen), so wurde auch das obige Sprichwort mißdeutet. Während die Europäer darin wenig Schmeichelhaftes lasen, ersahen die Osmanen daraus augenscheinlich das enorme expansive Potential ihres Volkes.

Manchmal bedurfte es eben mehr als nur der Sprachkenntnisse. Ganz selbstverständlich hatte Fernberger während seiner Zeit im *Nemçi Han* Türkisch gelernt: Täglich kam dort ein Sprachlehrer ins Haus und unterrichtete im Studierzimmer zwei Stunden lang die Landessprache. Wer wollte, konnte sich entweder nur in Konversation üben, aber auch Lesen und Schreiben lernen. Fernberger hatte volle drei bis vier Jahre Zeit gehabt zu lernen und an dem Programm sichtlich mit Erfolg teilgenommen. Kein Problem also, sich zu verständigen, manchmal bereitete es nur Schwierigkeiten, sich auch zu verstehen: Landeskunde allein konnte nicht helfen, wo Mentalitätsunterschiede unüberbrückbar waren.

Wo Fernbergers Türkischkenntnisse an ihre Grenzen stießen, sprang hilfreich die *lingua franca* des Orients ein: Gewöhnlich übersetzten alle Dolmetscher in der Levante flüssig auf italienisch und selbst auf den osmanischen Sklavengaleeren hatte das „Welsche" als verpflichtende Umgangssprache Einzug gehalten. In Deutsch fand man hier hingegen nur bei Landsleuten Ansprache, die der Heimat den Rücken gekehrt hatten. Alltag für Georg Christoph Fernberger und das seit Jahren: Für die gesamte Levante war er mit der Amts- *und* der Umgangssprache stets bestens gerüstet, seine Standesgenossen wiederum sprachen, egal welcher Nationalität, selbst im hintersten Indien gepflegtes Latein. Und Portugiesisch bzw. eine Art portugiesisches Crioulo, das sich zur *lingua franca* im Indischen Ozean entwickelt hatte, lernte Fernberger auf dieser Basis sichtlich ohne Schwierigkeiten neu (er verwickelte bereits nach vier Monaten in der Lusophonie einen *„Inder, der der portugiesischen Sprache mächtig war"* in einen theologischen Disput).

Zwischen den Trümmern des griechischen Alexandreia, des römischen Alexandria und des türkischen Scanderona machte Georg Christoph Fernberger indessen nur kurz Station. Schon am nächsten Tag brach er wieder auf: Von Iskenderun ging es nun weiter nach Aleppo. Ein Weg, den er vor mehr als drei Jahren bedingt durch den Seesturm bereits einmal absolviert hatte. Diesmal allerdings stand ihm für die Reise ein adäquates Transportmittel zur Verfügung: Zum ersten Mal, seit sich Fernberger auf seine abenteuerliche Reise gemacht hatte, mußte er sich nicht mit Eseln oder Kamelen begnügen, sondern durfte sich wieder einmal in den Sattel eines anständigen Pferdes schwingen. Drei Tage später ritt Fernberger standesgemäß in Aleppo ein. Ein relativ kurzes Kapitel seiner Reise, das ursprünglich im Mittelpunkt seiner ganzen Unternehmungen gestanden war, war damit abgeschlossen: *„Und so endete meine Pilgerfahrt nach Jerusalem. Ruhm und Ehre sei Gott in der Höhe in Ewigkeit, Amen."*

Programmgemäß stand also jetzt die Rückreise an. Doch Fernberger trennten nun nicht wenige Wochen von der Heimat, sondern noch mehr als ein ganzes Jahr. Der Plan nach Hause zurückzukehren, erfuhr gleich an Ort und Stelle einen ersten Aufschub: Vermutlich schrieb man den 24. April des Jahres 1592, als Fernberger nun schon zum dritten Mal in Aleppo eingetroffen war, doch sollten auf den Tag genau zwei Monate vergehen, bis er sich entschließen konnte weiterzureisen.

Auf jeden Fall erwies sich Aleppo als höchst angenehmer Aufenthaltsort. Auch wenn die Masse der Häuser niedrig war, im Zentrum der Stadt drängten sich hübsche gemauerte Fassaden um einen Burgberg, umspannt von einem herrlichen Wassergraben. Viele verschiedene Arten von Wasservögeln tummelten sich dort, und obwohl es strengstens verboten war, sie zu schießen, zog der Platz offensichtlich die Besucher an. Die Luft hier galt als gut und gesund, das Klima war mild. Als es heißer wurde, verlegten die Bewohner von Aleppo wie gewöhnlich ihre Schlafzimmer auf die flachen Dächer ihrer Häuser und nächtigten im Freien.

Währenddessen dürften Georg Christoph Fernberger auch die neuesten Nachrichten aus dem Heiligen Land zu Ohren gekommen sein. Sie bestätigten im Nachhinein seinen Entschluß, nicht auf dem selben Weg zurückzureisen und statt dessen die Mittelmeerkreuzfahrt gebucht zu haben. Nun erwies sich als regelrechter Glücksfall, daß Fernberger auch diesmal seiner Leidenschaft nachgegeben hatte beziehungsweise *„durch meinen Schutzengel gut beraten“* worden war: Eine Gruppe von Franzosen nämlich, die sich gleich Fernberger als Armenier getarnt nach Jerusalem aufgemacht und auf der Rückreise nach Damaskus dieselbe Verkleidung angelegt hatte, war trotz ihrer Arabischkenntnisse bei einer der strengen Kontrollen aufgeflogen. Der Vorwurf, den Fiskus um die ungleich höhere Kopfsteuer für Abendländer geprellt zu haben, zog folgenschwere Konsequenzen nach sich: *„Stell dir vor, was diese lieben Leute mit uns gemacht hätten, wenn wir damals zugegen gewesen wären. Gewiß hätte man uns in Haft genommen, halb tot geprügelt und übel zugerichtet, Gott weiß, ob wir mit dem Leben davongekommen wären.“*

13. Kapitel

Nach Hause

„Von Aleppo plante ich auf dem Landweg durch Kleinasien nach Konstantinopel zurückzukehren. Deshalb brach ich am 23. Juni [1592] *auf ...“* Zwei Monate waren inzwischen verstrichen, eine imaginäre Frist schien abgelaufen. Nun ging es tatsächlich nach Hause, zunächst einmal zurück in den *Nemçi Han* am Goldenen Horn. Fernberger hatte gute Gründe, sich für den relativ ungewöhnlichen Reiseweg (üblicherweise setzte man von hier mit dem Schiff nach Konstantinopel über) zu entscheiden: Schon einmal, anläßlich des Bithynienausfluges im Sommer 1588, hatte er sich eine Kleinasienrundfahrt in den Kopf gesetzt und war knapp an seinem Traum gescheitert (die Gruppe plante gerade die Weiterfahrt nach Ankara, als ein osmanisches Heer auf dem Weg nach Persien die Route in Anspruch nahm und darum niemand mehr für die Sicherheit der Reisenden garantieren wollte), nun aber sah er die Gelegenheit gekommen, ihn sich zu erfüllen.

Der Weg dahin führte zunächst geradewegs nach Westen, wieder dem Mittelmeer zu. Wenige Tage später traf Georg Christoph Fernberger bereits in Antiochia (Hatay) ein. Die Stadt nahm den Rand einer weiten Ebene ein und erkletterte außerdem die Flanken von drei umliegenden Bergen, ihre imposanten Mauern (*„bis heute völlig unversehrt“* erhalten und mit vielen Türmen geziert) krönten deren Kämme. Darüber hinaus aber war vom Glanz vergangener Tage wenig übriggeblieben: Antiochia galt als eine der größten Städte des Altertums, es war Hauptstadt des Seleukidenreiches und im 12. Jahrhundert Mittelpunkt des Kreuzfahrer-Fürstentums Antiochien gewesen. Seit dem Jahr 1517 aber befand sich die Stadt in der Hand der Osmanen, und gegen Ende des 16. Jahrhunderts war *„kaum noch ein Zehntel bewohnt"*. Zwischen den verfallenen Häusern dehnten sich weite Gemüsegärten aus, und nur wenige Griechen lebten hier unter den Türken. An die frühe Christengemeinde von Antiochia aber erinnerten Relikte nach wie vor und allenthalben. Georg Christoph Fernberger hatte den Besuch nur als Abstecher eingeplant und kehrte Antiochia nach einer kurzen Besichtigung gleich wieder den Rücken. Auf dem selben Weg, den er gekommen war, verließ er die Stadt vermutlich schon am nächsten Morgen.

Dort, wo sich die Straße aus Antiochia mit der Karawanenstraße von Aleppo nach Iskenderun kreuzte, lag am Fuß des Amanus-Gebirges das Imareth von Baylan. Zwei Tage lang wartete Fernberger nun an diesem offenbar vereinbarten Treffpunkt auf die Ankunft einer Karawane. Am 2. Juli 1592 brach der Troß schließlich vereint auf. Neben dem abenteuerlustigen Gesandtschaftssekretär auf Heimreise zählten drei Franzosen zu den Begleitern der ungenannten Anzahl von Kamelen.

Im sanften Paßgang der Dromedare folgte man dem Bogen der Küste. Georg Christoph Fernberger war das erste Teilstück bestens bekannt: Nach Baylan ließ die Karawane auch die Hafenstadt Iskenderun linkerhand liegen, dann tauchte das Kastell von Beass am Weg auf und nach dem Scheitelpunkt des Golfes schließlich noch Issos.

In Issos, wo im Spätherbst des Jahres 333 v. Chr die große Schlacht zwischen Alexander dem Großen und Dareios III. von Persien stattgefunden hatte, brach die Karawane mit Georg Christoph Fernberger im Schlepptau um Mitternacht wieder auf. Gleich der Verkehrsverbindung der Antike folgte der Handelsweg des 16. Jahrhunderts zunächst dem Küstenverlauf, passierte dabei den berühmten Strandpaß der „Kilikischen Pforte" (*„zwischen zwei engen Felsen steht hier ein von Alexander dem Großen errichtetes Tor"*) und bog dann ins Landesinnere ab. Am Ufer des Flusses Cydnus lag die Stadt Tarsus. Während Fernberger gemächlich über eine Steinbrükke in die Stadt einritt, kämpfte einst Alexander der Große nach einem Bad in den eisigen Fluten des Flusses hier ums Überleben (Curtius Rufus III/5,1ff). Und während sich dieser damals dank eines Arzneimittels wieder erholte, war jener bereits weitergezogen und tags darauf in der nächsten Ortschaft gelandet: Adena.

Das heutige Adana bestach durch eine wehrhafte Festung und präsentierte sich bereits im Jahr 1592 als *„recht große ... Stadt"*. Nach eigenen Angaben war Fernberger am 7. Juli 1592 in Adana angekommen, verlassen haben dürfte er es vermutlich noch am selben Tag. Schon von der Stadt aus ließ sich die nächste Reiseetappe in aller Deutlichkeit ausnehmen: Eine eindrucksvolle Bergkette beherrschte den nördlichen Horizont, und die Karawanenstraße lief direkt auf die zum Teil über 3.000 Meter hohen Gipfel des Taurosgebirges zu. Drei Tage später gelangte Fernberger an die Nordgrenze Kilikiens: einen markanten Engpaß, die zweite „Kilikische Pforte".

Während die Karawane danach eine Hochebene erklommen hatte und weiter Boden nach Nordwesten gutmachte, erzählten einzelne Berge ihre Geschichte: jener mit dem Namen „Giaursangany“ von einer Schlacht mit den Christen und jener, der „Hassandag“ genannt wurde, von der verheerenden Niederlage Sultan Baiasids I. am 28. Juli des Jahres 1402.

Zwei Tage und rund 35 Kilometer später erreichte Fernberger schließlich *„Disdimum ... jetzt Accsaray“* (Aksaray) in Zentralanatolien. Der türkische Name bedeutete „weißes Kastell“ oder „weiße Burg“, zu sehen aber war offenbar bloß noch deren verfallene Befestigungsanlage. Am nächsten Tag, inzwischen fiel der Weg beständig ab und die Berge traten ein wenig zurück, breitete sich plötzlich ein *„sehr weites Feld, das wie ein gefrorenes Meer aussieht“* vor den Augen der Reisenden aus: Die Karawane hatte den Tuz Gölü („Salzsee“) erreicht.

Über das kostbare Salz, das hier in zahlreichen Salinen gewonnen wurde, hatte der Sultan ein Staatsmonopol verhängt, also durfte sich niemand im Vorbeigehen bedienen. Und auch wenn die salzige Versuchung zwei volle Tage lang ununterbrochen präsent war (solange brauchte die Karawane, um den Tuz Gölü zu passieren), hielten sich alle eisern an die Vorschrift, denn die Folgen, die für Zuwiderhandelnde vorgesehen war, entbehrten nicht einer gewissen Härte: Wie Fernberger und seinen Reisekameraden nachdrücklich eingeschärft worden war, stand auf Salzdiebstahl die Todesstrafe. Die Möglichkeiten, die das türkische Strafrecht vorsah, um einen Verurteilten vom Leben zum Tode zu befördern, waren Georg Christoph Fernberger nach seinem vierjährigen Aufenthalt am Bosporus vermutlich hinreichend bekannt. Ein Grund mehr, sich hier nicht zu unüberlegten Handlungen hinreißen zu lassen.

Zu diesem Zeitpunkt trennten Fernberger noch rund 100 Kilometer von seinem nächsten Etappenziel. Vier unspektakulär verlaufene Karawanentage später war es dann soweit: Am 20. Juli 1592 schritt sein Kamel in Ankara ein. Allein der erste Anblick der Stadt war hinreißend gewesen (*„... wunderschön anzusehen“*), wie wohltuend mochten sich dann erst ihre höchst erfreulichen urbanen Einrichtungen erwiesen haben, nach diesem langen Marsch über strapaziöse Bergpfade?

Erst auf der letzten Meile hatten wieder Gärten den Weg gesäumt, ans linke und rechte Ufer eines kleinen Flußlaufs im Talboden gedrängt. Dem Wasser folgend war die Straße an der türmebewehrten Stadtmauer gemündet und hatte sich daraufhin ins Häusermeer ergossen. Ankara, einst Hauptstadt der Tectosagen und ehedem als antikes „Ancyra“ Kristallisationspunkt der Provinz Galatien und des römischen Wegenetzes durch Kleinasien, hieß nun „Angora“ und hatte sich seit jeher um einen steilen Felskegel formiert. Den Burgberg krönte eine Zitadelle, und die Stadt selbst zog sich bis hinauf zu deren doppeltem Mauerring. Wie an keinem *„anderen Ort in der ganzen Türkei“* war in Ankara die Antike bis zur Gegenwart präsent geblieben: Nirgendwo sonst *„sieht man auch mehr Ruinen und Denkmäler aus der Römerzeit“*.

Georg Christoph Fernberger trennte sich in Ankara offenbar von seinen bisherigen Begleitern und blieb zwei Wochen. Zeit genug, um den Spuren des klassischen Altertums nachzustöbern wie ein geborener Humanist. Gleichermaßen Archäologe wie Epigraphiker rekonstruierte Fernberger im Geist das alte Aquädukt, allein anhand der markanten Steine, die offensichtlich einst den Wasserkanal gebildet hatten und nun in die Stadtmauer eingebaut waren; nahm die Handwerkstechniken der römischen Steinmetze auf; vervollständigte ein alleinstehendes weißes Marmorportal gedanklich wieder zu einem Tempel und erfaßte das Corpus der lateinischen und bilinguen griechisch-lateinischen Inschriften vor Ort. Von seinem sensationellsten Fund kopierte er die ersten Zeilen: *„Abschrift der Taten des Kaisers Augustus, wie er die Welt dem römischen Volk unterwarf, sowie der Ausgaben, die er für den römischen Staat tätigte.“* Was als sogenanntes *Monumentum Ancyranum* heute Eingang in die Wissenschaftsgeschichte gefunden hat, fand Fernberger in der Vorhalle des Tempels der Roma und des Augustus, direkt neben dem zweisprachigen Testament des Kaisers.

Unter Touristen aber war Ankara nicht nur für seine derartigen *„Antiquitäten“* bekannt, sondern auch für seine vortrefflichen Textilwaren. Menge, Vielfalt und Qualität überzeugten selbst den anspruchsvollsten unter den Souvenirjägern. Diskutiert wurden dabei alle Stadien des Herstellungsprozesses, vom Rohstoff bis zur mechanischen Tuchausrüstung: die Almweiden der Schafe und Ziegen, die Feinheit der Wolle (glänzendes, langfädiges Haar wie Seide), ausgekämmt anstatt geschoren und die Webarten, die Tuche verschiedenster Fasson ergaben. Wobei Warenkunde zum selbstverständlichen Grundwissen auch der männlichen Kundschaft zählte.

Die Reise durch Anatolien verhalf Georg Christoph Fernberger aber nicht nur zu einem tieferen Verständnis antiker Steinmetzkunst und zeitgenössischer Web- und Färbetechniken, sondern förderte auch überraschende Einblicke in die menschliche Natur zutage: Während die Osmanen *„nirgends ... härter und grausamer“* gegenüber Christen vorgingen als im Heiligen Land (wo die Einnahmen aus dem Pilgertourismus am größten waren ebenso aber die Konzentration der „Ungläubigen“), *„so behandeln die Türken dieser Region die Christen besser und menschlicher als irgendwo sonst“*. Seltene Gäste – weniger Ressentiments.

Ungeachtet dieser Gleichung, aber von den Konsequenzen angenehm berührt, schlug Fernberger erstmals versöhnlichere Töne gegenüber den muselmanischen Landesherrn an. Zuvor hatte er sich an den verschiedensten Stellen seines Reiseberichtes bitter beklagt. Insbesondere darüber, daß ihm das ohnehin beschwerliche Unternehmen einer Reise hier allerorten zusätzlich vergällt wurde und darüber, daß stets ein tiefer Griff in die Reisekasse notwendig gewesen war, um das Weiterkommen überhaupt erst zu ermöglichen: durch das anmaßende Gebaren der Türken, das stets Hand in Hand ging mit einer recht unverblümten Forderung nach *Bakschisch* (*„Das ist die einzige Möglichkeit, das wilde Gemüt der Türken, das sich von dem anderer Völker völlig unterscheidet, zu besänftigen. Dadurch werden sie wie durch Gesang bezaubert. Ansonsten sind sie nicht nachgiebig.“*), durch die Korruption im Land, die Willkür, die himmelschreiende Ungerechtigkeit, ja, den offenen Rechtsbruch, die Raffgier und Verschlagenheit, gepaart mit Feigheit und den latenten Hang zur Gewalt. „Charakterstudien", die in ihrer prägnanten Kürze keinen Zweifel aufkommen ließen an Fernbergers scharfer, von abendländischer Propaganda geprägter Haltung.

Über den „Erbfeind christlichen Namens" hatte sich Europa gegen Ende des 16. Jahrhunderts längst verständigt. Der Kanon negativer Klischees umfaßte blutrünstige Greueltaten (wie Säuglinge-auf-Zäune-Spießen und Kinder-mit-dem-Schwert-in-zwei-Teile-Hacken), grausame Mißhandlungen, unmenschliche Sklaverei und wollüstige Schandtaten. Die kraftvollen Bilder der zeitgenössischen Propaganda, auch wenn sie nicht unbedingt real waren (denn zum Teil sind die Motive zweifellos topischer Natur), erzeugten ungeheure Resonanz. In die allgemeine Mobilmachung gegen die „Geißel der Menschheit" hatte sich auch die Kirche eingeklinkt. Mit Türkenwallfahrten, Türkenprozessionen, Türkenpredigten, Türkenmessen und Türkengebeten zog man die Konsequenz aus dem heilsgeschichtlichen Verständnis, das die Türkengefahr als Strafe Gottes für die Sünden der Christenheit begriff, gleich Epidemien, Hungersnöten und Naturkatastrophen.

Georg Christoph Fernberger hatte seinen persönlichen Beitrag zur Stabilisierung des Feindbildes bereits geleistet, nun wandte er sich im Rahmen der übergeordneten Interessen wieder seinen eigenen Problemen zu. Durch das umgänglichere Verhalten, das die Türken in Anatolien Christen gegenüber an den Tag legten, vereinfachte sich vermutlich seine Reise erheblich und sein äußeres Erscheinungsbild mochte er jetzt ebenfalls weitaus erfreulicher gestalten können: Wenn es tatsächlich keine Repressalien nach sich zog, Christ zu sein, dürfte Fernberger wohl auf seine Tarnung unter einem Turban verzichtet und statt dessen eine ihm besser zu Gesicht stehende Kopfbedeckung getragen haben. Vorschrift war die ominöse „schwarze Kappe" ohnehin stets gewesen, insbesondere in Stadtgebieten, doch nur hier schien sie zum ersten Mal überhaupt denkbar. Gefärbter Stoff spielte auch in Fernbergers weiteren Reiseplänen die Hauptrolle. Er hatte sich in Ankara offensichtlich nach neuen Weggefährten umgesehen und war in einer Gruppe von armenischen Kaufleuten fündig geworden: Als diese ihre 80 Kamele schließlich mit großen Ballen feinen Tuchs beladen hatten, konnte seine Fahrt ebenfalls weitergehen. Rund 400 Kilometer trennten ihn an diesem 3. August des Jahres 1592 noch von seinem vorläufigen Endziel.

Offensichtlich verlief der Marsch eintönig, Georg Christoph Fernberger wußte nicht viel zu berichten außer der Namen der Städte und Dörfer, an denen Station gemacht wurde. Obwohl die Straße nach Konstantinopel gut ausgebaut und gepflastert war, hemmte das Gelände offenbar das Vorwärtskommen. Tag um Tag ging hin mit dem Überqueren von Brücken, Erklimmen von Pässen und schließlich der Passage eines nicht enden wollenden Waldes.

Danach wurde die Gegend freundlicher – zumal sie Fernberger von früher her vertraut war. Es war erneut eine Reise in die Vergangenheit: In jene Zeiten, als Nikomedia noch nicht Isnicomith (Izmit) hieß, Hannibal in Libissa, dem zeitgenössischen Geubisè (Gebze), im Jahr 183 v. Chr. Selbstmord verübte und anstelle des Dorfes Kalcit (Kadiköy) noch die Stadt Calcedo (Chalcedon) gestanden hatte, bekannt durch die Glaubenssynode im Jahr 451. Georg Christoph Fernberger verband mit Chalcedon aber auch ganz persönliche Erinnerungen: Unzählige Male war er von Konstantinopel hier heraus gefahren, um zu feilschen und zu handeln, und stolz war er jedesmal mit seiner Beute wieder von dannen gezogen, zurück ins Deutsche Haus. Die Bauern dieser Gegend fanden beim Pflügen nämlich regelmäßig antike Münzen und tauschten sie gern gegen echtes Geld, die Mitglieder der europäischen Gesandtschaften wiederum erstanden wahrhaftige Relikte des alten Byzanz zum Ergötzen der eigenen Gelehrsamkeit.

Auf der nun absolvierten großen Tour durch Kleinasien erarbeitete sich Georg Christoph Fernberger den Raum, den er durchmaß, vollständig anhand der ehemaligen Provinzeinteilung des Römischen Reiches: Zuerst durchquerte er *Cilicia*, dann überwand er den Kamm des Taurusgebirges und fand sich in *Licaonia* wieder, betrat einige Tage später die Provinz *Pisidia* und gelangte von dort nach *Galatia*, bevor er endlich über den Fluß setzte, der die Grenze zu *Bithynia* bildete. Eigentlich hätte Fernberger seinen Weg auch genausogut anhand der osmanischen Verwaltungseinheiten finden können (über profunde Landes- und Sprachkenntnisse verfügte er schließlich) – sie hätten ein ebenso anschauliches Gerüst für die überwundenen Distanzen geschaffen. Doch Fernberger gab unmißverständlich einem anderen Koordinatensystem den Vorzug, schließlich diente ihm dieses gleichzeitig als Kompaß. Auch wenn er zum ersten Mal den Fuß auf den Boden Kleinasiens setzte, war ihm dieser Teil der Welt doch bestens vertraut: Städte, Provinzen, Grenzen – alles Namen, die ihn bereits sein Leben lang begleiteten; Flüsse, Berge und Pässe – alles Schauplätze, an denen seine Lektüre spielte. Es war ein probates Mittel, mit einem erlesenen Wegweiser diese Gefilde zu „erfahren"; aber mehr noch als einen natürlichen Zugang, erschloß ihm seine intime Kenntnis der antiken Literatur die Chance, sich zu orientieren. Im Gelände und auf der einzigen Landkarte, die Fernberger bei sich trug: jene in seinem Kopf.

Dort war die kleine Karawane wie auf einer roten Linie, die sich munter vorwärtsschlängelte, von Kilikien schnurstracks bis vor die Tore Konstantinopels marschiert. Am 20. August des Jahres 1592 hatte Georg Christoph Fernberger auch die letzte Etappe geschafft: *„Und endlich erreichten wir ... Scutarium, das gegenüber von Konstantinopel liegt."* Schon grüßten die Dächer der Stadt auf der anderen Seite des Bosporus, konnte man die Minarette der Moscheen und den *Topkapı Serail* des Sultans im gleißenden Sonnenlicht ausmachen. Vom *Nemçi Han* trennten ihn kaum mehr eine Viertelmeile und eine kurze Fährfahrt. Noch am selben Tag setzten die 80 Kamele samt Führern, Kaufleuten und dem einsamen Touristen über den Bosporus. Es war nur ein kleiner Schritt, aber für Fernberger schloß sich damit ein ganzes Kapitel seines Lebens.

Sein erster Weg führte ihn wohl direkt vom Hafen zum Konstantinsforum und dort den Hügel hinauf, bis vor die hohen Mauern des Deutschen Hauses. Ein vertrauter Anblick, und doch hatte sich hier inzwischen einiges verändert. Vor dem Tor standen wohl andere türkische Wachen, denn die Janitscharen-Eskorte für die Kaiserliche Gesandtschaft wurde jährlich ausgewechselt, drinnen blickte Fernberger nun ebenfalls in mehrheitlich oder gar ausschließlich fremde Gesichter. Gesinde und Hofstaat der Gesandtschaft Pezzen, rund 70 an der Zahl, hatten inzwischen den Kutschenjungen, Stallknechten, Laufburschen, Musikanten, Schneidern, Barbieren, Goldschmieden, Köchen, Dolmetschern, Schreibern und zehn, fünfzehn, zwanzig aristokratischen Repräsentanten eines neuen Orators, nicht zu vergessen deren Geistlichen und deren Apothekern, Platz gemacht.

Der Personalwechsel im *Nemçi Han* war bereits vor neun Monaten über die Bühne gegangen. Auf der anderen Seite der diplomatischen Front war in Fernbergers Abwesenheit hingegen alles beim alten geblieben. Immer noch ließ sich Sultan Murat III. ab und an in den Straßen von Konstantinopel blicken, von den oberen Fenstern des Deutschen Hauses dabei neugierig beobachtet. Murats derzeitiger Großwesir war ebenfalls kein Unbekannter: Der Kroate Siyavus Pascha hatte das Amt schon bekleidet, als Fernberger Konstantinopel verlassen hatte und saß gerade wieder fest im Sattel, als Fernberger nach Konstantinopel zurückgekehrt war (dazwischen allerdings lagen drei Jahre und zwei andere Großwesire). Nichts Neues für Georg Christoph Fernberger, denn der hatte auch in der Ferne die innenpolitischen Schlagzeilen des Osmanischen Reiches verfolgt.

Im Deutschen Haus war Fernberger unterdessen freundlich aufgenommen worden. Bewohnt wurde ausschließlich die obere Etage, denn die mächtigen Gewölbe, die sich unten rings um den 50 mal 50 Schritt großen gepflasterten Hof gruppierten, waren zu Wagenremisen und Pferdeställen, Kobel für Hühner, Schweine und Wild umfunktioniert und beherbergten die Küche und den Weinkeller. Auch wenn der *Nemçi Han* heimelige Gefühle auslösen mochte, behaglich war er deswegen nicht: rauchschwarze Wände, spartanische Betten, reichlich Ungeziefer, selbst Schlangen fanden sich in den Zimmern ein. Im großen Eßzimmer jedoch konnte man sich fast zu Hause wähnen, dort waren die Mauern getüncht, Spruchbilder der ehemaligen Oratoren schmückten die Wände, und am langen Tisch wurde nicht nur getafelt und gezecht (mit den deutschen, italienischen, französischen, griechischen und türkischen Gästen, die sich täglich hier einstellten), sondern auch Karten gespielt und musiziert.

Vermutlich streifte Georg Christoph Fernberger auch in der letzten Augustwoche des Jahres 1592 noch einmal durch die Straßen von Konstantinopel. Vielleicht besuchte er ein allerletztes Mal die Sehenswürdigkeiten, ging am antiken Hippodrom spazieren, vorbei an seinen Säulen und Obelisken zu jener Kirche, die dort das „Tierhaus" beherbergte; vielleicht gönnte er sich noch einmal eine vollständige Stadtrundfahrt, die rund vier Stunden in Anspruch nahm und üblicherweise mit einer Schiffahrt entlang des Goldenen Horns

startete, mit einem Besuch des „Palatinum Constantini" (Blachernenpalast) fortgesetzt wurde, einen Spaziergang entlang der sechseinhalb Kilometer langen Landmauer Konstantinopels inkludierte, an derem südlichen Ende bei der „Festung mit den sieben Türmen" (*Yedikule*-Kastell) wieder ans Wasser stieß und mit einer abschließenden Bootsfahrt den Kreis rund um die Stadt schloß. Vielleicht durchstöberte Fernberger zum Abschluß auch wieder das Basarviertel und erstand dort noch einige der Souvenirs, für die Konstantinopel zu Hause berühmt war: wunderschönes türkisches Papier, Zahnstocher aus Meeresschildkröten, Trinkschalen aus Perlmutt. Mit dem Großteil der anderen üblichen Exotica wie Bezoarsteinen, kleinen Krügen mit echtem Balsam und *Terra Lemnia* (feine Siegelerde von der Insel Lemnos) oder verschiedensten Muscheln mochte er sich ebenso wie mit den hier angebotenen Edelsteinen wohl schon bestens versorgt wissen.
Acht Tage verflogen, dann brach Georg Christoph Fernberger neuerlich auf. Es gab keine Veranlassung zu bleiben: Im *Nemçi Han* wurden seine Dienste inzwischen nicht mehr benötigt. Dagegen sprachen gute Gründe dafür zu gehen: Die üblichen Händel in den Grenzgebieten von Ungarn und Bosnien hatten sich seit dem Vorjahr merklich zugespitzt, sowohl türkische als auch habsburgische Grenzscharen hatten ihre Aktivitäten intensiviert. Im Sommer 1592 – inzwischen war es den Osmanen sogar gelungen, mehrere Grenzfestungen zu erobern – war die Lage bereits so gespannt, daß beinahe täglich der eigentliche Krieg auszubrechen drohte.
Noch unmittelbarer aber war vielleicht die Bedrohung in Konstantinopel selbst, da hier gerade die Pest grassierte. Wer nun panisches Entsetzen erwartet, wird enttäuscht werden: Allein von der bloßen Existenz der Seuche berichtet Fernberger erst nachträglich, und auch dann gilt sein Augenmerk vor allem dem Topos eines beinahe lebendig Begrabenen. Schließlich gehörte der Schwarze Tod in der Frühen Neuzeit ebenso selbstverständlich zum Leben wie das Sterben überhaupt. Im 16. und 17. Jahrhundert flackerte die Pest regelmäßig in dem einen oder anderen Teil Europas auf, und am Bosporus schwelte sie ohnedies endemisch.
Dennoch begegneten die Türken der Seuche relativ gelassen. Erst wenn die Zahl der Toten tausend pro Tag überstieg, wurde in Konstantinopel zum öffentlichen Gebet auf dem *Ok meydanı*, dem „Platz der Pfeile" hinter dem Arsenal, aufgerufen. Vorsichtsmaßnahmen hingegen, zu fliehen etwa, sich zu verbarrikadieren oder die diätischen Empfehlungen der Pesttraktate zu befolgen, und Verordnungen gegen die Ausbreitung der Krankheit, wie die in Europa seit dem Spätmittelalter üblich gewordenen Seuchengesetze (die zum Beispiel umherstreifendes Gesindel fernhielten), Pesthäuser für die Kranken, Quarantänebestimmungen oder das Verbot, mit gebrauchten und mutmaßlich verseuchten Kleidungsstücken zu handeln, maß man hier keinerlei Bedeutung bei.
Es war nicht die erste Pestwelle, die Georg Christoph Fernberger hier er- (und über-)lebte, er sah daher keine Veranlassung, aus der Stadt zu fliehen. Trotzdem aber sah er sich zu diesem Zeitpunkt ganz offensichtlich noch nicht am Ziel

seiner Sehnsüchte. Neue Wünsche waren aufgetaucht, dazugehörige Pläne geschmiedet worden. Seiner Pflichten als Staatsdiener entbunden, trug sich Fernberger keineswegs mit dem Gedanken, direkt nach Hause zu fahren, sondern ergriff noch einmal eine verlockende Gelegenheit zu einer Fernreise: *„durch Bulgarien und die Walachei nach Polen“*. Möglicherweise war die Entscheidung aber auch schon lange vor der Ankunft in Konstantinopel gefallen, denn Fernberger schloß sich dazu erneut jenen armenischen Kaufleuten an, die seit Ankara seine Weggefährten waren und als deren angepeiltes Ziel sich (allerdings erst im Verlauf von Fernbergers Aufzeichnungen) der polnische Handelsumschlagplatz Lemberg herausstellte.

Bevor der Troß von dreißig Wagen aber am 28. August 1592 aufbrechen sollte, hatte sich Georg Christoph Fernberger vermutlich die üblichen Papiere für die Ausreise besorgt. Wahrscheinlich wurde der *Ferman*, der Geleitbrief des Sultans, über die offiziellen Kanäle des Deutschen Hauses beantragt, schließlich war Fernberger ehemaliges Gesandtschaftsmitglied. Einen solchen Paß in der Tasche, seine Habseligkeiten gepackt, hatte Fernberger Abschied genommen vom *Nemçi Han* und einen der Wagen bestiegen.

Quer durch die Stadt rollte der Troß der Landmauer Konstantinopels zu, passierte eines der Tore im Südabschnitt und fand sich dahinter auf der Landstraße nach Nordwesten wieder. Nun ging es immer der Küste des Marmarameeres entlang weiter, über zwei von Brücken überspannte Lagunen, bis nach etwa 50 Kilometern der Weg ins Landesinnere umbog: *„Ich ließ Silibre* [Silivri], *Chiurli* [Çorlu], *Baba* [Babaeski] *und Habsa* [Havsa] *hinter mir und kam am 1. September* [1592] *nach Adrianopel* [Edirne].“

Den knappen Erzählstil behielt Georg Christoph Fernberger in der Folge bei: Sein Reisetagebuch vermerkt zwar auch weiterhin penibel Wegstationen sowie Ankunfts- und Abreisedatum, ansonsten aber geizt es plötzlich mit Informationen: eine schematische Wegbeschreibung mit tagebuchartigen Einschüben, trocken, kurz, eintönig und mehr oder weniger unpersönlich gehalten. Das bißchen Fleisch auf dem nackten Gerippe der Daten und Namen trug Fernberger nun zum größten Teil die Zeitgeschichte zu. Während bisher markante persönliche Erlebnisse den Ton vorgegeben hatten, drängte in der Folge aktuelles politisches Geschehen ins Rampenlicht.

Noch aber befand sich Georg Christoph Fernberger erst am Anfang dieser intellektuellen Überlandpartie. Kaum in Edirne gelandet, drängten seine Gefährten gleich wieder zum Aufbruch, denn auch hier grassierte wie in Konstantinopel *„heftig“* die Pest. Fernbergers Weg führte von hier nach Nordosten: Die Wagenkolonne querte einen riesigen Wald (in dem 1583 das Massaker an einem Abgesandten des polnischen Königs stattgefunden hatte), bewegte sich auf die Küste des Schwarzen Meeres zu, rollte durch die Stadt Varna und schickte sich an, weiter nördlich über die Donau zu setzen.

Am Flußufer angekommen aber wurde der Gruppe eine Zwangspause verordnet. Zum einen endete hier nach Rumelien, Bulgarien und der Dobrudscha offiziell das Osmanische Reich, was umfangreiche Zoll- und Grenzformalitäten nach sich zog, zum anderen tobte voraus, im Fürstentum Moldau (gleich seinen Nachbarn Walachei und Siebenbürgen ein Vasallenstaat des Sultans) ein blutiger Machtkampf um die rechtmäßige Herrschaft. Als direkte Kontrahenten standen sich hier Peter der Lahme und Aron Tyranul („der Tyrann") gegenüber, entschieden wurde die wechselnde Partie aber letztlich im fernen Konstantinopel – durch üppige Bestechungsgelder, den englischen Botschafter, die Einflußnahme der Janitscharen und die Gunstbezeugungen des Großwesirs. Noch bevor der Wagentroß der armenischen Kaufleute schließlich die Einreisegenehmigung erhielt und durch das vom Krieg zerstörte Land weiterzog, hatte sich am Bosporus das Blatt endgültig zugunsten von Aron, dem „Bastard" gewendet. Dennoch traf Fernberger in Jasso (Iasi), der Hauptstadt der Moldau, noch Peter den Lahmen an und auf den Straßen des Fürstentums die Bauern auf der Flucht.

Zehn Tage nahm die Fahrt durch das Kriegsgebiet in Anspruch, und wegen der unsicheren Verhältnisse gestaltete sich die Reise nun recht schwierig und gefährlich. Am 4. Oktober 1592 aber stoppte der Konvoi schließlich wohlbehalten an einer weiteren Furt: Hier in der Stadt Couthin (Chotin) bildete der Dnjestr die Grenze zwischen der verlängerten Machtsphäre des Sultans und Podolien, Teil von Polen-Litauen und damit gewissermaßen beinah heimatliches Gefilde. Trotzdem schenkte Georg Christoph Fernberger dem folgenden Grenzübertritt zurück in seinen eigenen Kulturkreis keine besondere Aufmerksamkeit – allein die abenteuerliche Manier, in der er zu bewerkstelligen gewesen war, ließ ihn nicht zu einem unter vielen verkommen: Während die Gespanne offenbar wie üblich auf Fähren über den Strom setzten, hatte sich Fernberger kurzfristig von seiner Gruppe entfernt und sich *„...mit dem Erwerb von Met beschäftigt"*. Lange genug, um den Anschluß zu verpassen. So war er gezwungen, samt dem erstandenen Reiseproviant selbstständig den *„Nester, ... einst Tiras* [Tyras]" zu überqueren.

In einer Zeit, da Brücken eine Seltenheit darstellten (zumal aus Stein und mit entsprechender Kapazität), oft eine Herausforderung: Im vorliegenden Fall ließ sich Fernberger rudern, nicht in einem Boot, sondern in einem Baumstamm *„auf eine überaus merkwürdige Weise"*. In das roh ausgehöhlte Gefährt für Einzeltransporte verfrachtet, nahm er die Fahrt in Angriff, wie geheißen flach auf dem Bauch liegend, die Beine über das vordere Ende hinausgestreckt und den *„Kopf im Schoß des Fährmannes"*.

Vergleichsweise ruhig gestaltete sich danach die anschließende Weiterreise. Vorbei an Städtchen und Herrschaftssitzen lokaler Adelshäuser von überregionalem Ruf strebte die Wagenkolonne nun unaufhaltsam ihrem eigentlichen Ziel zu. Binnen einer Woche grüßte zunächst von weitem die alte baufällige Festung, dann endlich auch die schmucken Häuser von Leopolis. Der Handel hatte die Bewohner der Stadt reich gemacht, Lemberg war Drehscheibe im Warenverkehr für den gesamten osteuropäischen Raum mit internationalem Flair. Fernbergers Begleiter bzw. deren Stoffballen feinsten Tuchs aus Ankara hatten hier ihren Bestimmungsort erreicht.

Fernberger selbst hatte um die Heimat allerdings erst einen weiten Bogen beschrieben.

Bislang Teil einer Reisegruppe sah sich Fernberger nun mit der ungewohnten Situation konfrontiert, völlig auf sich allein gestellt zu sein. Trotz des regen Verkehrsaufkommens in Lemberg hatte er offenbar keinen neuen Anschluß gefunden. Daher beschaffte er sich zunächst einen Wagen und zog auf eigene Faust los. Wohin, tat er – vorerst jedenfalls – nicht kund.

Etwa eine Woche später traf Fernberger in Warschau ein. Später als alle anderen, die in Polen Rang und Namen hatten, aber gerade noch rechtzeitig: Vor wenigen Tagen war in der Stadt an der Weichsel der sogenannte „Inquisitionssejm" (7. September – 9. Oktober 1592) zu Ende gegangen, und noch hielt sich sowohl die gesamte polnische Aristokratie als auch der Königshof aus Krakau hier auf. Darunter auch diejenige, die die Ursache war für diese Adelsversammlung, die der innenpolitischen Krise im Land Rechnung trug: die 19jährige Anna von Innerösterreich. König Sigismund III. hatte die Habsburgerin im Mai dieses Jahres geheiratet, gegen den Willen seines Kanzlers und trotz seines überwiegend antihabsburgisch orientierten Adels. Nachdem wenig später auch sein geheimes Abkommen über einen möglichen Thronverzicht (samt Nachfolger aus dem Hause Habsburg) publik geworden war, sah sich Sigismund III. nun offiziell mit dem Vorwurf des Landesverrats konfrontiert. Der „Inquisitionssejm" selbst endete mit dem Versprechen des Königs, Polen nicht ohne Zustimmung der Stände zu verlassen, doch sollten die Ereignisse der kommenden Wochen die Gegensätze im Land nur noch verstärken.

In Warschau aber wetteiferten die Parteien inzwischen nicht nur um die Macht. *„Mit ... seinem Luxus, Pomp und seiner stolzen Arroganz"* präsentierte sich der polnische Adel von seiner extravagantesten Seite: *„Alles war voll von Gold und Silber, Edelsteinen, Purpur, Samt und Seide sowie prächtigen Pferden. ... Es würde zu weit führen, alles anzuführen, auch ist es nicht möglich, alle Eindrücke, die man durch persönliche Anwesenheit gewonnen hat, in Worten wiederzugeben."*

Vermutlich ließ es sich auch Georg Christoph Fernberger nun angelegen sein, sein äußeres Erscheinungsbild dem allgemeinen Gepränge anzupassen. Eine modisch glatte Kurzhaarfrisur, ein frisch gestutzter Bart mochten ihm dafür angebracht erschienen sein, vielleicht auch eine neue Halskrause, dazugehörige Handkrausen und eleganteres Schuhwerk. In Polen gab wie überall in der katholischen Welt ab der Mitte des 16. Jahrhunderts die sogenannte „Spanische Mode" den Ton an: Ihre Linienführung betonte die in der Renaissance entdeckte Waagrechte, mit breiten Schultern, geraden Abschlüssen an Hals, Taille und Saum und steifen Wattierungen, die die Körperformen weitgehend stilisierten. Die Damen zwängten sich erstmals in ein Korsett und einen kegelförmigen Reifrock, trugen die Haare zu einem hohen strengen Knoten hochfrisiert beziehungsweise über ein Drahtgestell toupiert bei Hof. Farblich hatte die Spanische Mode wenig zu bieten: Sie favorisierte strenges Schwarz, nur auf den Ärmeln blitzte ein bißchen Weiß in Form von kleinen auf-

genähten Stoffpuffen, die ein hervorbauschendes Hemd vortäuschten.
Demgemäß zeigte Fernberger hier weniger Interesse für die Roben als für die auffälliger geschmückten Pferde des polnischen Hofes. Im übrigen sollte Warschau nicht die einzige Station seiner Reise durch das Königreich sein. Am 5. November 1592 verließ Fernberger die Stadt und wandte sich nach Nordwesten.
Die Fahrt führte durch das Herzogtum Masowien, das seit 1526 zu Polen gehörte. Gerüchten zufolge eine nicht ganz lautere Vereinigung, verdankte sich die Mehrung des Reiches in den Augen mancher Zeitgenossen einem Giftanschlag an dem herzöglichen Brüderpaar Stanislaw und Janusz. Im Unterschied zu Warschau hielt die polnische Provinz kaum Attraktionen bereit. Die Städte auf Fernbergers Route waren allesamt zum größten Teil aus Holz gebaut, selbst anstelle von Stadtmauern verfügten sie nur über Palisaden. Der wirtschaftliche Aufschwung sollte das Land erst Mitte des 17. Jahrhunderts einholen.
Ganz anders dagegen Preußen, das Fernberger zwei Tage nach der Abreise in Warschau erreicht hatte: Über Turonia (Torun), Cülm (Kulm) und Crudenz an der Istula (Graudenz an der Weichsel) reiste er nach Gedanum (Danzig), überall empfangen von *„eleganter Architektur"* aus massivem Stein.
Danzig selbst war eine relativ junge, selbstbewußte Stadt, die gut 25 Jahre zuvor auch dem damals neugewählten polnischen König die Stirn geboten hatte. Im sogenannten „Danziger Krieg" von 1576/77 konnte Stephan Báthory aber nur das Bürgerheer besiegen (dabei *„sind ... fast 3.000 Danziger gefallen"*), die Stadt hatte seiner Belagerung getrotzt und ihre Privilegien behalten.
Georg Christoph Fernberger legte in Danzig eine zehntägige Pause ein, eine Neuorientierung war notwendig geworden. Direkt vor ihm dehnte sich nun nichts mehr als die Ostsee. Über die Mündung der Weichsel wurden allerdings die Produkte des Binnenlandes bis nach Spanien ausgeschifft, und zu Lande lag nur ein Steinwurf weit im Westen bereits die Grenze des Heiligen Römischen Reiches Deutscher Nation. Als Fernberger schließlich am 20. November 1592 aufbrach, blieb er seinem Element treu und folgte dem Küstenverlauf – freilich in östlicher Richtung. *„Ich hatte beschlossen, von Preußen aus durch Samogitien, Livland und den Moskauer Staat zu reisen"*, sollte er diesbezüglich wenig später eingestehen. In der Zwischenzeit war er in Königsberg angekommen und hatte auch schon die nötigen Vorbereitungen für diese Fahrt getroffen.
Noch hielt sich Fernberger im Zentrum des Herzogtums Preußen auf, inzwischen unter der Lehensoberhoheit Polens, doch kolonisiert und christianisiert von Deutschen im Mittelalter. Königsberg selbst war eine Gründung des Deutschen Ritterordens und hatte ab 1457 auch dessen Hochmeister beherbergt. Das gesamte Gebiet bestach durch alte deutsche Ortsnamen, die sich größtenteils Heiligen, Märtyrern und christlichen Legenden verdankten. Auch in Samogitien (heute im Westen von Litauen) und Livland (etwa das heutige Lettland und das südliche Estland), den nächsten beiden Etappen auf der ins Auge gefaßten Reise, hatten die Ritter-

orden in weiten Landstrichen Fuß gefaßt, noch weiter östlich aber würden Anklänge an die Heimat recht spärlich werden. Dennoch spielte Fernberger offensichtlich mit dem Gedanken, bis in die Zarenstadt Moskau vorzudringen.

Es war ein recht unorthodoxes Programm, für das sich gewöhnlich kaum jemand so hellauf zu begeistern vermochte. Sicherlich: Im Zeitalter der Entdeckungsreisen war den Weiten Nord- und Osteuropas ebenfalls vertieftes Interesse zuteil geworden, schließlich fanden sich in diesem Gebiet der Alten eigentlich genauso unbekannte Territorien wie in der Neuen Welt. Was lag also näher, als sich den weißen Flecken unmittelbar „vor der eigenen Haustür“ zu widmen? Deutsche Humanistenkreise jedenfalls konnten der Idee einiges abgewinnen, allein der Funke sprang nicht über: Verlockendere Reise- und Forschungsziele wiesen unzweifelhaft die exotischen Gefilde Ost- und Westindiens auf. Schon die Konnotationen für Osteuropa mußten wenig einladend wirken: dunkle Wälder mit Raubtieren, steppenhafte Weiten, verseuchte Sümpfe, eine großteils heidnische Bevölkerung mit archaischen Lebensformen und das alles bei Schnee, Eis und der klirrenden Kälte des langen kontinentalen Winters.

Woran sich Georg Christoph Fernbergers Verlangen entzündet hatte, bleibt also fraglich. Für den Moskauer Staat selbst galt in verstärktem Maß, was für Osteuropa generell angenommen wurde: Denn Rußland lag infolge der langen Mongolenherrschaft außerhalb des europäischen Blickfeldes, wurde nie in den Kanon der europäischen Bildungsreisen aufgenommen und galt noch im 18. Jahrhundert als berufsspezifisches Reiseland für Diplomaten und Kaufleute. Am Livländischen Krieg (1578–1582/83) hatte sich überdies eine starke antirussische Propaganda entzündet, und besonders kraß kam das negative Echo in den deutschen Flugschriften über Moskau zum Ausdruck. Georg Christoph Fernberger allerdings hatte inzwischen viel Erfahrung mit „barbarischen“ Kulturen und schien sich auch bezüglich des ebenso eingestuften Rußland nicht weiter daran zu stoßen. Möglicherweise ging er ja auch schon seit mehr als einem Jahr mit der Idee schwanger, als am Südufer der Kaspisee die Gelegenheit für eine Reise nach Moskau zum Greifen nah und doch undurchführbar gewesen war.

In Königsberg hielt sich Georg Christoph Fernberger darum erst gar nicht lange auf. Wenige Tage nur nahm er hier Quartier, besichtigte die Stadt, womöglich auch die Burg, in der Markgraf Johann Georg von Brandenburg als Kurfürst und Herzog von Preußen residierte und erstand eventuell auch das eine oder andere Souvenir aus Bernstein, für den die „Bernsteinküste“ im ostpreußischen Sudowien so berühmt war. Die Zeitgenossen deuteten das hier angeschwemmte fossile Harz als eine Art „Schlacke des Meeres“, dem Amber verwandt, das unter Wasser weich und klebrig sein sollte. Verschiedenste Kunsthandwerksprodukte gingen in den Handel, der einem Monopol der Herzöge von Preußen (zuvor des Deutschen Ordens) unterlag: im 16. Jahrhundert vor allem Pokale, Portraitmedaillen, Schalen und Spielbretter mit Bernsteinintarsien.

Inzwischen war es Winter geworden,

eine hohe Schneedecke machte die Weiterreise mit dem Wagen unmöglich. Georg Christoph Fernberger aber war nicht untätig gewesen und hatte bereits alle Vorkehrungen für die bevorstehende Fahrt getroffen. Sein bisheriges Transportmittel (samt Kutscher und Pferden?) war er losgeworden, statt dessen dessen hatte er einen Schlitten (samt Führer und Hunden?) erstanden. Und wenn er nicht schon längst einen besaß, dann dürfte Fernberger hier wohl überdies seine Garderobe um einen warmen Pelz erweitert haben. Dann, am 1. Dezember 1592, konnte das Abenteuer Osteuropa endlich beginnen.

Die fortgeschrittene Jahreszeit war dafür nur auf den ersten Blick ungünstig. Freilich bot der Sommer die besten Bedingungen für eine Reise: Die Tage waren lang, die Temperaturen angenehm, man konnte notfalls auch im Freien übernachten, selbst hohe Pässe waren begehbar und Lebensmittel waren überall und zu moderaten Preisen zu haben. Doch bis sich diese idealen Voraussetzungen einstellten, mußte man am Beginn der Reisesaison im Frühling zunächst noch mit Hochwasser- und Lawinengefahr, unbeständigem Wetter und schlammigen Wegen rechnen. Im Spätherbst gestalteten sich die Verhältnisse wieder ähnlich schwierig: Regen und Nachtfrost, erste Schneefälle und aufgeweichte Spurrinnen ließen die Reisetätigkeit deshalb in West- und Mitteleuropa zum Erliegen kommen, noch bevor der Winter einsetzte.

Nord- und Osteuropa dagegen boten ein ganz anderes Bild. Hier war man bevorzugt im Winter unterwegs: Der Frost festigte den morastigen Boden und machte selbst die weitläufigen Sumpflandschaften wieder gefahrlos begehbar, auch Flüsse und Seen waren oft vollständig zugefroren und stellten ebenfalls keine Hindernisse mehr dar. Selbst das Meer trennte nicht mehr, sondern verband: Weil der Salzgehalt im Wasser der Ostsee vergleichsweise niedrig ist, bildet sich auch hier eine tragende Eisdecke. Bläulich schimmernde Eisschollen auf den Wasserflächen und eine dicke Schneedecke auf dem Land, die Unebenheiten ausgleicht und zum Querfeldeinfahren einlädt – damit taten sich für Reisende ganz neue Möglichkeiten der Routenplanung auf.

Georg Christoph Fernberger nützte die Perspektiven, die sich in Osteuropa mit dem Wintereinbruch eröffneten. Schon am zweiten Tag betrat er – im wahrsten Sinn des Wortes – Neuland: Vom Dorf Postonik (Postnicken) aus, das direkt an der Küste des Kurischen Haffs lag, setzte er nun gleich vierzig, fünfzig Kilometer über die zugefrorene, schneebedeckte See. Anschließend führte ihn sein Weg durch dichte Wälder: ebenso weitläufig und menschenleer. An Gesellschaft mangelte es dennoch nicht: Bären, Wildschweine, Wölfe, Wisente und Elche („*welche die Deutschen Elendt oder Dammthier nennen*") ließen sich blicken, allesamt ohne Scheu. Aufsehen erregten weder Raubtiere noch Schwarzwild, schließlich fand sich beides ebenso zahlreich in den Jagden mitteleuropäischer Adeliger. Beim Anblick von Wisent und Elch hingegen schlug das Herz eines passionierten Jägers schneller.

Georg Christoph Fernberger kam nun rasch vorwärts: Binnen weniger Tage hatte er Preußen hinter sich gelassen, ganz Samogitien durchquert und war schließlich nach dem Herzogtum Kurland (dem letzten Rest des ehemaligen Deutschordensgebietes) in Livland eingetroffen. Am Ufer der Düna, nicht weit von ihrer Mündung in das „Livonische Meer“ (die Rigaer Bucht), lag hier das Handelszentrum Riga.

Inzwischen hatte Fernberger auch die Erfahrung gemacht, daß man nicht unbedingt um den halben Globus fahren mußte, um in einer völlig anderen Welt zu landen. Umgekehrt war eine Reise in die Ferne nicht unbedingt auch immer eine in die Fremde: Während man in den großen Hafenstädten aller Kontinente allenthalben auf Europäer traf und in den Metropolen der Kolonialmächte ein Leben vergleichbar dem europäischen vorfand, mit allen zivilisatorischen Annehmlichkeiten und vertrauten kulturellen Rahmenbedingungen, mochte man sich in den Randgebieten Europas dagegen weit weniger zuhause fühlen.

Hier in Samogitien und Livland beispielsweise waren nicht nur die Wälder dicht und dunkel, auch die Bevölkerung lebte wie im finstersten Mittelalter: in rustikalen „Wohnställen“ (in dem Bauernfamilie und Vieh gemeinsam hausten) zum einen, in barbarischen Sitten und – *„obwohl sie Christen sind“* – in tiefem heidnischen Aberglauben zum anderen (*„unzivilisiert, wild und stumpfsinnig ... beten doch die meisten den erstbesten Baum an, auf den sie stoßen“*). Noch im 18. Jahrhundert sollte zwischen kultureller und geographischer Distanz nicht unbedingt ein direkt proportionaler Zusammenhang bestehen, ja in mancher Hinsicht waren die Gemeinsamkeiten zwischen europäischem Staatswesen und blühenden Reichen in Übersee sogar immer noch größer, als jene zur jeweils eigenen „unzivilisierten“ Peripherie.

So archaisch die Lebensbedingungen hier auch waren, die Gesellschaft selbst funktionierte nach den gleichen Spielregeln wie im fortschrittlicheren Zentralraum des Kontinents. Für das eklatante Ausmaß der Standesunterschiede innerhalb der livonischen Bevölkerung und die tatsächlich bemerkenswert *„unglücklichen Lebensverhältnisse dieses Volkes“* besaß Georg Christoph Fernberger daher ein Sensorium, für die sozialpolitische Kluft innerhalb des herrschenden Systems aber naturgemäß nicht: Schließlich war Ungleichheit das Grundprinzip der Gesellschaftsordnung in der Frühen Neuzeit. Es gab Individuen, die herrschten und abhängige Menschen, die gehorchten. Ganz selbstverständlich war daher überdies, daß es Menschen verschiedenen Rechtes gab – nicht zuletzt wurde das Verhältnis zwischen den Geschlechtern dadurch vorbestimmt. Und allgemeiner Konsens herrschte auch darüber, daß diese Unterschiede erst im Jenseits aufgehoben sein würden.

In der livländischen Hauptstadt Riga war Georg Christoph Fernberger am 9. Dezember 1592 eingetroffen. Es sollte offensichtlich nur ein kurzer Aufenthalt werden, denn weder war Riga das Ziel seiner Reise noch deren nördlichste Station. Als Fernberger daher wieder aufbrach, am nächsten Tag, am übernächsten Tag vielleicht, führte sein Weg beharrlich weiter nach Nordosten. Und zunächst verlief alles nach Wunsch: Binnen einer Woche erreichte er, nach kurzem Zwischenaufenthalt in Derpten (Dorpat), mit Plescovia (Pleskau) auch schon die vorgeschobenste Bastion des Moskauer Staates. In wunderschöner Lage übrigens, schmiegte sich die Stadt zwischen Hügel und das Bett der Welikaja, knapp oberhalb von deren Mündung in den Pleskauer See. Schon vom anderen Flußufer aus beeindruckten ihre mächtigen Stadtmauern aus gebrannten Ziegeln und darüber die unzähligen Turmspitzen ihrer Kirchen und Klöster, die mit Gold überzogen in den blauen Himmel ragten und in der Sonne weithin glänzten.

Wie sich bald herausstellte, sollte dieser Anblick auch der einzige sein, der Georg Christoph Fernberger von Pleskau vergönnt war, denn ebenso wie die unzähligen Kaufleute, die in das seit 1510 zum Moskauer Staat gehörige Handelszentrum für das gesamte Baltikum strömten, blieb auch Fernberger der Zutritt verwehrt. Allen Fremden stand hier nur eine Art Karawanserei diesseits des Flusses offen. Sehnsüchtig mochte Fernberger dort aus den Fenstern schielen, schien doch Pleskau nicht nur eine echte russische, sondern auch eine riesige Stadt („*wie ich glaube, nicht kleiner als Byzanz, soweit ich von außerhalb beurteilen konnte*“) zu sein, die daher doppelt interessant zu sein versprochen hatte.

Anstelle des erhofften Stadtrundganges begutachtete Fernberger daher die Fische in der Welikaja, von denen man sich höchst Absonderliches erzählte (gemäß einer mittelalterlichen Tradition, die in Osteuropa und seinen Flüssen allerlei fabulöse Kreaturen angesiedelt hatte) und sinnierte in seinem Ausweichquartier über die Frage, wie wohl alles anders gekommen wäre, hätten „*die Polen* [im Jahr 1581] *auch nur Pleskau erobert*“. Dabei spielte er das ganze Szenario des sogenannten Livländischen Krieges gegen Rußland (1578–1582/83) noch einmal durch.

Um das Vergnügen, in Pleskau spazieren zu gehen, war Georg Christoph Fernberger durch den vor zehn Jahren geschlossenen Frieden zwar gebracht worden, dafür aber stand nun der sofortigen Weiterreise nach Moskau nichts mehr im Wege. Sollte man meinen. Offensichtlich hatte sich Fernberger nach Reisebegleitung umgesehen, doch trotz des internationalen Publikums fand er hier keinen Anschluß. Weder unter den Engländern, den Litauern, den Russen oder den aus dem benachbarten Livland stammenden Kaufleuten. Nun „*war es mir allein* [aber] *nicht möglich, jene Länder zu bereisen*“, mußte Fernberger zur Kenntnis nehmen, übrigens aus einem recht banalen Grund: Er sprach kein Russisch und war offensichtlich auch keiner anderen slawischen Sprache mächtig. Ohne jede Möglichkeit sich zu verständigen aber platzte die Reise nach Moskau.

Fernberger notierte nicht, wie lange er in Pleskau ausharrte, um vielleicht doch noch eine Möglichkeit für die ins Auge gefaßte Fahrt ausfindig zu machen. Schließlich mußte er klein beigeben, seine Pläne ändern und sich nach neuen, realisierbaren Zielen umsehen. Ob es nun direkt nach Hause gehen sollte, wußte er im Moment anscheinend selbst noch nicht genau, das einzige, was er nun – sichtlich frustriert – zu Protokoll gab, war die Rückreise nach Riga.

Es war Weihnachtszeit und es war bitter kalt. Vielleicht schmerzte die Enttäuschung, daß ihm das Erlebnis Moskau versagt geblieben war, schon in den nächsten Tagen etwas weniger, denn der kontinentale Winter, soviel hatte Fernberger bereits bemerkt, ließ eine Weiterreise nicht unbedingt verlockend erscheinen: *„Auf dieser Reise mußte ich schlimme Kälte ertragen und dachte öfters an die Sonne in Indien.“* Im Zeitalter der sogenannten „Kleinen Eiszeit“ (der epochalen Klimaverschlechterung, die nach 1550 eingesetzt hatte) schützten selbst die üblichen mit Wolfsfell gefütterten Pelze hier nur unzureichend vor der eisigen Kälte. Gerade im ausgehenden 16. Jahrhundert häuften sich lange und strenge Winter in extremer Weise, in Mitteleuropa rückten die Gletscher weit vor, und selbst der Bodensee fror mehrmals vollständig zu. Im Baltikum kauften Reisende unter diesen Bedingungen am besten ein Fuder Heu, ließen es aufladen und gruben sich für die Fahrt darin ein.

Am 29. Dezember 1592 traf Georg Christoph Fernberger zum zweiten Mal in Riga ein, wartete den Jahreswechsel ab und zog anschließend weiter. Wohin er aufbrach, als er am 3. Jänner 1593 die Stadt verließ, tat er nicht kund.

Auch jetzt reiste er allein bzw. nur in Begleitung eines *„Tartaren ..., der mich im Schlitten führte“*. Offensichtlich sollte es jedoch tatsächlich Richtung Heimat gehen, denn die gewählte Route beschrieb nun einen leichten Bogen und führte in etwa nach Süden, quer durch Livland und Litauen. Fünf Tage später traf Fernberger bereits in Wilna (Vilnius), der Hauptstadt des mit Polen vereinigten Großfürstentums, ein. Wilna, das im 16. Jahrhundert eine Blütezeit erlebt und sich zu einem Handels- und Kulturzentrum aufgeschwungen hatte, war zwar 1593 immer noch eine große Stadt mit tolerantem Klima, ihre Bedeutung als Handelsumschlagplatz aber hatte sie inzwischen weitgehend eingebüßt. Daher standen die Depots der Kaufleute (*„von denen sich noch mehr als 100 vor dem Rathaus befinden“*) inzwischen fast alle leer.

Dieser Tage aber waren die Straßen dennoch voller Menschen: Schaulustiges Volk und geladene Gäste drängten zur Jesuitenkirche, um Albert Radziwill, Sproß einer der einflußreichsten Magnatenfamilien in Litauen, die letzte Ehre zu erweisen. Georg Christoph Fernberger *„war es ... vergönnt“*, dem pompösen Ereignis beizuwohnen: Dem Wagen mit dem Sarg, gezogen von sechs Pferden mit schwarzen Seidenschabracken, gingen allein elf leere Särge, dreihundert Fackeln, achtzehn aufgeputzte Pferde und drei berittene Pagen voraus. Dahinter folgten Witwe, Familie und alles, was in Litauen Rang und Namen hatte.

Eine Woche lang hielt sich Georg Christoph Fernberger in Wilna auf, dann setzte er seine Reise – weiterhin in Richtung Heimat – fort. Schon am übernächsten Tag, dem 17. Jänner 1593, traf Fernberger im litauischen Grodno ein. Auf dem nun eingeschlagenen Weg würde er binnen weniger Tage wieder in Warschau sein. Doch in Grodno nahm seine Geschichte eine überraschende Wendung, offensichtlich hatte Fernberger eine interessante Bekanntschaft gemacht. Er verwarf seine bisherigen Pläne, schloß sich der Gesellschaft von einigen Ruthenen (slawischstämmige Ukrainer) an und betrat, wie er selbst lakonisch festhielt, nach dem sechsten Reisetag Kiew.

Die Motivation war klar: Kiew sollte wohl für Moskau in die Bresche springen. Doch der Weg bis zur alten russischen Stadt, die sich seit Mitte des 14. Jahrhunderts unter litauischer Herrschaft befand, war weit: Rund sechshundert Kilometer quer durch ganz Litauen, immer in Richtung Südosten. Da Fernberger die Strecke in nur sechs Tagen bewältigt haben wollte, legten seine Reisegefährten nun offenbar ein anderes Tagespensum vor. Fernberger selbst führte die Steigerung allein auf die Straßenverhältnisse zurück: Das Gelände war und blieb flach und verfügte (da die Straße häufig begangen war) augenscheinlich über die entsprechende Infrastruktur, die zum Vorzug einer großen Verbindungsstraße zählte (fixe Wegstationen, die zuverlässig Sicherheit, Unterkunft, Verpflegung und Dienstleistungen für Reisende boten). Denn um hundert Kilometer pro Etappe zurückzulegen und das an sechs aufeinanderfolgenden Tagen (zumal wenn *„das Wetter ... sehr rauh, die Kälte klirrend"* war), mußte man nicht nur auf längere Pausen verzichten, sondern auch regelmäßig die Tiere wechseln.

Ob das Erlebnis „Kiew" Georg Christoph Fernberger wohl für die strapaziöse Eilfahrt entschädigte? Sicherlich: Kiovia am Fluß Borysthenes (Dnjepr) war unbestritten *„die Metropole ganz Rußlands und ... einst eine riesige Stadt"*, viel mehr aber gab es offenbar nicht zu sagen. Für Touristen bot die Stadt (nach der Zerstörung durch die Mongolen im 13. Jahrhundert und wegen des seitdem stagnierenden Dnjepr-Handels geschrumpft und größtenteils wüst) inzwischen augenscheinlich wenig. Der schriftliche Niederschlag von Fernbergers Stadtbesichtigung erschöpfte sich im Besuch der Sophienkathedrale: *„eine gewaltige und wunderschöne Kirche"*, im 11. Jahrhundert nach dem Vorbild der byzantinischen Hagia Sophia errichtet. Die Kiewer Kirche allerdings barg außerdem *„die Körper von einigen Toten, die bis heute völlig unversehrt und nur sozusagen vertrocknet sind, doch sind sie keineswegs schwarz, sondern sie haben sogar noch menschliche Hautfarbe"*. Das herausragende Exponat darunter war der *„Leichnam eines Mädchens, der allein auf einem Pfeiler steht, schön anzusehen, mit ganz feinem und strahlendem Gewand bekleidet, sehr langem blonden Haar, gänzlich unversehrt"*. *„Wahrlich verwunderlich"*, urteilte Fernberger. Allesamt Märtyrer, erklärte man das Mysterium in Kiew, die blonde Schönheit wurde als Heilige Barbara vermarktet.

An Anschluß hatte es Fernberger in der Stadt also offensichtlich nicht gefehlt. Anders als innerhalb der Grenzen des zeitgenössischen Rußlands zählte hier keineswegs die Kenntnis einer slawischen Sprache zur Minimalanforderung für europäische Reisende. In den von Litauen beherrschten Gebieten nämlich hatten sich viele polnische, ungarische, deutsche und tschechische Adelige angesiedelt, und selbst der ruthenische Hochadel war inzwischen katholisch geworden und mitteleuropäisch orientiert. Diesem Umstand verdankte Fernberger wohl letztlich auch die Chance, die Fahrt nach Kiew als Gefährte der ruthenischen Gruppe überhaupt gemacht zu haben.

Der Weg nach Hause aber war noch weit, also machte sich Georg Christoph Fernberger erneut auf die Heimreise. Vermutlich war er am 4. Februar 1593 alleine von Kiew aufgebrochen, denn sein Tempo pendelte sich sofort wieder bei seinem früheren Schnitt von durchschnittlich fünfzig Kilometern pro Tag ein. Geruhsamer aber auch erheblich kostengünstiger reiste Fernberger nun durch die endlose Waldsteppe. Ähnlichkeiten mit der ungarischen Tiefebene drängten sich auf: *„Das russische Land ist an sich sehr gut und fruchtbar, doch wegen der häufigen Einfälle der Tataren größtenteils verlassen und unbestellt. ... Wodurch ich auch an den bejammernswerten Zustand unseres Ungarn erinnert wurde, das zwar in ähnlicher Weise von allen Ländern unter der Sonne das fruchtbarste ist, aber genauso traurig verwüstet und brach daliegt."*

Was die Osmanen für die Puszta hatten die Mongolen für das südliche Rußland bedeutet: Schon unmittelbar nach dem Mongolensturm Mitte des 13. Jahrhunderts waren die Bauern in weniger leicht zugängliche Gebiete geflohen, seitdem war wie hier in der Region um Kiew das weite Land öde und entvölkert. Die unsicheren Grenzverhältnisse zwischen Litauen und Rußland hatten überdies bewirkt, daß hier auch jetzt nur wenige, mit besonderen Privilegien ausgestattete Bauern lebten, völlig auf sich allein gestellt und kaum mit Akkerbau, sondern vornehmlich mit Jagd, Fischfang und Bienenzucht beschäftigt. Elf Tage betrug die reine Fahrzeit, dann wurde Georg Christoph Fernberger wieder einer polnischen Stadt ansichtig: Lublin.

Als schließlich der März anbrach, hatte Fernberger hier nicht nur seinen Schlitten gegen einen Wagen getauscht, sondern war sich auch über die weitere Route klargeworden. Doch anstatt nach Südwesten wandte er sich von Lublin aus nach Nordwesten. Und anstatt in Krakau – und in der Folge in Wien – traf er deshalb wenig später zum zweiten Mal in Warschau ein.

Warum Warschau? Fernberger gab die Antwort nicht preis. Ebensowenig tat er seine Beweggründe für die folgende Irrfahrt kreuz und quer durch Polen kund: Scheinbar ziel- und planlos reiste er von Warschau weiter nach Posen, wo er schon sechs Tage nach Abfahrt in Lublin eintraf. Ein kurzer Abstecher nach Gnesen, anschließend war Fernberger wieder nach Posen zurückgekehrt. Am 20. März 1593 brach er erneut auf. Diesmal ins benachbarte Schlesien: Schon am nächsten Tag erreichte er Vratislavia (Breslau), blieb bis zum 5. April und zog dann weiter nach Brieg. Hier endete auch der kurze Ausflug ins Heilige Römische Reich Deutscher Nation, denn Fernberger hatte den deutschen Landen daraufhin wieder den Rücken gekehrt und erneut die Grenze zu Polen überschritten. Am 9. April 1593 fand sich Georg Christoph Fernberger schließlich in Krakau ein.

Die Schleife von Kleinpolen nach Großpolen, Schlesien und zurück nach Kleinpolen hatte Fernberger in kurzer Zeit allerlei Sehenswertes geboten: die mondäne Bischofsstadt Posen mit ihren unzähligen Kirchen und Klöstern, das kleine Gnesen, *„die erste und älteste Stadt Polens"* zwar, doch ohne einzigen Brunnen und inzwischen auch ohne die Gebeine des Heiligen Adalbert (die seit 1039 im Prager Veitsdom ruhten). Danach Breslau: schön und ordentlich und in der Lage, sich *„mit jeder großen deutschen Stadt* [zu] *messen"*.

Krakau jedoch stellte alles in den Schatten. Die Stadt zog unzählige Besucher an, darunter Scharen von Adeligen. Georg Christoph Fernberger nahm den Faden seines Reiseberichtes wieder auf und begann erneut ausführlicher zu erzählen: vom Renaissanceschloß der polnischen Könige, vom Dom mit seinen Reliquienschätzen, von der Legende des Heiligen Stanislaus (einst Bischof von Krakau und 1079 durch die Hand des polnischen Königs gestorben), vom Strauß der hier gezeigten bunten Standarten und Fahnen (darunter jene von Erzherzog Maximilian, der beinahe selbst polnischer König geworden wäre) sowie von der Stadtsage (um Krakaus legendären Gründer Krok und dem von ihm getöteten Drachen). Eine kunstvolle Kirchenorgel mit horizontal und vertikal angeordneten, vergoldeten Pfeifen zog seine Blicke auf sich: *„Etwas ähnliches habe ich nirgends sonst gesehen"*, steht im Manuskript, dann bricht das Reisetagebuch völlig unvermutet ab.

Georg Christoph Fernberger aber setzte seine Stadtbesichtigung fort, frönte dem gesellschaftlichen Leben (wie er wohl auch zuvor schon Kontakte zu Standesgenossen in Schlesien gepflegt hatte) und beging möglicherweise auch noch das Osterfest (am 18. April 1593) in Krakau. Anschließend aber hatte er sich auf die so lange hinausgeschobene Heimreise gemacht. Über rege begangene Handelsstraßen war er wohl zunächst von Krakau nach Olmütz und von dort weiter über Brünn nach Wien gereist.

In der Folge dürfte sich Georg Christoph Fernberger aber nicht hier häuslich eingerichtet haben, sondern vorerst zurück nach Schloß Eggenberg, den Stammsitz seiner Familie im Erzherzogtum ob der Enns, gegangen sein. Dort hätte er zumindest seinen Bruder Johann angetroffen, seine Mutter Regina hingegen mußte schon lange tot, und sein Vater Ulrich, der noch eine zweite Ehe eingegangen war, vermutlich in der Zwischenzeit verstorben sein. Endgültig und unwiderruflich zuhause, hatte seine Reise hier ein Ende. Sein Reisetagebuch aber harrte jetzt erst der Ausarbeitung.

14. Kapitel

Nachspiel

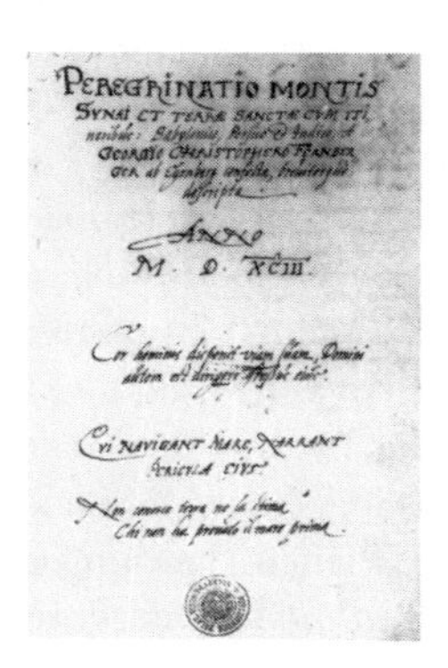
Peregrinatio montis
Synai et terrae sanctae cum iti-

Anno
M. D. XCIII.

Es gab viel zu erzählen in diesen Tagen. Vermutlich scharte sich allabendlich ein interessiertes Publikum um Georg Christoph Fernberger, der die weite Welt ins heimatliche Salzkammergut brachte. Wer sich zuhause ungetrübt im Ruhm seiner Reise sonnen wollte, tat gut daran, sich dafür rechtzeitig Material zurechtzulegen, ansonsten mochte das Urteil der Zuhörer recht harsch ausfallen.

Ein Reisetagebuch zu führen war mithin eine Möglichkeit, die Erinnerung zu bewahren, setzte aber ein hohes Maß an persönlichem Engagement voraus. Aus dem Kranz der unterhaltsamen, gelehrten, spannenden, frommen und wunderbaren Episoden aber war noch keine Geschichte gemacht, aus Notizen noch kein Reisebericht. Offensichtlich fand Fernberger aber jetzt Zeit und Muße, seine Aufzeichnungen durchzusehen, sie zu ordnen und zunächst einmal ins Reine zu schreiben. Die chronologische Ordnung gab er dabei stellenweise zugunsten thematischer Bezüge auf, und so wanderten im entstehenden Fließtext manche Passagen nun weiter nach vorne, andere zurück. Zunächst hatte sich Fernberger eigenhändig an die Arbeit gemacht und gut vierzig Papierbögen mit sauberer Schrift gefüllt, dann aber griff er offensichtlich auf einen Schreiber zurück, der den Rest erledigte.

Doch damit waren die Ansprüche Fernbergers an sein eigenes literarisches Produkt noch lange nicht erfüllt. Als das Manuskript endlich vorlag, nahm er als nächsten Schritt eine stilistische Überarbeitung in Angriff. Aus dem spontanen Gebrauchslatein mit vielen Italianismen sollte gutes klassisches Latein werden. Sowohl lexikalisch als auch syntaktisch wurde der erste Entwurf nun normiert, auch wenn die Sprache dadurch viel von ihrer Lebendigkeit einbüßen sollte. Fernberger mußte hastig gearbeitet haben, er korrigierte den Text offenbar nur flüchtig.

Augenscheinlich waren Fernberger Zeit und Muße inzwischen abhanden gekommen. Nicht weiter verwunderlich, wenn man bedenkt, daß er für seine Rückkehr nach Österreich ein stürmisches Jahr gewählt hatte, denn der Sommer von 1593 hatte nach langjährigem Frieden wieder einen Krieg mit dem Osmanischen Reich gebracht. Seit langem schon steuerte man auf diese Auseinandersetzung zu, niemand wußte das besser als das Personal des *Nemçi Han*. Noch ein Jahr zuvor hatte sich Georg Christoph Fernberger in Konstantinopel von der drohenden Kriegsgefahr überzeugen können und wohl auch die neuesten Informationen über die beständig zunehmenden Grenzverletzungen erhalten, doch während er selbst im Mai 1593 sicher nach Wien zurückkehrte, eskalierte am Bosporus die unsichere Lage. Der jetzt entbrannte Krieg sollte bis 1606 dauern und unter dem Namen „Langer Türkenkrieg" in die Geschichte eingehen.

In Österreich waren zu Beginn des Jahres 1594 die Kriegsangelegenheiten Erzherzog Matthias, einem Bruder des Kaisers übertragen worden, der in den letzten Jännertagen den Kriegsrat im ungarischen Raab (Győr) versammelte. Dort wurde jetzt der Plan des bevorstehenden Feldzugs entworfen. Georg Christoph Fernberger hatte es längst nicht mehr beim Redigieren seines Reisetagebuches gehalten: Seinem Selbstverständnis nach war er Soldat, sein eigentliches Handwerk war der Krieg, natürlich war er ebenfalls mit nach Ungarn aufgebrochen. *„Noch nicht zufrieden"* damit, seine fünfjährige Reise glücklich und gesund beendet zu haben, *„wollte er seinen Ruhm auch im Kriege vermehren"*, wie sein Bruder später diese Entscheidung kommentieren sollte.

In Ungarn waren unterdessen die Vorbereitungen für den Feldzug gegen die türkische Übermacht abgeschlossen worden, am 27. Februar 1594 wurde er eröffnet. Im Beisein des Erzherzogs und unter der Leitung von Niklas Pálfy brach das kaiserliche Heer auf. 10.000 Ungarn, 4.000 Deutsche zu Fuß, 6.000 ungarische und 1.000 deutsche Reiter rückten auf Novigrad (Nógrád) vor. Nógrád ergab sich. Es war Anfang März 1594, aber anstelle milder Frühlingsluft stellte sich nun rauhe Witterung ein. So rauh, daß Erzherzog Matthias entschied, die kaiserlichen Streitkräfte vorübergehend in ihre Standquartiere zu entlassen, mit dem Befehl, sich Anfang April bei Raab wieder zu sammeln.

Ein Monat Pause. Vermutlich fiel es Georg Christoph Fernberger in dieser Umgebung nicht sonderlich schwer, die Zeit totzuschlagen. Eine vergnügliche Runde mochte sich wohl zu wiederholten Malen finden lassen, Geplauder über jüngst bestandene Abenteuer im Indischen Ozean den Boden für die kommenden Ereignisse bereiten.

Als Erzherzog Matthias am 21. April wieder im Feldlager von Raab eintraf, standen dort schon 15.000 Ungarn,

10.000 deutsche Reisige und 10.000 Landsknechte bereit. Gleich in den nächsten Tagen verbuchten die Kaiserlichen einen weiteren Erfolg: Nachdem eine Abordnung von 20.000 Mann die Belagerung der Festung Hatvan eröffnet hatte, besiegte sie das herbeigeeilte osmanische Entsatzheer unter dem Sohn des Großwesirs. In der Zwischenzeit waren in Raab die versprochenen Hilfstruppen aus Deutschland eingetroffen: Jetzt zählten die Truppen bereits 30.000 Deutsche und Böhmen und 20.000 Ungarn. Von 13 größeren und 25 kleineren Schiffen auf der Donau begleitet, führte Erzherzog Matthias diese Streitmacht nun stromabwärts bis Gran (Esztergom). Georg Christoph Fernberger war selbstverständlich dabei, als dort am 4. Mai das Feldlager aufgeschlagen und die Belagerung von Strigon in Angriff genommen wurde.

Tage gingen hin, Wochen verstrichen. Doch weder konnten die Kaiserlichen den entscheidenden Durchbruch erringen, noch wollte die Stadt kapitulieren. Im Feldlager davor machte sich Ernüchterung und Langeweile bemerkbar, die Männer ergaben sich reihenweise dem Alkohol. So kam dem christlichen Heer auch das Kriegsglück abhanden. Kurz darauf traf die Nachricht ein, daß der Großwesir mit 200.000 Mann anrücke, und die Belagerung von Gran mußte daraufhin erfolglos abgebrochen werden.

Inmitten dieses Trubels hatte unterdessen auch Georg Christoph Fernberger das Glück verlassen. Was genau passiert war und wie, bleibt ungewiß: Ein Pferd mochte gescheut haben, hochgestiegen sein oder ausgeschlagen haben – auf jeden Fall trug Fernberger am rechten Bein eine böse Wunde von einem Huftritt davon. Solcherart kampfuntauglich geworden, schied Fernberger als Soldat für den Kaiser aus und räumte deshalb den Schauplatz. Er ließ sich ins ungarische Altenburg bringen, etwa hundertzwanzig Kilometer von Gran entfernt, und nordwestlich von Raab sicher hinter der Grenze, im österreichischen Teil Ungarns gelegen.

Hier mochte Fernberger seine Blessur von einem Wundarzt, Feldscher oder gar einem studierten Arzt behandelt haben lassen. Sie dürfte wohl besorgniserregend gewesen sein, aber als lebensgefährlich war die Wunde vermutlich nicht einzustufen gewesen. Allerdings schien das offene Bein dann nicht abzuheilen, im Gegenteil: Offenbar hatte sich Fernberger schwer infiziert. In einem Zeitalter, das ohne Hilfsmittel wie sauber in Plastik verschweißte aseptische Mullbinden und antibiotische Salben auskommen mußte, geriet die Situation zunehmend außer Kontrolle. Schon mußte sich das „Wundfieber" bemerkbar gemacht haben: Die Wunde entzündete sich, wurde gerötet, schwoll an. Das Bein war heiß und schmerzte bei jeder Bewegung. Eiter floß aus ...

Die schlechten Nachrichten vom ungarischen Kriegsschauplatz sollten Georg Christoph Fernberger nicht mehr erreichen. Noch bevor die Belagerungen von Gran und Hatvan abgebrochen wurden, die Osmanen gegen Raab zogen und das gesamte christliche Heer sich in ungeordnetem Rückzug nach Altenburg befand, konnte der behandelnde Arzt (sollte ein solcher zur Verfügung gestanden sein) ebenso wie später der Nachruf seines Bruders, schließlich nur noch den Tod des Patienten feststellen:

Georg Christoph Fernberger *„starb ... am Tage der Apostel Peter und Paul, also am 29. Juni* [1594], *im Alter von 37 Jahren"*.
Zuhause blieb Johann Fernberger die Aufgabe, das Manuskript im Sinn seines Bruder fertigzustellen, Vorwort und Widmung, für die zumindest ein Entwurf existiert haben dürfte, mit farbiger Tinte neu zu Papier zu bringen und ein Nachwort beizufügen, das die Geschichte seines Bruders bis zum Ende erzählte. *„Unabwendbares Schicksal"* überschrieb Johann Fernberger seinen Nachruf und datierte ihn für die Ewigkeit *„anno mundi VЭЄLVI"* (das heißt 5556 Jahre nach Erschaffung der Welt und 3901 nach der Sintflut). Offensichtlich hatte er beschlossen, das Reisetagebuch als *„Vermächtnis des Georg Christoph, seines einzigen Bruders"* nicht mehr aus der Hand zu geben.
Und noch ein zweites unvergängliches Denkmal sollte die Erinnerung an ihn bewahren helfen: Johann Fernberger setzte sich mit Christoph Dietrich von Schallenberg in Verbindung, einem dichtenden Freund der Familie, der heute als bedeutendster neulateinischer Lyriker im Österreich des 16. Jahrhunderts gilt, und gab einen literarischen Nachruf für seinen Bruder in Auftrag. Schallenberg hielt sich zu diesem Zeitpunkt ebenfalls im Dienst von Erzherzog Matthias am Kriegsschauplatz in Ungarn auf. Das Ersuchen Johann Fernbergers erreichte ihn daher offenbar zu einem ungünstigen Zeitpunkt, Schallenberg kam der Bitte nicht nach. Georg Christophs Bruder wiederum ließ nicht locker und flocht in ein weiteres Schreiben erneut seinen Wunsch nach einem *Epikedeion* (Trauer- und Trostgedicht) ein.
Daraufhin schien sich Christoph von Schallenberg nun offensichtlich auf der Stelle an die Arbeit gemacht zu haben. Was Johann Fernberger nicht wissen konnte: Schallenberg war erst dieser Tage schwer verwundet nach Wien zurückgekehrt. Und so ist jenes Grabepigramm für Georg Christoph Fernberger sichtlich eine seiner letzten, wenn nicht überhaupt die letzte seiner Arbeiten, denn kurz nachdem er das Schreiben von Johann Fernberger erhalten und unverzüglich dessem Wunsch in elegischen Distichen entsprochen haben mußte, war der 36jährige Schallenberg an den Folgen seiner Verletzung verstorben. Seine Verse lauten in der Übersetzung:

Auf das Grab des Georg Christoph Fernberger, eines österreichischen Ritters

Wanderer, bleibe kurz stehen! Denn an dieser Stelle ruht Georg
Christoph, begraben noch eh Zeit ihm gebührend gegönnt.
Wie Christophorus zwar Jesus nie trug doch mit Worten ein Bauer
(griechisch „Georgus" genannt) war für die Botschaft des Herrn,
so trägt auch dieser als Omen vom alten Stamm seiner Vorfahrn
„ferner Berge" Begriff in seinem Namen zu recht.
Denn noch am Ende der Welt hat er unermüdlich erkundet
Berge jeglicher Art, Städte, Pagoden, Paläst,

Götzenverehrung in vieler Gestalt, überkommene Bräuche,
wie sie der Thraker, der Schah, Inder und Araber pflegt.
Er wäre würdig gewesen als Nestor des Hauses zu altern,
dauerhaft auch seinem Land dienlich und nützlich zu sein.
Er im Amt eines Kriegsrats, er als Gesandter zu fernen
Völkern wäre der Pflicht würdig gewesen gewiß.
Atropos gönnte dies nicht, die Schicksalsgöttin, die wütend
nichts, was die Schar überragt, lange auf Erden beläßt.
Ihn, den zuvor nämlich keine von tausend schlimmen Gefahren,
den auch der endlosen Fahrt Mühe nicht schlagen gekonnt,
ihn hat, als Herzog Matthias den Ring um die Mauern von Gran schloß,
leicht nur verletzt ein Tag jäh aus dem Leben gerafft.
Er, der einst mit ansah, wie man nach dem Tod ihres Gatten
Frauen dem Brand übergab streng nach der Sitte Gebot,
diesen sah ich voller Schmerz, wie die Sonn er zum letzten Mal schaute,
sah sein Begräbnis mit an. Dies war des Todes Gebot.
Freilich ist dieses das ewige Ziel all unserer Mühen,
freilich ist dieses der Grund, auf dem die Menschheit besteht.
Doch nun genug. Zieh weiter, Fremder, mißtrau' deiner Jugend!
Willst du geborgen und gut leben, so lerne vom Tod.
Stunden vergehen, es wächst unsre Schuld, der Tod klopft ans Fenster.
Asche ist heute, was noch gestern als Feuer gebrannt.

Editorische Notiz

Das Reisetagebuch von Georg Christoph Fernberger wird in der Handschriftensammlung der Österreichischen Nationalbibliothek (*Peregrinatio montis Synai et terrae sanctae cum itineribus: Babylonico, Persico et Indico*, Codex Vindobonensis 15.434) aufbewahrt. Wörtliche Zitate daraus sind im Text kursiv gesetzt und folgen der lateinisch-deutschen Edition von Ronald Burger und Robert Wallisch (Beiträge zur Neueren Geschichte Österreichs Bd. 12; Frankfurt a.M. u.a. 1999).

Der von der Autorin verfaßte wissenschaftliche Kommentar zu dieser Edition (Beiträge zur Neueren Geschichte Österreichs Bd. 13; Frankfurt a.M. u.a. 2001) wurde für die vorliegende Ausgabe überarbeitet und gekürzt.

Biographien

Martina Lehner

Geb. 1969 in Gmunden, studierte Geschichte und Publizistik in Wien. Zahlreiche populärwissenschaftliche Veröffentlichungen zu Reiseliteratur und Heimatgeschichte in Zeitungen, Zeitschriften und Sammelbänden. Lebt und arbeitet in Wien.

Georg Christoph Fernberger

Geb. 1557 in Eggenberg, möglicherweise Studienaufenthalt in Italien, ab 1584 im diplomatischen Dienst an der kaiserlichen Botschaft in Konstantinopel. 1588 Antritt einer Pilgerfahrt, 1593 Rückkehr nach Österreich. Unverheiratet, keine Kinder, gest. im „Langen Türkenkrieg“ in Ungarisch Altenburg.

Bildnachweis

SW-Illustrationen

Umschlag: *Nashorn*: Aus: Conrad Gesner, Thierbuch (Zürich 1551)
Tuðra (kalligraphierter Namenszug) von Sultan Süleyman I.
Vor- und Nachsatz: *Weltkarte*: Aus: Abraham Ortelius, Theatrum Orbis Terrarum (Antwerpen 1573).
Kap. 1: *Ansicht von Konstantinopel*: Aus: Salomon Schweigger, Ein newe Reyßbeschreibung aus Teutschland nach Constantinopel und Jerusalem. Darinn die gelegenheit derselben Länder, Städt, Flecken, Gebeu, ec. der innewohnenten Völcker Art, Sitten, Gebräuch, Trachten, Religion und Gettesdienst, ec. ... (Nürnberg 1613).
Kap. 2: *Das Katharinenkloster am Sinai*: Aus: Olfert Dapper, Naukeurige Beschryving van Asie: Behelfende De Gewesten van Mesopotamie, Babylonie, Assyrie, Anatolie, of Klein Asie: Beneffens Eene volkome Beschrijving van gansch Gelukkigh, Woest, en Petreesch of Steenigh Arabie ... (Amsterdam 1680).
Kap. 3: *Schiff in Seenot*: Aus: Hans Christoph Teufel zu Gundersdorf, Beschreibung der Rayß so ich ... von Venedig auß nach Konstantinopel und von dannen gegen [Sonnen-]Aufgang vorgenommen. Fürstlich Liechtensteinische Fideikommißbibliothek.
Kap. 4: *Fernberger und Teufel am Euphrat*: Aus: Hans Christoph Teufel zu Gundersdorf, Beschreibung der Rayß ... op. cit.
Kap. 5: *Die* Rua direita *in Goa*: Aus: Jan Huygen van Linschoten, Itinerário, Viagem ou Navegação para as Índias Orientais ou Portuguesas (Lisboa 1997).
Kap. 6: *Zeitgenössische Monster*: Aus: Sebastian Münster, Cosmographey: Das ist Beschreibung aller Länder Herrschafften und fürnemsten Stetten des gantzen Erdbodens (Basel 1614).
Kap. 7: *Karte des Indischen Ozeans (1596)*: Aus: Jan Huygen van Linschoten, Itinerário op.cit.
Kap. 8: *Seeungeheuer* = Detail aus Karte des Indischen Ozeans: Aus: Jan Huygen van Linschoten, Itinerário op.cit.
Kap. 9: *Europäische Vorstellung eines Kriegselefanten*: Aus: Feuerwerksbuch (Straßburg ca. 1600). Badische Landesbibliothek Karlsruhe
Kap. 10: *Ansicht von Malakka*: Aus: Gaspar Correia, Lendas da Índia, Vol. III (ca. 1550). Arquivo Nacional da Torre do Tombo, Lisboa.
Kap. 11: *Persisches Polospiel*: Aus: Hans Christoph Teufel zu Gundersdorf, Beschreibung der Rayß op.cit.
Kap. 12: *Grund- und Aufriß der Grabeskirche in Jerusalem*: Aus: Hans Christoph Teufel zu Gundersdorf, Beschreibung der Rayß op.cit.
Kap. 13: *Karte des Baltikums (1573)*: Aus: Abraham Ortelius, Theatrum Orbis Terrarum (Antwerpen 1573).
Kap. 14: *Deckblatt des Reisetagebuches von Georg Christoph Fernberger*: Aus: Georg Christoph Fernberger von Egenberg, Peregrinatio montis Synai et terrae sanctae cum itineribus: Babylonico, Persico et Indico. Anno MDXCIII. Österreichische Nationalbibliothek, Wien, Handschriftensammlung.

Farbabbildungen:

Nr. 1, 2, 4, 5, 9, 21: Aus: Hans Christoph Teufel zu Gundersdorf, Beschreibung der Rayß op.cit.
Nr. 3: Aus: Stammbuch des Salomon Schweigger. In Privatbesitz.
Nr. 10, 13, 16, 19: Aus: Georg Franz Müller, Reißbuech (1646-1723). Stiftsbibliothek St. Gallen.
Nr. 6: Jodocus Hondius, Nova totius terrarum orbis geographica ac hydrographica tabula (Amsterdam ca. 1625).
Nr. 8, 11, 12, 17, 18, 20: Aus: Jan Huygen van Linschoten, Itinerário op.cit.
Nr. 7: Comissão nacional para os Comemorações dos Descobrimentos portugueses, Lisboa.

Nr. 14: Österreichische Akademie der Wissenschaften, Wien, Sammlung Woldan.
Nr. 15: Kunsthistorisches Museum, Wien, Kunstkammer

Karte Vor- und Nachsatz und Illustrationen in Kap. 1, 2, 6, 13 sowie Farbabbildungen Nr. 6, 14: Mit freundlicher Genehmigung der Österreichischen Akademie der Wissenschaften, Wien, Sammlung Woldan.
Illustrationen in Kap. 5, 7, 8, 10 sowie Farbabbildungen Nr. 8, 7, 11, 12, 17, 18, 20: Mit freundlicher Genehmigung der Comissão nacional para os Comemorações dos Descobrimentos portugueses, Lisboa.
Illustrationen in Kap. 3, 4, 11, 12 sowie Farbabbildungen Nr. 1, 2, 4, 5, 9, 21: Mit freundlicher Genehmigung der Fürstlich Liechtensteinischen Fideikommißbibliothek, Wien.
Farbabbildungen Nr. 10, 13, 16, 19: Mit freundlicher Genehmigung der Stiftsbibliothek St. Gallen.
Illustration in Kap. 14: Mit freundlicher Genehmigung der Österreichischen Nationalbibliothek, Wien
Farbbild Nr. 15: Mit freundlicher Genehmigung des Kunsthistorischen Museums, Wien.

Der Verlag hat sich bemüht, alle Abbildungsrechte, zu klären; für jene Abbildungen, deren Rechteinhaber bis zur Drucklegung nicht geklärt werden konnten, wird der Verlag den berechtigten Forderungen gerne nachkommen.

TYPVS ORB
AMERICA SIVE IN DIA NOVA. Ao 1492. a Christophoro Colombo nomine regis Castelle primum detecta.
CIRCVLVS ARCTICVS
TROPICVS CANCRI
CIRCVLVS AEQVINOCTIALIS
TROPICVS CAPRICORNI
CIRCVLVS ANTARCTICVS
MAR DEL NORT
MAR DEL ZVR
EL MAR PACIFICO
Noua Guinea nuper inuenta quæ an sit insula an pars continentis Australis incertu est
Hanc continentem Australem, nonnulli Magellanicam regionem ab eius inuentore nuncupant.
ANIAN regnum
QVIVIRA regnu
Tolm
Totonteac
Chilaga
Noua Francia
Estotilant
Florida
Calicuas
Marata
Hispania noua
La Bermuda
Caribana
Peru
Brasil
Amazones
Tisnada
Chile
Chica
Terra del Fuego
Archipelago di Zamal
Las dos hermanos
Los Bolcanes
S. Lazaro
Ins di los Tiburones
Rio de la Plata
TERRA AVSTR
190 200 210 220 230 240 250 260 270 280 290 300 310 320 330
QVID EI POTEST VIDERI MAGNVM
OMNIS, TOTIVSQVE MVNDI